Tratamento
de água
Tecnologia atualizada

Blucher

CARLOS A. RICHTER
Engenheiro da Sanepar
Consultor internacional

JOSÉ M. DE AZEVEDO NETTO
Professor da Universidade de São Paulo
Consultor internacional

Tratamento
de água
Tecnologia atualizada

Tratamento de água

© 1991 Carlos A. Richter
         José M. de Azevedo Netto
1ª edição – 1991
12ª reimpressão – 2017
Editora Edgard Blücher Ltda.

Blucher

Rua Pedroso Alvarenga, 1245, 4º andar
04531-934 – São Paulo – SP – Brasil
Tel.: 55 11 3078-5366
contato@blucher.com.br
www.blucher.com.br

É proibida a reprodução total ou parcial
por quaisquer meios sem autorização
escrita da editora.

Todos os direitos reservados pela Editora
Edgard Blücher Ltda.

FICHA CATALOGRÁFICA

Richter, Carlos A.
    Tratamento de água: tecnologia atualizada /
Carlos A. Richter, José M. de Azevedo Netto – São
Paulo: Blucher, 1991.

    Bibliografia.
    ISBN 978-85-212-0053-6

    1. Água – Purificação 2. Controle de qualidade
da água I. Azevedo Netto, José M. de. II. Título.

05-0912   CDD-628.162

Índices para catálogo sistemático:

1. Água: Tratamento: Tecnologia: Engenharia sanitária
628.162
2. Tratamento de água: Tecnologia: Engenharia sanitária
628.162

"Chegaram a Mara, mas não podiam beber as águas de Mara porque eram amargas; por isto pôs àquele lugar um nome conveniente chamando-o Mara, isto é, amargura. O povo murmurou contra Moisés, dizendo: Que havemos de beber? Ele, porém, clamou ao Senhor, o qual lhe mostrou uma madeira; e, tendo-a lançado nas águas, elas se tornaram doces."

Êxodo 15:23-25

Hoje, 3.400 anos depois, lançamos na água polímeros naturais, retirados da madeira (diversas espécies vegetais) para a sua clarificação, e chamamos a isto "técnicas modernas"!

Os autores agradecem a colaboração dos engenheiros Rogério de Barros Moreira, Wagner Schuchardt e Paulo Roriz Scremin, prestada nos capítulos 8, 10 e 14, respectivamente, e aos desenhistas Rui Brazil Solieri, Henryk Kujawa e Neyton Stradiotto de Oliveira, todos da Sanepar.

Conteúdo

1. O tratamento de água 1
— A água e sua qualidade, 1
— Padrões de potabilidade, 1
— Doenças relacionadas com a água, 4
— Cuidados na escolha de um manancial, 4
— A qualidade da operação e os problemas de manutenção, 5

2. Considerações gerais sobre o projeto de tratamento de água 6
— Introdução, 6
— A escolha do manancial, 6
— A qualidade da água, 7
— Investigações de laboratório, 7
— Instalação piloto, 7
— Finalidade da purificação e principais processos, 7
— Efeitos dos processos de tratamento, 8
— Tratamentos mais comuns, 8
— Classificação das águas para efeito de tratamento, 10
— Alcance das instalações e programação, 12
— Disposições e compacidade das instalações, 12
— Localização das estações de tratamento, 13
— Normas para projetos de estações de tratamento, 14
— Custo de estações de tratamento, 14
— Considerações práticas sobre projetos de estações de tratamento de água de pequeno porte, 15

3. Características da água 24
— Generalidades, 24
— Características físicas das águas, 25
  • cor, 25
  • turbidez, 26
  • pH, 28
  • sabor e odor, 29
  • temperatura, 30
  • condutividade elétrica, 30A

- Características química das águas, 30
  - alcalinidade, 30
  - acidez (gás carbônico livre), 32
  - dureza, 32
  - ferro e manganês, 33
  - cloretos, sulfatos e sólidos totais, 33
  - impurezas orgânicas e nitratos 34
  - oxigênio dissolvido (OD), 34
  - demanda de oxigênio, 35
  - fenóis e detergentes, 35
  - substâncias tóxicas, 35
- Características biológicas das águas, 37
  - contagem do número total de bactérias, 37
  - pesquisa de coliformes, 37
  - características hidrobiológicas, 38
- Características radioativas, 38
  - pesticidas, 39

4. Aeração e arejamento 41
- O problema - conceitos, 41
- Objetivos da aeração, 41
- Aplicabilidade, 42
- Princípios teóricos, 42
- Principais tipos de aeradores, 43
  - aeradores tipo cascata, 43
  - aeradores de tabuleiros, 43
  - aeradores de repuxo, 46
  - aeradores por borbulhamento, 47
- Remoção de ferro, 49
  - presença de ferro, 49
  - incovenientes, 50
  - processos de remoção, 50
  - manganês, 51

5. Projetos de unidades de mistura rápida 53
- Generalidades, 53
- O conceito de gradiente de velocidade, 54
- Fatores que influem no processo, 55
- Mistura rápida hidráulida, 56
  - tipos de ressaltos hidráulicos, 57
  - energia dissipada e gradientes de velocidade, 59
  - ressalto por mudança de declividade em canais retangulares, 60
  - ressalto em calhas "Parshall", 62
- Mistura rápida mecânica, 67
- Difusores, 71
- Localização da unidade de mistura rápida, 75

6. Mistura rápida em vertedores retangulares 77
— Introdução, 77
— Gradientes de velocidade e tempo de mistura, 77
— Ressalto hidráulico, 78
— Vertedores retangulares como misturadores rápidos, 79
— Uso e limitações de vertedores, 84

7. Floculadores 86
— Introdução, 86
— Fundamentos teóricos, 87
  • determinação experimental de K_A e K_B, 90
  • significado e aplicações de G, 93
— Floculadores mecânicos, 96
— Floculadores hidráulicos, 101
— Floculadores de chicanas, 103
— Floculadores hidráulicos de ação de jato, 106
— Floculadores em meio poroso, 109
  • fundamentos teórico, 109
  • resultados práticos da floculação em meio granular, 114
— Critérios de selação, 115

8. Floculadores de pedras: experiências em filtro piloto 119
— Antecedentes, 119
— Características da água bruta 121
  • turbidez, 121
  • cor, 122
  • ensaio de coagulação, 122
  • relação entre G e T dos ensaios de coagulação, 123
  • constante de floculação, 124
— Características dos meios porosos utilizados, 126
  • elongação e excentricidade, 128
  •fator de forma, 128
  • permeabilidade, 129
— Gradientes de velocidade, 129
— Resultados obtidos, 132

9. Floculação em malhas 136
— Introdução, 136
— Hidráulica do fluxo através das telas, 137
  • parâmetros geométricos, 137
  • perda de carga, 137
  • gradiente de velocidade nas telas, 138
— Emprego das telas como dispositivos de floculação, 140
  • trabalhos prévios, 140
  • efeito da compartimentação, 141
  • aplicações, 142

— Outras propriedades das telas, 145
  • uniformização do fluxo, 145
  • orientação de fluxo, 146
— Conclusões, 146

10. Projetos racional de decantadores 148
— Introdução, 148
— Teoria dos decantadores, 149
— Influência do comprimento relativo e da inclinação na decantação tubular, 150
— Velocidade longitudinal máxima, condições para evitar arraste de flocos, 150
— Decantadores de fluxo horizontal, 153
— Taxa de escoamento superficial, 153
— Relação entre comprimento e a largura, 155
— Decantadores tubulares ou de alta taxa, 155
— Dimensionamento, 158
— Método simplificado para o dimensionamento de decantadores de placas paralelas, 166
— Decantadores tubulares de fluxo horizontal, 167
— Aplicação prática - A estação de tratamento de Toledo (PR), 169

11. Dispositivos de entrada e saída de decantadores 176
— Introdução, 176
— Dispositivos de entrada, 177
  • hidráulica dos canais de distribuição de fluxo (múltiplo distribuidor), 177
— Dimensionamento dos canais de distribuição de fluxo, 182
— Considerações sobre o número de Froude, 184
— Dispositivos de saída, 186
  • hidráulica dos canais coletores (múltiplo coletor), 186
  • coletores de água decantada, 189
— Sistemas hidráulicos de remoção de lodo, 191

12. Filtros rápidos de gravidade 195
— Análise granulométrica de materiais granulares, 195
— Taxa de filtração, 196
— Número de filtros e tamanho máximo, 197
— Filtros simples e filtros duplos, 199
— Forma e dimensões dos filtros, 199
— Espessura das camadas e da caixa do filtro, 199
— Meio filtrante, 201
  • filtro de areia, 201
  • filtros de duas camadas (antracito e areia), 201
— Camada suporte, 202
— Fundo dos filtros, 204
— Controle dos filtros, 206
— Tubulações imediatas, 211
— Lavagem dos filtros: expansão do material filtrante, 213
— Quantidade de água de lavagem, 214
— Calhas para água de lavagem, 215

— Volume do reservatório de água para lavagem, 216
  • bombas de recalque para o reservatório de água para lavagem, 216
— Lavagem auxiliar, 217
— Seqüência para o projeto de filtros, 220
— Filtros de fluxo ascendente, 221
  • funcionamento, 221
  • aperfeiçoamentos, 223
  • qualidade de água bruta, 224
  • estrutura dos filtros-material filtrante, 225
  • fundos de filtros, 225
  • taxas de filtração e de lavagem, perda de carga, 226
  • resultados, vantagens e inconvenientes, 226
  • aplicações, 227
— Variantes com tratamentos complementares, 227
— Experiência de colatina, 229
— Superfiltração: dupla filtração, 229
  • tipos de superfiltros, 230
  • parâmetros de projeto, 232
  • material filtrante e camada suporte, 232
  • qualidade da água bruta, 234
  • descrição do funcionamento, 234
— Filtração direta, 236

13. Filtros rápidos modificados 239
— Introdução, 239
— Variáveis no processo de filtração, 240
— Características dos meios filtrantes, 242
— Velocidade de filtração e perda de carga, 245
— Controle dos filtros-taxas declinantes, 248
— Filtros multicelulares, 249

14. Lavagem dos filtros 254
— Introdução, 254
— Perda de carga na lavagem, 254
— Cálculo da expansão provocada pela retrolavagem, 256
— Velocidade mínima de fluidificação, 261
— Seleção das características dos meios de filtrantes, 262
— Mecanismos responsáveis pela limpeza dos meios filtrantes, 263

15. Variantes envolvidas no processo de filtração direta 267
— Qualidade da água bruta, 267
  • turbidez e cor, 267
  • coagulação, 269
  • algas, 272
  • sabor e odor, 274
— Parâmetros de projeto, 274
  • mistura rápida, floculação, 274
  • taxa de filtração, 274

- especificações de meio filtrante, 275
- relação entre as pricipais variáveis na filtração, 276
— Fatores de natureza operacional, 277
  - condições de transpasse, 277
  - lavagem dos filtros, 278

16. Desinfecção: cloração e outros processos 280
— Generalidades, 280
— Teoria da desinfecção, 281
— O cloro, 283
  - propriedades físicas, 283
  - propriedades químicas, 283
— Métodos de cloração, 286
  Outras finalidades da cloração, 287
  - controle de sabor e odor, 287
  - remoção de sulfato do hidrogênio, 288
  - remoção de ferro e manganês, 288
— Postos de cloração, 289
  - cloradores, 292
  - água para o ejetor, 293
  - sala dos cloradores, 296
  - capacidade, 298
  - canalizações e válvulas, 299
  - acessórios, 300
— Mistura e câmara de contato de cloro, 302
  - difusores, 302
  - agitação e mistura, 303
  - câmara de contato, 304
— Outros compostos de cloro utilizados na desinfecção, 306
  - dosadores de hipoclorito, 306
  - cloradores eletrolíticos, 307
— Uso de dióxido de cloro, 308
— Desinfecção da água com ozônio, 308
  - tendências atuais, 309
  - efeitos da ozonização, 309
  - ozonizadores, 310
  - mistura com a água, câmara de contato, 312
  - condições complementares, 313

17. Considerações adicionais sobre a cloração da água 314

18. Alcalinidade e dureza das águas: controle da corrosão 318
— Alcalinidade das águas, 318
— Dureza das águas, 319
— Redução de dureza, 321
  - processo químico de cal e soda, 321
  - processo iônico dos zeólitos ou permutitas, 322

— Controle da corrosão, 322
— Controle do equilíbrio químico da água a distribuir, 323

19. Estações de tratamento de água moduladas e padronização de projetos 325
— Introdução, 325
— Fundamentos para a padronização, 326
— Considerações técnicas e econômicas, 327
— Trabalhos preliminares, 328
— Requisitos essenciais para o projeto, 329
— Conceitos sobre modulação, 330

1

O tratamento de água

A ÁGUA E SUA QUALIDADE

Ao contrário do que muitos imaginam, a água é uma substância muito complexa. Por ser um excelente solvente, até hoje ninguém pôde vê-la em estado de absoluta pureza. Quimicamente sabe-se que, mesmo sem impurezas, a água é a mistura de 33 substâncias distintas.

Na natureza estima-se que existam 45×10^{45} moléculas de água, das quais 95% constituem água salgada, 5% água doce, na maior parte sob a forma de gelo, e apenas 0,3% diretamente aproveitável, com predominância da água subterrânea.

São inúmeras as impurezas que se apresentam nas águas naturais, várias delas inócuas, poucas desejáveis e algumas extremamente perigosas. Entre as impurezas nocivas encontram-se vírus, bactérias, parasitos, substâncias tóxicas e, até mesmo, elementos radioativos.

Os exames e as análises de água podem ser feitos pelas empresas de saneamento, por entidades que se ocupam do meio ambiente e, também, por alguns laboratórios particulares. São bastante conhecidos o Cetesb, o IPT e o Instituto Adolfo Lutz, de São Paulo; a Feema, do Rio de Janeiro, o Cetec, de Belo Horizonte, e outros centros.

PADRÕES DE POTABILIDADE

As normas de qualidade para as águas de abastecimento são conhecidas como Padrões de Potabilidade. No Brasil, o Estado de São Paulo foi o pioneiro na fixação de normas de qualidade para água potável, tendo oficializado por decreto estadual critérios que vinham sendo adotados pela RAE e pelo DOS (entidades que posteriormente foram substituídas por empresas).

Em âmbito nacional, o Governo Federal regulamentou a questão pelo Decreto 79.367, de 9-3-1977· e Portaria 56 BSB, de 13-3-1977.

Internacionalmente merecem menção as normas internacionais elaboradas pela O.M.S. e os recentes Guias Para a Qualidade da Água Potável, da mesma organização.

Tabela 1.1 — Legislação sobre potabilidade — parâmetros físicos e químicos

Parâmetros (características)	Unidade (mg/l)	Decreto 12.486 de 20/10/78 NTA-60 (Estadual)			Decreto 79.367 de 09/03/77 Portaria 56 BSB de 13/03/77		Águas minerais Resol. 25 de 1976
		Abastecimento público	Fontes	Poços	VMD	VMP	
1) Físico e organolépticos							
Aspecto	—	límpido	límpido	límpido	—	—	límpido
Cor	Pt/l (Hazen)	10-20	5	30	5	20	5
Odor	—	isento ou leve cloro	nenhum	nenhum	não objetável	não objetável	nenhum/próprio
pH	—	5-9	4-10	5-10	—	—	4-9
Sabor	—	—	—	—	não objetável	não objetável	caract.
Turbidez	NTU	2-5	5	10	1	5	3
2) Químicos							
Alcal. hidróxidos	$CaCO_3$	—	0	0	—	—	0
Alcal. carbonatos	$CaCO_3$	—	120	120	—	—	—
Alcal. bicarbonatos	$CaCO_3$	—	—	250	—	—	—
Alumínio	Al	—	—	—	0,05	0,10	—
Arsênio	As	0,05	0,05	0,05	0,05	0,1	0,05
Bário	Ba	1,0	1,0	1,0	—	1,0	1,0
Cádmio	Cd	0,01	0,01	0,01	—	0,01	0,01
Chumbo	Pb	0,05	0,05	0,05	0,05	0,1	0,05
Cianeto	CN	0,2	0,2	0,2	—	—	0,2
Cloretos	Cl	250	100	250	200	600	100
Cloro residual	Cl_2	0,3	—	—	—	—	—
Cobre	Cu	1,0	1,0	1,0	0,2	1,0	1,0
Cromo hexavalente	Cr	0,05	0,05	0,05	—	—	0,05
Cromo total	Cr	—	—	—	—	0,05	—
Dureza	$CaCO_3$	—	300	100-200	—	—	—
Fenóis	C_6H_5OH	—	—	—	—	0,001	—
Ferro	Fe	0,3	0,3	0,3	0,3	1,0	—
Fluoreto	F	1,0	1,0	1,0	—	0,6-1,7	1,00
Manganês	Mn	0,05	0,05	0,05	0,05	0,5	0,05
Mercúrio	Hg	—	—	—	—	0,002	0,001

continua

Tratamento de água

continuação

Parâmetro	Símbolo						
Nitrogênio amoniacal	N	—	0,05	0,08	—	—	0,03
Nitrogênio albuminóide	N	—	0,08	0,15	—	—	0,05
Nitrogênio nitrito	N	—	0-0,02*	0-0,02*	—	—	ausente
Nitrogênio nitrato	N	10	2-5*	2-6*	—	10	ausente
Oxigênio consumido	O_2	2,5	2,0	3,5	—	—	4,5 (H*) 3,5 (CH⁻)
Prata	Ag	—	—	—	—	0,05	—
Selênio	Se	0,01	0,01	0,01	—	0,01	0,01
Sólidos dissolvidos	—	—	—	—	500	1000	—
Sólidos totais	—	500	500	500	500	1500	1500 (180° C)
Sulfato	SO_4	250	—	—	—	—	—
Surfactantes	LAS	—	—	—	0,2	0,5	—
Zinco	Zn	5,0	5,0	5,0	1	5	5,0

Notas:

1) Os valores assinalados com asterisco são os máximos tolerados, face a exames bacteriológicos satisfatórios.

2) Os teores de fluoreto dependem da temperatura média diária do ar: consultar tabela específica na lei; quanto maior a temperatura, menor o teor de fluoreto admissível.

3) Há erros de impressão no original da Portaria 56, onde consta:
   Bário — 0,1 quando o correto é 1,0 mg/l Ba
   Mercúrio — 0,02 quando o correto é 0,002 mg/l Hg

4) No Decreto 12.486 não são tolerados resíduos de pesticidas e outras substâncias estranhas.

5) VMD — Valor máximo desejado
   VMP — Valor máximo permitido

3) Biocidas orgânicos sintéticos hidrocarbonetos clorados
Só Portaria 56 BSB como VMP (valor máximo permitido)
Aldrin — 0,001 mg/l
Clordano — 0,003 mg$l$
DOT — 0,05 mg/l
Dieldrin — 0,001 mg/l
Endrin — 0,0002 mg/l
Heptacloro — 0,0001 mg/l
Lindano — 0,004 mg/l
Metoxicloro — 0,1 mg/l
Toxafeno — 0,005 mg/l
Comp. organo-fosforados e carbonatos — 0,1 mg/l
herbicidas — clorofenoxi:
2,4-D — 0,02 mg/l
2,4,5 TP (silvex) — 0,03 mg/l
2,4,5 T — 0,002 mg/l

FONTE: Eng. Ben-Hur Luttembark Batalha

DOENÇAS RELACIONADAS COM A ÁGUA

Segundo a Organização Mundial da Saúde, cerca de 80% de todas as doenças que se alastram nos países em desenvolvimento são provenientes da água de má qualidade.

As doenças mais comuns, de transmissão hídrica, são as seguintes:

DOENÇAS	AGENTES CAUSADORES
Febre tifóide	Salmonela tifóide
Febres paratifóides (3)	Salmonelas paratifóides (A,B,C,)
Disenteria bacilar	Bacilo disentérico
Disenteria amebiana	Entamoeba histolítica
Cólera	Vibrião da cólera
Diarréia	Enterovírus, E.Coli
Hepatite infecciosa	Vírus tipo A
Giardiose	Giárdia Lamblia

Além desses males, existem ainda os casos que podem ocorrer em conseqüência da presença na água de substâncias tóxicas ou nocivas. Mais de 40 enfermidades podem ser transmitidas direta ou indiretamente, seja por contato com águas poluídas, ou por falta de higiene ou ainda devido a vetores que vivem no meio aquático (consultar a respeito o excelente livro de Eugene E. McJunkin).

CUIDADOS NA ESCOLHA DE UM MANANCIAL

A decisão mais importante em um projeto de abastecimento de água é a que se refere ao manancial a ser adotado. Sempre que houver duas ou mais fontes possíveis, a sua seleção deve se apoiar em estudos amplos, que não se restrinjam exclusivamente aos aspectos econômico-financeiros. A qualidade da água, as tendências futuras relativas à sua preservação e as condições de segurança devem, também, ser pesadas.

Nos Estados Unidos, a seleção de manancial foi normalizada pelos "Drinking Water Standards", de 1962, que estabelecem alguns pontos importantes:

a) A água a ser aproveitada deve ser obtida do manancial mais desejável que for praticável, devendo-se evitar a sua poluição.

b) Devem ser feitos levantamentos sanitários freqüentes, com o objetivo de descobrir eventuais perigos potenciais à saúde.

A avaliação da qualidade da água não pode ser feita com base em uma única análise, não só porque as características da água são variáveis durante o tempo, como também porque as análises estão sujeitas a flutuações e a erros.

Tratamento de água

A noção de que é possível tratar qualquer água, e de que o tratamento pode resolver qualquer problema, precisa ser reconsiderada, tendo em vista a praticabilidade, os custos e a segurança permanente.

Os órgãos norte-americanos de controle da qualidade da água e de saúde pública, geralmente limitam a concentração máxima de coliformes na água bruta a ser tratada em 50.000 por 100 mℓ.

ORIGENS DO TRATAMENTO

O tratamento de águas de abastecimento público originou-se na Escócia, onde John Gibb construiu o primeiro filtro lento.

A filtração rápida foi iniciada na instalação pioneira no mundo, construída na cidade de Campos, Rio de Janeiro, em 1880.

Em 1900 existiam nos Estados Unidos apenas 10 estações purificadoras, com filtros lentos.

Hoje existem no Brasil mais de mil estações de tratamento de água, algumas delas entre as maiores do mundo.

A QUALIDADE DA OPERAÇÃO E OS PROBLEMAS DE MANUTENÇÃO

Os bons resultados do tratamento somente podem ser assegurados com uma operação hábil. Em nosso país até agora não foram estabelecidos o treinamento, o credenciamento e a carreira de operadores de estações de tratamento de água. E o tratamento de água vem sendo feito há mais de 100 anos!

Essa situação não deixa de ter influência sobre os critérios de projeto a serem adotados, exigindo, muitas vezes, a adoção de parâmetros conservadores e mais seguros.

Por outro lado, a burocracia que prevalece em muitas empresas de abastecimento de água é um fator que restringe a adoção de certos equipamentos mecânicos que exigem manutenção e substituição de peças.

REFERÊNCIAS BIBLIOGRÁFICAS

[1] CAMP, THOMAS R., Water and its Impurities", Reinhold Book Corp. New York (1968).

[2] AZEVEDO NETTO, J.M., "Cronologia do Tratamento de Água", revista DAE, 116, 68-69 (1978).

[3] DAVIS, KENNETH S. e JOHN A. DAY, "Water, the mirror of Science", Doubleday, New York (1961).

[4] O.M.S., "Normas Internacionales para Agua Potable", Geneve (1971).

[5] O.M.S., "Guias para la calidad del Agua Potable", OPS, Washington (1985).

2

Considerações gerais sobre projetos de tratamento de água

INTRODUÇÃO

Os serviços públicos de abastecimento devem fornecer sempre água de boa qualidade. As análises e os exames das águas obtidas nos mananciais com a freqüência desejável revelarão a necessidade ou a dispensabilidade de qualquer processo corretivo.

O tratamento da água deverá ser adotado e realizado apenas depois de demonstrada sua necessidade e, sempre que a purificação for necessária, compreender somente os processos imprescindíveis à obtenção da qualidade que se deseja, com custo mínimo.

Muitas cidades, entre as quais importantes metrópoles, dispondo naturalmente de água de qualidade aceitável, não fazem o tratamento. Entre essas cidades incluem-se New York, Roma e Madrid. No Brasil, o Rio de Janeiro só adotou o tratamento da água de abastecimento com o início da adução das águas do rio Guandu, em 1955.

A necessidade de tratamento e os processos exigidos deverão ser determinados com base nas inspeções sanitárias e nos resultados representativos de exames e análises, cobrindo um período determinado de tempo. Resultados de uma única análise ou de algumas análises que não cubram um período suficiente em relação às estações do ano podem levar a erros grosseiros.

A ESCOLHA DO MANANCIAL

A escolha do manancial constitui decisão de maior importância e responsabilidade em um projeto de abastecimento de água. Para assegurar-se do acerto da escolha, o projetista deve levantar as alternativas possíveis, estudando-as e comparando-as técnica e economicamente.

Os mananciais próximos, mais caudalosos, capazes de atender à demanda por tempo maior, e os mananciais com água de melhor qualidade e menos sujeitos à poluição apresentam condições ponderáveis no cotejo de soluções.

A QUALIDADE DA ÁGUA

Talvez o erro mais comum em projetos de instalações de tratamento de água seja o de basear os estudos nos resultados de uma única análise de água. A qualidade da água varia com o tempo, exigindo para o seu controle a realização de análises em diferentes épocas do ano, e só sua repetição poderá reduzir o efeito da variação dos resultados.

Muitas vezes, no caso de grandes mananciais com vários aproveitamentos, pode-se recorrer à experiência obtida em outros pontos de utilização, à montante ou à jusante. Para se conhecer as condições de um manancial de superfície não bastam os resultados de exames e análises da água; a inspeção sanitária da bacia hidrográfica é medida sempre recomendável.

INVESTIGAÇÕES DE LABORATÓRIO

Sempre que possível, os projetos de estações de tratamento de água devem ser precedidos por experiências e ensaios de laboratório. Esses recursos permitem melhorar tecnicamente os projetos, reduzir custos e oferecer maior segurança para as soluções adotadas.

As investigações de laboratório podem trazer subsídios e contribuições do mais alto valor para questões como o comportamento da água em relação aos vários processos de purificação e as condições de coagulação, floculação, sedimentação, filtração e desinfecção, entre outras.

INSTALAÇÃO PILOTO

No caso de projetos de grandes estações de tratamento de água em que não exista experiência prévia com o tipo de água a ser tratada, justifica-se, muitas vezes, a utilização de instalações experimentais que, em escala conveniente, reproduzam os processos e as futuras unidades de tratamento, possibilitando a obtenção de parâmetros mais vantajosos e, conseqüentemente, o "afinamento" do projeto. A SABESP tem utilizado com grande proveito uma unidade piloto instalada na ETA do Guaraú.

FINALIDADES DA PURIFICAÇÃO E PRINCIPAIS PROCESSOS

O tratamento de água pode ser feito para atender a várias finalidades:
• *higiênicas* — remoção de bactérias, protozoários, vírus e outros microrganismos, de substâncias venenosas ou nocivas, redução do excesso de impurezas e dos teores elevados de compostos orgânicos;

- *estéticas* — correção de cor, odor e sabor;
- *econômicas* — redução de corrosividade, dureza, cor, turbidez, ferro, manganês, odor e sabor.

Entre os principais processos de purificação, têm-se:

- *aeração* — por gravidade, por aspersão, por outros processos (difusão de ar e aeração forçada);
- *sedimentação ou decantação* — simples; após a coagulação;
- *coagulação* — aplicação de coagulantes (sulfato de alumínio ou compostos de ferro) e substâncias auxiliares;
- *filtração* — lenta, rápida, em leito de contato, superfiltração;
- *tratamento por contato* — leitos de coque, de pedra ou de pedriscos para remoção do ferro; carvão ativado para remoção de odor e sabor;
- *correção da dureza* — processos da cal – carbonato de sódio e dos zeólitos (troca iônica);
- *desinfecção* — cloro e seus compostos (hipocloritos, cal clorada), ozona, raios ultravioletas e outros processos;
- *sabor e odor* — uso do carvão ativado; substituição do processo de cloração (emprego da amoniocloração, do bióxido de cloro e cloração ao "break-point");
- *controle da corrosão* — cal, carbonato de sódio, metafosfato, silicato e outros.

EFEITOS DOS PROCESSOS DE TRATAMENTO

Os efeitos dos principais processos de tratamento sobre a qualidade da água podem ser facilmente visualizados na Tab. 2.1, sugerida pelo Prof. Fair.

TRATAMENTOS MAIS COMUNS

As águas que mais freqüentemente dispensam tratamento são provenientes de fontes, de poços profundos bem protegidos, de galerias de infiltração e de bacias de captação ou de acumulação. Para que o tratamento seja evitado, essas águas deverão ser moles, pouco coloridas, apresentar pouca turbidez, baixos teores de ferro e de outras substâncias prejudiciais e, sobretudo, ser de boa qualidade bacteriológica.

Atributo	Unidade	Limite desejável	Máximo tolerável
Dureza	(mg/l)	< 100	200
Cor	(mg/l)	< 30	50
Turbidez	(mg/l)	< 10	25
Ferro	(mg/l)	< 0,3	1
Coliformes	(NMP/100ml)	< 50	100

Considerações gerais sobre projetos de tratamento de água

Tabela 2.1 — Principais efeitos dos processos de tratamento

Atributos	Aeração	Sedimentação simples	Filtração lenta	Coagulação filtração rápida	Correção dureza(14) e filtração rápida	Desinfecção (cloração)
Bactérias	0	+ +	+ + + +	+ + + + (1)	(+ + +)(2)	+ + + +
Cor	0	0	+ +	+ + + +	(+ + + +)	0(13)
Turbidez	0	+ + +	+ + + + (3)	+ + + +	(+ + + + +)	0
Odor e sabor	+ + + + (4)	(+)	+ + +	(+ +)	(+ +)	+ + + + (5-6)
Dureza	+	0	0	− − (7)	+ + + +	0
Corrosividade	+ + + (8)					
	− − − (9)	0	0	− − (10)	variável	0
Ferro e manganês	+ + + (12)	+ 11	+ + + + (11)	+ + + + (11)	(+ +)	0(13)

Símbolos empregados: + Efeitos favoráveis − efeitos adversos.

Os símbolos entre parênteses indicam efeitos indiretos:

(1) Um pouco irregularmente.
(2) Tratamento com cal em excesso.
(3) Sujam-se ou entopem muito depressa.
(4) Exceção para os sabores devidos a cloro-fenóis.
(5) Supercloração seguida de descloração.
(6) Cloração normal.
(7) A coagulação com sulfato de alumínio converte a dureza de carbonato em dureza de sulfato.
(8) Pela remoção de gás carbônico.
(9) Com adição de oxigênio.
(10) A coagulação com sulfato de alumínio libera gás carbônico.
(11) Após aeração.
(12) Aeração seguida de uma unidade separadora para deposição (N.A.).
(13) Pode remover ferro e ter efeito sobre a cor (N.A.).
(14) Redução da dureza pelo processo da precipitação química (N.A.)

Os padrões de potabilidade deverão ser consultados para outras características.

A cloração das águas deve ser prevista como medida de segurança, sobretudo para águas superficiais. Reduções substanciais da cor somente são obtidas pelo tratamento químico. Os processos de tratamento usualmente adotados compreendem:

• *instalação de desferrização* — águas límpidas, bacteriologicamente boas, porém com teores excessivos de ferro;
• *filtros lentos* — águas cuja cor mais turbidez, seja inferior a 50 ou 60;
• *tratamento químico (coagulação), floculação, decantação e filtração rápida* — águas superficiais geralmente turvas e/ou coloridas.
• *superfiltros* — águas superficiais coloridas, de turbidez abaixo de 200 U.J. (pequenas instalações);
• *filtros de fluxo ascendente (clarificadores de contato, ou filtros russos)* — águas de turbidez baixa ou moderada, pouco contaminadas, de baixo teor de sólidos em suspensão.

CLASSIFICAÇÃO DAS ÁGUAS PARA EFEITO DE TRATAMENTO

O Autor, após um estudo que abrangeu grande número de análises de água e instalações de tratamento existentes no País, elaborou a classificação geral das águas com vistas ao seu tratamento, que se encontra resumida na Tab. 2.2.

Tabela 2.2 — Classificação preliminar de águas brutas em relação aos processos de tratamento.

Classes	NMP	Características físicas e químicas (1)							Tratamentos mínimos possíveis	Obs.
		Turb.	Cor	Fe	Sols. Tots.	Cloretos	Dureza	Plancton e Mat. susp.		
I	< 2,2	< 25	< 50	< 1,0	< 1 500	< 600	< 250	INSIGN. (2)	Não necessários (3)	Poços fontes
II	> 2,2 < 50	< 25	< 50	< 1,0	< 1 500	< 600	< 250	INSIGN.	Cloração	
III	> 2,2 < 50	< 25	< 50	< 1,0	< 1 500	< 600	< 250	EXCESS (2)	Microtamisagem e cloração	Lagos Represas
IV	< 50	< 25	< 50	< 1,0	< 1 500	< 600	< 250	INSIGN.	Remoção ferro e clor.	
V	< 50	< 25	< 50	< 1,0	< 1 500	< 600	> 250	INSIGN.	Redução dur. e clor.	Poços
VI	< 1 000	< 25	< 70	< 2,5	< 1 500	< 600	< 250	INSIGN.	Filtr. lenta e clor. superfiltração e clor.	
VII	< 5 000	< 75	Q(4)	< 2,5	< 1 500	< 600	< 250	INSIGN. (5)	Filtr. ascend. e clor. superfiltração e clor.	Represas
VIII	< 20 000	< 250	Q(4)	< 2,5	< 1 500	< 600	< 250	INSIGN.	Coag. dec. filtr. rápida superfiltr. e clor.	Águas superficiais
IX	< 20 000	< 250	Q(4)	> 2,5	< 1 500	< 600	< 250	INSIGN.	Aeração-coag. dec. Filtr. rápida clor.	Águas superficiais
X	< 20 000	> 250	Q(4)	< 2,5	< 1 500	< 600	< 250	INSIGN.	Presed-coag. — dec. Filtração rápida clor.	Rios muito turvos
XI	< 20 000	< 250	Q(4)	< 2,5	<. 1 500	< 600	> 250	INSIGN.	Coag. dec. filtr. Red. dur. cloração	Águas superficiais
XII	> 20 000	Ou com tóxicos acima dos limites							Caso especial (6)	

Notas:
(1) Os limites para tóxicos deverão ser satisfeitos (Tabela 2.3). (2) O excesso de plancton (de algas) ou de matérias discretas em suspensão, geralmente originários de lagos e represas, deverá ser avaliado por especialista. (3) A cloração poderá ser considerada. (4) Não são indicados limites. (5) Com a presença de cercárias de esquitossoma, redomenda-se dupla filtração. (6) Casos especiais deverão ser examinados à parte por especialistas.

A Associação Brasileira de Normas Técnicas, em seu Projeto de Revisão 2:009.30-006 — Projeto de Estação de Tratamento de Água para Abastecimento Público — considera os seguintes tipos de águas naturais:

Tipo A — águas subterrâneas ou superficiais, provenientes de bacias sanitariamente protegidas, com características básicas definidas na Tab. 2.4, e as demais satisfazendo aos padrões de potabilidade;

Tipo B — águas subterrâneas ou superficiais, provenientes de bacias não protegidas, com características básicas definidas na Tab. 2.4, e que possam enqua-

Considerações gerais sobre projetos de tratamento de água

drar-se nos padrões de potabilidade, mediante processo de tratamento que não exija coagulação;

Tipo C — águas superficiais provenientes de bacias não protegidas, com características básicas definidas na Tab. 2.4, e que exijam coagulação para enquadrar-se nos padrões de potabilidade;

Tipo D — águas superficiais provenientes de bacias não protegidas, sujeitas a fontes de poluição, com características básicas definidas na Tab. 2.4, e que exijam processos especiais de tratamento para que possam enquadrar-se nos padrões de potabilidade.

Tabela 2.3 — Limites para tóxicos e substâncias nocivas

Substâncias	Limite	
	Desejável	Tolerado
Arsênico	0,1	0,2
Cádmio	0,005	0,01
Cianetos	0,1	0,2
Mercúrio	0,001	0,005
Chumbo	0,05	0,1
Flúor	1,0	2,0
Nitratos	50	100
Cromo (hexavalente)	0,05	0,1

Tabela 2.4 — Classificação de águas naturais para abastecimento público

Tipos	A	B	C	D
DBO 5 dias, (mg/l):				
— média	até 1,5	1,5 − 2,5	2,5 − 4,0	> 4,0
— máxima, em qualquer amostra	1 − 3	3 − 4	4 − 6	> 6
Coliformes (NPM/100 ml)				
— média mensal em qualquer mês	50 − 100	100 − 5000	5000 − 20000	> 20000
— máximo	> 100 em menos de 5% das amostras	> 5000 em menos de 20% das amostras	> 20000 em menos de 5% das amostras	—
pH	5 − 9	5 − 9	5 − 9	3,8 − 10,3
Cloretos	< 50	50 − 250	250 − 600	> 600
Fluoretos	< 1,5	1,5 − 3,0	> 3,0	—

NPM = Número mais provável

Águas receptoras de produtos tóxicos, excepcionalmente, podem ser utilizadas para abastecimento público, quando estudos especiais garantam sua potabilidade, com autorização e controle de órgãos sanitários e de saúde pública competentes.

O tratamento mínimo necessário a cada tipo de água é o seguinte:

Tipo A — desinfecção e correção do pH;

Tipo B — desinfecção e correção do pH e, além disso:

    a) decantação simples, para águas contendo sólidos sedimentáveis, quando, por meio desse processo, suas características se enquadrem nos padrões de potabilidade; ou

    b) filtração, precedida ou não de decantação, para águas de turbidez natural, medida na entrada do filtro, sempre inferior a 40 Unidades Nefelométricas de Turbidez (UNT) e cor sempre inferior a 20 unidades, referidas no Padrão de Platina;

Tipo C — coagulação, seguida ou não de decantação, filtração em filtros rápidos, desinfecção e correção do pH;

Tipo D — tratamento mínimo do Tipo C e tratamento complementar apropriado a cada caso.

ALCANCE DAS INSTALAÇÕES E PROGRAMAÇÃO

De modo geral, as estações de tratamento de água são construídas para atender às necessidades previstas para 10, 15, 20 ou 25 anos. A fixação do período de alcance dos projetos depende de muitos fatores, entre os quais os processos de tratamento adotados, as características das comunidades a serem abastecidas e as condições locais e econômico-financeiras. Os estudos de viabilidade global podem ser conduzidos de maneira a permitir a otimização desses prazos.

Nos projetos, deve-se considerar:

a) *a programação para execução por etapas, visando reduzir os investimentos iniciais.* Os serviços de abastecimento de água são de natureza dinâmica onde as soluções nunca são definitivas. Muitas vezes, adia-se a execução de obras importantes devido ao seu elevado custo inicial;

b) *a possibilidade de executar ampliações ainda que não programadas.* Nos projetos deve-se deixar espaço e facilidades construtivas para expansões futuras.

DISPOSIÇÃO E COMPACIDADE DAS INSTALAÇÕES

Atribui-se merecida importância à disposição das diversas unidades de purificação em uma instalação de tratamento, porque os resultados do tratamento dependem do arranjo conveniente das partes integrantes do processo. Nas instalações convencionais, por exemplo, a mistura rápida deve estar mais próxima dos floculadores e estes deverão ficar junto aos decantadores.

Com o objetivo de limitar a área ocupada, diminuir o volume de estruturas, reduzir a extensão de canais e tubulações, bem como facilitar a operação e baixar custos, as estações de tratamento de água são projetadas com uma forma compacta. Todavia, a compacidade de uma ETA não deve atentar contra a facilidade de operação. Conseguir uma disposição mais vantajosa, depende da habilidade e da experiência do profissional que faz o projeto.

Encontram-se, a seguir, alguns esquemas de fluxo mostrando separadamente e em seqüência as diversas unidades componentes das instalações e também algumas disposições já adotadas em estações existentes no País (Fig. 2.1).

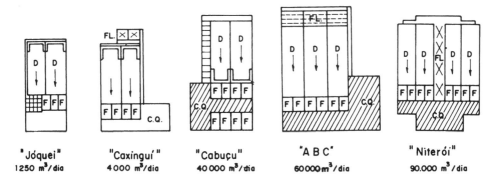

Figura 2.1 — Algumas disposições tradicionais de estações de tratamento de água convencionais

LOCALIZAÇÃO DAS ESTAÇÕES DE TRATAMENTO

A localização de uma estação de tratamento, entre o ponto de captação e a área urbana a ser abastecida, é estabelecida após a ponderação de diversos fatores:
- facilidade de acesso e transporte;
- disponibilidade de energia elétrica;
- facilidades para o afastamento de águas de lavagem;
- disponibilidade de terreno com área suficiente para ampliações futuras;
- cota topográfica favorável para a adução;
- condições topográficas e geológicas satisfatórias:
- custo razoável do terreno;
- condições de vizinhança.

A proximidade da área urbana apresenta certas vantagens, como a facilidade de transporte para os operadores, melhores condições para as visitas e para o controle operacional, e maiores recursos nos casos de acidentes.

NORMAS PARA PROJETO DE ESTAÇÕES DE TRATAMENTO

Em 1967 foi aprovada a primeira norma para projeto de estações de tratamento de água, discutida no IV Congresso Brasileiro de Engenharia Sanitária. Devido à extraordinária evolução técnica que vem ocorrendo no campo da purificação da água, essa norma encontra-se ultrapassada. A CETESB elaborou o Projeto de Norma P-NB-592, em junho de 1976, já revisada e aprovada pela ABNT (Projeto de revisão 2:009.30-006).

CUSTO DE ESTAÇÕES DE TRATAMENTO

Os custos básicos das estações de tratamento de água variam de acordo com a qualidade da água a ser tratada, condições locais, características do projeto e outros fatores. A Fig. 2.2 apresenta as curvas para determinação de custos de instalações de tratamento.

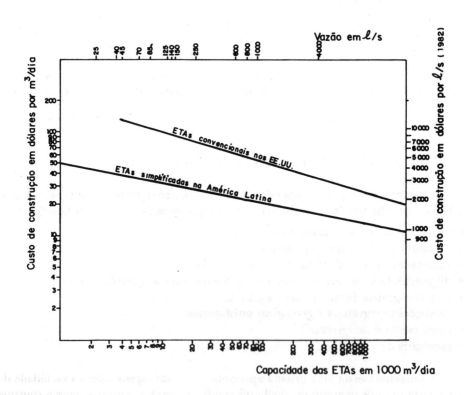

Figura 2.2 — Custos de construção de estações de tratamento de água (Schulz e Okun)

Tabela 2.5 — Principais instalações brasileiras (estações com capacidade superior a 200.000 m³/dia).

Cidades	Estações	Capacidade final m³/s	Projetistas
Rio de Janeiro	Guandu	40,0	Paterson, Azevedo & Cunha - Encibra
São Paulo	Guaraú	35,0	J. M. M. - Planidro - Ambitec
Salvador	Principal	20,0	CNEC
São Paulo	Alto da Boa Vista	12,0	Byington, DAE, Sabesp
Belo Horizonte	Rio das Velhas	9,0	Azevedo & Cunha - Planidro
Distrito Federal	Rio Descoberto	6,0	TSE
Rio Grande	—	6,0	
Porto Alegre	José Loureiro da Silva	5,0	DMAE
Manaus	—	4,5	E. Saturnino de Brito - CNEC
Recife	Castelo Branco	4,0	Compesa
ABC (São Paulo)	Rio Grande	3,5	Azevedo & Cunha - Planidro
Porto Alegre	São João	3,1	DMAE
Curitiba	Iguaçu	3,0	Azevedo & Cunha - Sanepar
Santos	R. Cubatão	2,5	Azevedo & Cunha

CONSIDERAÇÕES PRÁTICAS SOBRE PROJETOS DE ESTAÇÕES DE TRATAMENTO DE ÁGUA DE PEQUENO PORTE

Antes de serem abordados os aspectos técnicos da questão, é preciso esclarecer convenientemente o tema. Trata-se de instalações de serviço público, de pequena capacidade e destinadas a países em desenvolvimento. Excluem-se desta análise as estações para indústrias e as instalações especiais, como, por exemplo, as provisórias ou transportáveis. Deve-se, também, definir ou estabelecer os requisitos básicos para um projeto com esse destino.

Uma instalação para ser considerada satisfatória deverá apresentar, sem exceção, as seguintes características:

• ter eficiência;
• ser de custo módico;
• ter uma operação econômica;
• ser simples e de operação fácil;
• ser de fácil manutenção;
• apresentar facilidades para reparos e reposição de partes;
• ser duradoura.

O projetista inteligente e cuidadoso deverá projetar uma estação de tratamento, tendo sempre em vista o padrão e a habilidade dos operadores que serão responsáveis pelo seu funcionamento.

É, também, preciso ter sempre presente que a diferença existente entre uma estação grande e uma pequena não reside apenas no efeito de escala. Há muitas outras diferenças decorrentes de aspectos técnicos, de condições econômicas e de recursos operacionais justificados pela magnitude dos investimentos.

Há, ainda, uma observação adicional: uma instalação não deve ser projetada "na tangente", ou seja, sem nenhuma folga e sem possibilidade de receber uma sobrecarga razoável. Convém que se tenha sempre uma margem de segurança, embora pequena.

Um dos erros mais comuns no projeto de estações de tratamento tem sido, e continua sendo, o desconhecimento da qualidade da água bruta. Sabe-se a qualidade que se deseja obter, mas se desconhecem as características da água a ser purificada.

Muitas vezes não se dispõe, e até mesmo não se pode dispor, de análises em número suficiente. Em tais casos, o projetista deverá procurar averiguar o que se passa com a água em diferentes épocas do ano, consultando os moradores da região.

Ao abordar o problema e cuidar de conceber a solução, deve ser feito todo esforço no sentido de:

• eliminar o tratamento, sempre que houver possibilidade;
• procurar evitar a coagulação química das águas se não for possvel eliminar o tratamento;
• procurar projetar a instalação com simplicidade, evitando-se a sofisticação, as operações desnecessárias e os equipamentos supérfluos se o tratamento químico não puder ser dispensado.

Pode parecer absurdo que um especialista em tratamento de água proponha, prioritariamente, medidas para eliminar ou reduzir o tratamento, sempre que possível. Isto, porém, é válido no caso de comunidades pequenas, onde o tratamento de água pode tornar-se oneroso e onde os recursos de operação geralmente são precários.

Felizmente a tecnologia moderna oferece recursos que possibilitam evitar o tratamento em alguns casos ou, então, simplificá-lo consideravelmente em outros. Desejamos nos referir particularmente às técnicas de captação indireta e recarga artificial.

Fazendo-se a captação indireta em um curso d'água, ou retirando-se água de um sistema de recarga artificial, pode-se conseguir água de qualidade melhor do que a encontrada no curso d'água. Assim, uma água que exigiria tratamento químico, caso fosse captada diretamente, poderá ser processada de maneira mais simples, em filtros lentos.

Uma breve introdução a essa técnica encontra-se no livro recentemente publicado: Small Community Water Supplies[9], esse mesmo livro apresenta um excelente capítulo sobre o projeto de filtros lentos.

As grandes vantagens dos filtros lentos para pequenas comunidades são as seguintes: normalmente dispensam o condicionamento da água, ou seja, a coagulação, floculação e sedimentação; além disso, são unidades simples, de operação fácil e que proporcionam resultados seguros e estáveis. Ademais, a experiência de muitos anos comprova sua elevada eficiência na remoção de partículas em suspensão, bactérias e ferro.

As águas brutas que apresentam graus elevados de turbidez e cor, com presença de matéria coloidal, exigem processos convencionais de tratamento que incluem a coagulação química. Neste caso, o tratamento abrange as seguintes fases sucessivas: mistura rápida, floculação, decantação, filtração rápida e desinfecção.

O projeto de uma instalação completa desse tipo pode ser elaborado sem complicações e sem sofisticação, existindo na América Latina uma ampla experiência que assegura a simplicidade desejada, sem prejuízo da eficiência.

Uma instalação completa poderá ser inteiramente executada sem exigir equipamentos mecânicos manufaturados.

A mistura rápida poderá ser realizada sem necessidade de equipamentos mecânicos especiais no interior de uma tubulação onde se instala um simples diafragma, ou onde se intercala um pequeno trecho com material granular inerte. Poderia, também, aproveitar-se uma bomba centrífuga, se disponível e conveniente.

Para fazer a mistura rápida em um canal, existem vários dispositivos práticos. Um deles é o emprego de uma grelha difusora[2]; outro consiste em provocar um ressalto hidráulico com agitação suficiente para a dispersão dos reagentes[3]; outra maneira de misturar consiste em utilizar um vertedor, onde a velocidade alcançada pela lâmina vertente seja suficiente para provocar a agitação desejada.

A floculação também pode ser feita com o aproveitamento da própria energia da água em câmaras projetadas para esse fim. Os modelos mais comuns são os floculadores de canais com cortinas ou chicanas[4]. Esses floculadores oferecem certas vantagens, destacando-se o fato de apresentarem um fluxo do tipo de êmbolo ou pistão, praticamente sem retromovimento e sem curtos-circuitos.

O emprego de floculadores desse tipo em regiões de clima quente reduz consideravelmente o tempo de detenção.

Outro tipo de floculador hidráulico menos conhecido, mas igualmente satisfatório, é o Alabama[9].

Nos últimos anos foi introduzido, no Brasil, um novo tipo de floculador que realiza a agitação lenta através de um leito de pedras[10].

A sedimentação é um dos processos de tratamento que mais se tem aperfeiçoado. Evoluiu da sedimentação em meio turbulento, introduzida em fins do século passado, para a sedimentação em regime laminar, reduzindo-se consideravelmente a área necessária ao processo[5].

Na aplicação dos novos conceitos da decantação laminar é preciso considerar dois casos. O primeiro, relativo às instalações existentes, sempre que se desejar aumentar a capacidade de produção sem realizar obras importantes. Neste caso fica-se restrito à forma dos tanques existentes. O segundo, quando são projetadas instalações inteiramente novas. Nesta situação, convém abandonar a velha "geometria" dos decantadores de escoamento horizontal e partir para formas novas e mais vantajosas de concepção. Exemplo típico é o projeto pioneiro executado na cidade de Botucatu, Estado de São Paulo (Brasil), em 1973. Esse projeto oferece condições de autolimpeza para os tanques sem necessidade de equipamentos, dispensando a duplicação das unidades e evitando o incômodo trabalho da limpeza periódica.

Tratamento de água

A filtração rápida é outro processo que apresentou uma extraordinária evolução, nas últimas décadas.

Tratando-se de instalações pequenas, o número de filtros deve ser estabelecido em função das condições de lavagem. Se for adotado o sistema introduzido pelo CE-PIS, para lavagem com água fornecida diretamente pelos próprios filtros em funcionamento, o número de filtros não deverá ser inferior a 4 (para valores normais das taxas de filtração e de lavagem)[1]. Se a água para lavagem tiver outra procedência, procura-se condicionar o número de unidades à vazão vantajosamente disponível para essa finalidade.

Os filtros rápidos de uma única camada de areia já foram ultrapassados pelos novos filtros de duas ou de três camadas filtrantes. Estes últimos são mais eficientes, mais seguros e consomem menos água na lavagem. A sua construção, incluindo o sistema de drenos ou de fundo falso, não exige materiais especiais, podendo ser executada com recursos disponíveis no local.

A desinfecção é uma operação considerada muito importante, porque constitui a segunda barreira de proteção contra germes patogênicos no sistema.

A técnica mais simples e mais econômica é a cloração, seja com a aplicação de cloro puro nas estações maiores, seja através de compostos de cloro nas instalações pequenas.

Um estudo feito em São Paulo demonstrou que, naquela região, no caso de dosagens baixas, em torno de $1\,mg/\ell$[8], o emprego de compostos de cloro (hipocloritos) é mais econômico em pequenas estações, com capacidade para tratar até $7\,\ell/s$.

Numa estação de tratamento, deve-se prever e assegurar um certo tempo de contato da água filtrada com o cloro, construindo-se, para essa finalidade e sempre que necessário, um reservatório de água filtrada. O tempo mínimo de contato depende não só do pH da água, mas também da sua temperatura. Em climas quentes, mantendo-se baixo o pH até a secção final, pode-se adotar uma permanência de 20 a 25 minutos[7].

Como alternativa para o tratamento convencional, vem sendo extensivamente aplicados os filtros de fluxo ascendente idealizados na União Soviética, com a designação KO-1 e empregados em muitos países com as denominações de "Clarificadores de Contato", "Immedium" etc. Esses filtros, que dispensam os floculadores e decantadores, podem apresentar bons resultados ao tratar águas pouco poluídas, de turbidez baixa (até 50) e com baixo teor de sólidos em suspensão (até 150).

O sucesso obtido com filtros russos de baixo custo induziu especialistas latino-americanos a conceberem um novo tipo de instalação, em que se aproveitam esses filtros para pré-tratamento, seguido por uma filtração rápida em unidade de fluxo descendente, com leito de material mais fino. Essa combinação, que pode ser realizada em instalações extremamente compactas, tem sido difundida com as denominações de "Dupla Filtração" ou "Superfiltração", assuntos tratados em outro capítulo deste livro.

As instalações de superfiltração geralmente custam a metade do que custariam as estações de tratamento convencionais e possibilitam reduzir em 30% o gasto com coagulantes.

Em instalações de pequena capacidade, existe uma tendência generalizada para a modulação de tamanhos e a padronização de projetos completos (pré-elaborados).

18

A normalização de tamanhos geralmente é feita com base em uma série geométrica, de razão estabelecida segundo as conveniências.

A padronização de projetos traz uma série de vantagens e, também, alguns inconvenientes, minimizados no caso de instalações de pequena capacidade (ver capítulo 19).

Vários países elaboraram projetos padronizados, mencionando-se como exemplos a União Soviética e a Índia, de um lado, a Argentina e o Brasil de outro.

Para os países do sudeste da Ásia, o Escritório Regional da OMS preparou uma série de projetos típicos de particular interesse[13].

O CEPIS por sua vez também preparou uma série de projetos padronizados para produção de 1,0 ℓ/s até 20,0 ℓ/s[6].

No Brasil, os projetos modulados feitos pela Sanepar (Paraná)[11] têm capacidades entre 11,5 a 60 ℓ/s. A estação de tratamento de água Sanepar-Cepis, assim denominada por ter sido projetada pelo eng.º Carlos Richter da Sanepar em colaboração com o eng.º Jorge Arboleda do Cepis, foi desenvolvida, como projeto padronizado, para atender localidades com população de até 30.000 habitantes, através da associação de unidades de tamanho básico adequado (até 3 módulos), com as seguintes capacidades:

módulo 1	1000 m³/dia	(11,5 ℓ/s)
módulo 2	1250 m³/dia	(15,0 ℓ/s)
módulo 3	1500 m³/dia	(16,5 ℓ/s)
módulo 4	1750 m³/dia	(20,0 ℓ/s)

o que representa, portanto, uma faixa de aplicação para demandas de 11,5 a 60 ℓ/s.

A unidade de tratamento ou módulo (Figs. 2.3 a 2.5) consta com um tanque com o fundo em forma de tronco de pirâmide invertido, semi-enterrado, ao centro do qual se realiza o processo de floculação e, os quatro compartimentos colocados aos lados do

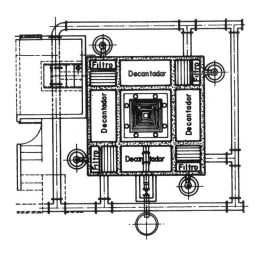

Figura 2.3 - Planta da estação modulada "Sanepar-Cepis'

Tratamento de água

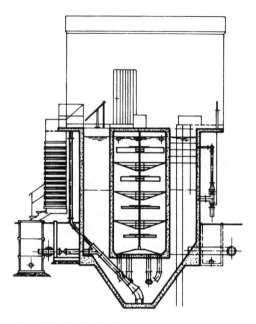

Figura 2.4 - Floculador de eixo vertical ETA "Sanepar-Cepis"

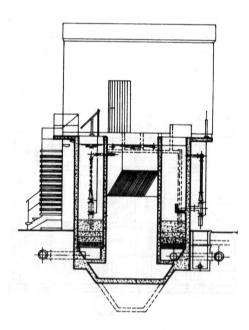

Figura 2.5 - Decantador e filtros ETA "Sanepar-Cepis"

Considerações gerais sobre projetos de tratamento de água

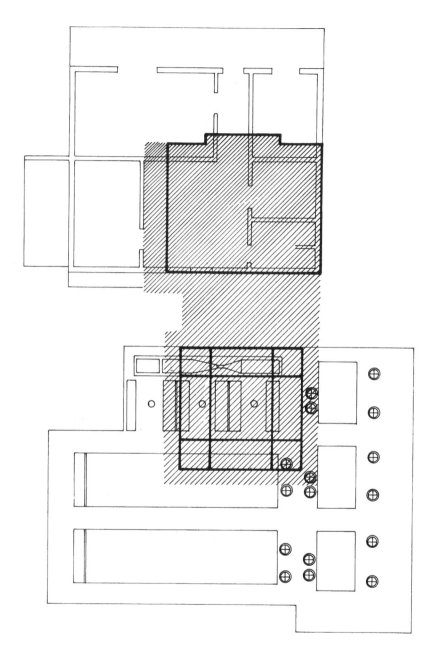

Figura 2.6 - Comparação entre a área da estação de tratamento de água "Sanepar Cepis"(hachurada) e de uma estação convencional de mesma capacidade.

floculador, a decantação. Os filtros estão situados nos quatro cantos do tanque e são de taxa declinante e apresentam meios filtrantes de areia e antracito. Com essa disposição, obteve-se uma planta compacta, que permite fácil ampliação.

O floculador pode ser considerado como constituído por duas partes que se completam no processo de floculação, contribuindo para aumentar o seu rendimento: a primeira, o sistema mecanizado, e a segunda, a floculação em manto de lodos, aproveitando a alta concentração de flocos que tendem a sedimentar na parte inferior do decantador. O floculador mecanizado consta de apenas um agitador de eixo vertical com paletas horizontais, dividido em quatro câmaras, separadas por tabiques de madeira, de forma a reduzir curtos-circuitos. A água passa aos decantadores por tubos colocados no fundo do floculador, ascendendo aos decantadores de placas e, destes, passa aos filtros através de uma canalização.

Os filtros foram projetados segundo o sistema multicelular, que permite a lavagem de um filtro com o efluente das outras unidades de filtração.

O projeto resultou em uma planta extremamente compacta (ver Fig. 2.6), de fácil operação, necessitando de apenas um operador por turno de trabalho, com uma elevada eficiência, como se pode concluir através dos resultados obtidos na cidade de Prudentópolis (Fig. 2.7) e repetidos em diversas outras localidades, produzindo água de qualidade competitiva a importantes estações de tratamento do Brasil e do exterior.

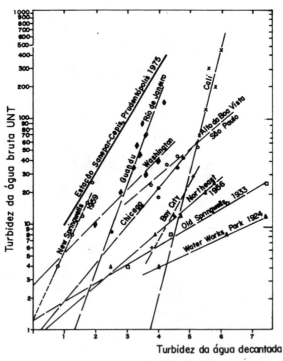

Figura 2.7 - Turbidezes afluente e decantada de diversas estações (segundo Hudson), comparada à estação Sanepar-Cepis

Considerações gerais sobre projetos de tratamento de água

Os capítulos seguintes expõem o conhecimento, a experiência e os critérios dos autores na consecução de projetos como esse, grandes ou pequenos, acompanhando a evolução da arte e ciência do tratamento verificada nas duas últimas décadas.

REFERÊNCIAS BIBLIOGRÁFICAS

[1] ARBOLEDA VALENCIA, J. "Teoria, diseño y control de los procesos de clarificación del agua". Lima, CEPIS, 1973,

[2] AZEVEDO NETTO, J. M. de; HESPANHOL, Ivanildo & PRETTO, N. J. "Grades de mistura rápida". Revista DAE, dez. 1981. 41(127).

[3] AZEVEDO NETTO, J. M. de. "O Parshall como misturador rápido". Revista Engenharia, dez. 1977. (402).

[4] _____"Técnicas avançadas do tratamento de água". Recife, COMPESA, 1972.

[5] CEPIS. "Simpósio sobre novos métodos de tratamento de água". Asunción, 1973.

[6] _____"Modular plants for water treatment". Lima, 1980.

[7] _____ "Curso sobre tecnologia de tratamento de água para países em desenvolvimento". Lima, 1977.

[8] HORTA MACEDO, L. H. e NOGUTI, M. — "Custo operacional da desinfecção com cloro e hipoclorito de sódio" Revista DAE, 1978. 38(119).

[9] HUISMAN, L.; AZEVEDO NETTO, J. M. de, et al. — Small community water supplies". Haia, IRC, 1981.

[10] RICHTER, C. A. — "Fundamentos teóricos da floculação em meio granular". Revista Engenharia, 1981, (429).

[11] _____ & ARBOLEDA VALENCIA, J. — "Estação de tratamento de água para pequenas e médias comunidades". (Apresentado ao 8º Congresso Brasileiro de Engenharia Sanitária e Ambiental, Rio de Janeiro, 1975).

[12] TEIXEIRA, N. N.; NAKAI, J. e TORREZAN, J. C. — "Estações de tratamento padronizadas para comunidades de pequeno porte". Revista DAE, set. 1981. 41(126).

[13] WHO. — "Typical designs for engineering components in rural water supply". New Delhi, 1976.

BIBLIOGRAFIA RECOMENDADA

A.W.W.A. — "Water quality and treatment". — 3 ed. New York, McGraw-Hill, 1971.

_____ "Water treatment plant design". New York, 1969.

AZEVEDO NETTO, J.M. de. Tratamento de águas de abastecimento. São Paulo, EDUSP, 1966.

_____ "Nova geração de instalações de tratamento de água". São Paulo, 1973.

CLEASBY, J.L. e DI BERNARDO, L. — "Hydraulic considerations in declining-rate filtration". ASCE, dez. 1980.

FAIR, G.M. GEYER, J.C. e OKUN, D.A. — "Water and Wastewater Engineering". New York, John Wiley & Sons, Inc., 1968.

PLANIDRO — "Curso sobre técnicas avançadas de tratamento de água". Recife, COMPESA, 1972.

SCHULZ, C.R. e OKUN, D.A. — "Surface water treatment for communities in developing countries". New York, John Wiley & Sons, 1984.

3
Características da água

GENERALIDADES

A água pura é um líquido incolor, inodoro, insípido e transparente. Entretanto, por ser ótimo solvente, nunca é encontrada em estado de absoluta pureza, contendo várias impurezas que vão desde alguns miligramas por litro na água da chuva a mais de 30 mil miligramas por litro na água do mar. Dos 103 elementos químicos conhecidos, a maioria é encontrada de uma ou outra forma nas águas naturais.

O gás carbônico existente na atmosfera e também no solo, como resultado da decomposição da matéria orgânica, dissolve-se na água, aumentando ainda mais a qualidade de solvente da mesma.

A natureza e a composição do solo, sobre o qual ou através do qual a água escoa, determinam as impurezas adicionais que ela apresenta, fato agravado pelo aumento e expansão demográfica e atividades econômicas na indústria e agricultura, fazendo com que não se considere segura nenhuma fonte de água superficial, sendo obrigatória uma outra forma de tratamento.

As impurezas mais comuns, os estados em que se encontram e os seus principais efeitos, são indicados abaixo:

Em suspensão:
- Algas e protozoários: podem causar sabor e odor, cor, turbidez
- Areia, silte e argila: turbidez
- Resíduos industriais e domésticos

Em estado coloidal:
- Bactérias e vírus: muitos são patogênicos; algumas bactérias podem causar prejuízos a instalações
- Substâncias de origem vegetal: cor, acidez, sabor
- Sílica e argilas: turbidez

Características da água

Dissolvidas:

Compreende uma grande variedade de substâncias de origem mineral (principalmente sais de cálcio e magnésio) compostos orgânicos e gases, que dão origem a alterações na qualidade da água, cujos efeitos dependem da sua composição e concentração e de reações químicas com outras substâncias.

A qualidade de uma água é definida por sua composição química, física e bacteriológica. As características desejáveis de uma água dependem de sua utilização. Para o consumo humano há a necessidade de uma água pura e saudável, isto é, livre de matéria suspensa visível, cor, gosto e odor, de quaisquer organismos capazes de provocar enfermidades e de quaisquer substâncias orgânicas ou inorgânicas que possam produzir efeitos fisiológicos prejudiciais.

A qualidade de determinada água é avaliada por um conjunto de parâmetros determinados por uma série de análises físicas, químicas e biológicas. A apreciação da sua qualidade, com base em uma ou em algumas poucas análises, freqüentemente é a causa de erros. A qualidade das águas está sujeita a inúmeros fatores, podendo apresentar uma grande variação no decorrer do tempo, e só pode ser suficientemente conhecida através de uma série de análises, que abranja as diversas estações do ano.

CARACTERÍSTICAS FÍSICAS DAS ÁGUAS

As características físicas das águas são de pouca importância sanitária e relativamente fáceis de determinar.

Os principais exames físicos são os que seguem:

COR

A água pura é virtualmente ausente de cor. A presença de substâncias dissolvidas ou em suspensão altera a cor da água, dependendo da quantidade e da natureza do material presente. Normalmente, a cor na água é devida a ácidos húmicos e tanino, originados de decomposição de vegetais e, assim, não representa risco algum para a saúde. A sua presença na água pode, entretanto, fazer o consumidor procurar fontes de água de aspecto mais agradável que, porém, podem ser mais perigosas.

Em combinação com o ferro, a matéria orgânica pode produzir cor de elevada intensidade.

A cor é sensível ao pH. A sua remoção é mais fácil a pH baixo. Ao contrário, quanto maior o pH mais intensa é a cor.

Quando a água, além da cor, apresenta uma turbidez adicional que pode ser removida por centrifugação, diz-se que a cor é *aparente*. Removida a turbidez, o residual que se mede é a cor *verdadeira*, devido a partículas coloidais carregadas negativamente. Assim sendo, a cor pode ser facilmente removida da água por coagulação

25

química. Em alguns casos de cor extremamente elevada, a remoção pode ser auxiliada ou realizada integralmente através do processo de oxidação química, utilizando-se permanganato de potássio, cloro, ozônio, ou qualquer outro oxidante poderoso.

Deve ser evitado o uso de cloro elementar para oxidar a cor devida à matéria orgânica, pois os compostos resultantes — clorofenóis e outros trihalometanos — são suspeitos de serem cancerígenos. Entretanto, o cloro pode ser utilizado em combinação com a amônia (amoniocloração) ou na forma de dióxido de cloro, modos de aplicação que não produzem trihalometanos.

Não há uma correspondência direta entre a concentração das substâncias corantes e a cor resultante. Desse modo, a cor de uma amostra é medida comparando-a com uma escala arbitrária de cor. A unidade de cor é definida como a cor produzida ao se dissolver $1,0\,mg$ de cloroplatinato de potássio ($K_2PtC\ell_6$) e $0,5\,mg$ de cloreto de cobalto em um litro de água. Soluções como esta são preparadas nos chamados tubos de Nessler, em concentrações de 0 a 70 unidades de cor, para comparação direta com a amostra. Se a cor da amostra é superior a 70 unidades, a amostra é diluída com água destilada e o resultado é multiplicado pelo fator de diluição. Um dos aparelhos mais difundidos para a medição da cor é o Aquatester, com discos colorimétricos em padrões correspondentes aos tubos de Nessler.

TURBIDEZ

A turbidez é uma característica da água devida à presença de partículas suspensas na água com tamanho variando desde suspensões grosseiras aos colóides, dependendo do grau de turbulência. A presença dessas partículas provoca a dispersão e a absorção da luz, dando à água uma aparência nebulosa, esteticamente indesejável e potencialmente perigosa. A turbidez pode ser causada por uma variedade de materiais: partículas de argila ou lodo, descarga de esgoto doméstico ou industrial ou a presença de um grande número de microorganismos. Pode ser também causada por bolhas de ar finamente divididas, fenômeno que ocorre com certa freqüência em alguns pontos da rede de distribuição ou em instalações domiciliares, provocando a queixa de consumidores menos avisados.

É impraticável tentar correlacionar a turbidez com o peso da matéria em suspensão. Quanto mais subdividida uma fixada quantidade de uma dada substância, maior será a turbidez. Por esse motivo caiu em desuso a antiga unidade de turbidez em mg/ℓ de sílica.

Atualmente, a determinação da turbidez é fundamentada no método de Jackson. Consiste em se determinar qual a profundidade que pode ser vista a imagem da chama de uma vela, através da água colocada em um tubo de vidro. É limitado a valores entre 25 e 1.000 Unidades Jackson de Turbidez (U.J.T. ou J.T.U. na abreviação em inglês).

A turbidez de $1.000\,UJT$ é equivalente a uma profundidade de apenas $2,3\,cm$. No outro extremo do campo de medição, a profundidade de $72,9\,cm$ é equivalente a uma turbidez de 25 UJT (Fig. 3.1). Há uma variedade de equipamentos mais ou menos sofisticados para medir valores inferiores a 25 UJT, porém os mais utilizados e, provavelmente melhores, são os nefelômetros. Nesses aparelhos, mede-se, em uma célula fotoelétrica, a quantidade de luz dispersa através da amostra de água, a 90° da luz incidente (Fig. 3.2). A escala de medição é calibrada com padrões conhecidos, usualmente preparados com uma solução de formazina, e permite medir valores tão baixos como 0,1 UJT, com uma precisão de ± 10%. Não há, entretanto, uma relação direta entre a quantidade de luz dispersa a 90° e a que, como no tubo de Jackson, atravessa diretamente a amostra. Desse modo, não faz sentido calibrar-se os nefelômetros em unidades Jackson e é preferível, neste caso, a denominação de Unidades Nefelométricas de Turbidez, U.N.T. (ou N.T.U., em inglês).

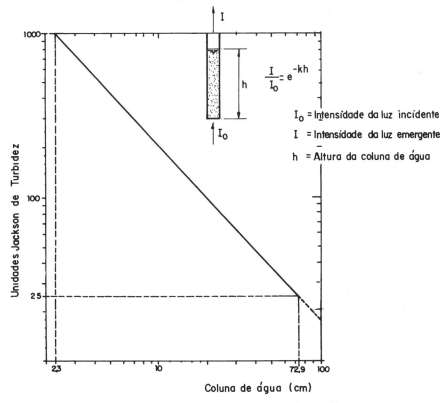

Figura 3.1 - Turbidimetria: Escala Jackson de Turbidez

A desinfecção da água, principalmente a inativação de vírus, é tanto mais eficaz quanto menor é a turbidez da água. Atualmente, está-se exigindo água filtrada com turbidez menor que 1,0 UNT, preferencialmente inferior a 0,2 UNT. Ressalta-se, assim, a necessidade de se dispor de meios para a determinação da turbidez a valores tão baixos como 0,1 UNT e a importância deste parâmetro no controle de uma estação de tratamento.

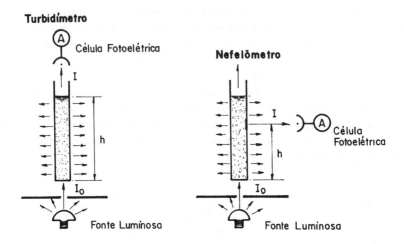

Figura 3.2

pH

O termo pH é usado universalmente para expressar a intensidade de uma condição ácida ou alcalina de uma solução. Mede a concentração do íon hidrogênico ou sua atividade, importante em cada fase do tratamento, sendo referido freqüentemente na coagulação, floculação, desinfecção e no controle de corrosão.

A dissociação da água em seus respectivos cátions e ânions é relativamente pequena. Um litro de água pura contém apenas 1/10.000.000, ou 10^{-7}, moléculas grama de íons de hidrogênio.

O meio usual de se expressar a concentração de íon de hidrogênio é o pH, definido como o logarítmo negativo da concentração de íon de hidrogênio.

$$pH = - \log_{10} [H^+]$$

Para a água neutra,

$$pH = - \log_{10} [10^{-7}] = - (-7) \log_{10} = 7$$

Condições ácidas aumentam de atividade à medida que o pH decresce e, vice-versa, condições alcalinas se apresentam a pH elevados. O pH 7 tem pouco significado como ponto de referência na engenharia sanitária. Talvez seu único significado resida na igualdade entre as concentrações de íons de hidrogênio e hidroxila.

Características da água

pH	Equivalente grama de (H^+) por litro de solução	Equivalente grama de (OH^-) por litro de solução
0,0	1,0	0,00000000000001
1,0	0,1	0,0000000000001
2,0	0,01	0,000000000001
3,0	0,001	0,00000000001
4,0	0,0001	0,0000000001
5,0	0,00001	0,000000001
6,0	0,000001	0,00000001
7,0 -- neutro --	0,0000001 – – – – neutro	– – – – 0,0000001
8,0	0,00000001	0,000001
9,0	0,000000001	0,00001
10,0	0,0000000001	0,0001
11,0	0,00000000001	0,001
12,0	0,000000000001	0,01
13,0	0,0000000000001	0,1
14,0	0,00000000000001	1,0

Algumas substâncias têm a propriedade de sofrer alterações de cor a vários níveis de pH. São usados como indicadores e possibilitam uma determinação aproximada do pH. Algumas gotas adicionadas a uma amostra, dão a esta certa coloração que, comparada a um disco colorimétrico, corresponde ao valor do pH.

A faixa de utilização dos indicadores mais usada nas estações de tratamento de água, possui:

vermelho de clorofenol	pH 5,2 a 6,8
vermelho de fenol	6,8 a 8,4
azul de bromotimol	6,0 a 7,6
azul de timol	8,0 a 9,6

O método colorimétrico não deve ser usado em águas turvas ou coloridas e contendo traços de alguns elementos que podem causar interferência, distorcendo os resultados. Bem mais sofisticados e precisos são os pH metros (peagâmetros) com eletrodos de vidro. Esses aparelhos não sofrem interferências de cor e turbidez e de uma extensa variedade de íons. Para a sua calibração, utilizam-se soluções de pH conhecido, geralmente 4, 7 e 9.

Nos sistemas de abastecimento público de água, o pH está geralmente compreendido entre 6,5 e 9,5. De um modo geral, águas de pH baixo tendem a ser corrosivas ou agressivas a certos metais, paredes de concreto e superfícies de cimento-amianto, enquanto que águas de alto pH tendem a formar incrustações.

SABOR E ODOR

As características de sabor e odor são consideradas em conjunto, pois geralmente a sensação de sabor origina-se do odor. São de difícil avaliação, por serem sensações subjetivas, causadas por impurezas dissolvidas, freqüentemente de natureza orgânica, como fenóis e clorofenóis, resíduos industriais, gases dissolvidos etc.

Sólidos totais, em concentração elevada, também produzem gosto sem odor.

Quando existem problemas com sabor e odor na água, a aeração pode ser eficaz em alguns casos. Em outros, pode ser necessária a utilização de carvão ativado para a adsorção dos compostos causadores de odor.

TEMPERATURA

A temperatura da água tem importância por sua influência sobre outras propriedades: acelera reações químicas, reduz a solubilidade dos gases, acentua a sensação de sabor e odor etc.

CONDUTIVIDADE ELÉTRICA

A condutividade elétrica depende da quantidade de sais dissolvidos na água e é aproximadamente proporcional à sua quantidade. Sua determinação permite obter uma estimativa rápida do conteúdo de sólidos de uma amostra.

CARACTERÍSTICAS QUÍMICAS DAS ÁGUAS

As análises químicas da água determinam de modo mais preciso e explícito as características da água e assim são mais vantajosas para se apreciar as propriedades de uma amostra.

São de grande importância, tanto do ponto de vista sanitário como econômico. Algumas análises como a determinação de cloretos, nitritos e nitratos, bem como o teor de oxigênio dissolvido, permitem avaliar o grau de poluição de uma fonte de água.

As características químicas são determinadas por meio de análises, seguindo métodos adequados e padronizados. Os resultados são dados de um modo geral em concentração de substância ou equivalente em mg/l.

ALCALINIDADE

A alcalinidade é devida à presença de bicarbonatos (HCO_3^-), carbonatos ($CO_3^=$) ou hidróxidos (OH^-). Com maior freqüência, a alcalinidade das águas é devida a bicarbonatos, produzidos pela ação do gás carbônico dissolvido na água sobre as rochas calcárias.

Características da água

A alcalinidade não tem significado sanitário, a menos que seja devida a hidróxidos ou que contribua demasiado na quantidade de sólidos totais.

É uma das determinações mais importantes no controle da água, estando relacionada com a coagulação, redução de dureza e prevenção de corrosão nas canalizações de ferro fundido da rede de distribuição.

Os íons causadores da alcalinidade são todos básicos e, assim, capazes de reagir com um ácido de concentração conhecida. A quantidade de ácido adicionada até se atingir determinado valor do pH, mede a alcalinidade existente na amostra de água. Como indicadores, são geralmente utilizados a fenolftaleína e o metil orange.

A fenolftaleína dá uma coloração rosa à água a pH 8,3 ou maior. Titulando com ácido até o desaparecimento da cor rosa, a quantidade de ácido consumida na neutralização dos íons hidróxido e carbonato existente é chamada alcalinidade à fenolftaleína. A seguir, adiciona-se à mesma amostra algumas gotas de metil orange, devendo resultar uma cor amarela. Continuando a titulação, a cor muda de amarelo para vermelho ou laranja, a um pH ao redor de 4,2. Os mililitros de ácido consumidos nesse intervalo representam a alcalinidade devida a carbonatos e bicarbonatos. A quantidade total de ácido consumido mede a alcalinidade total.

Somente dois tipos de alcalinidade podem estar presentes simultaneamente numa amostra de água, posto que haveria uma reação entre hidróxidos e bicarbonatos, reduzindo estes à forma de carbonatos.

$$OH^- + HCO_3^- \rightarrow H_2O + CO_3^=$$

Em função do pH, podem estar presentes na água os seguintes tipos de alcalinidade:

pH 11,0-9,4	Alcalinidade de hidróxidos e carbonatos
pH 9,4-8,3	Carbonatos e bicarbonatos
pH 8,3-4,6	Somente bicarbonatos
pH 4,6-3,0	Ácidos minerais

As relações entre os diversos tipos de alcalinidade estão resumidas no quadro a seguir:

Resultado da titulação	Alcalinidade de OH⁻	Alcalinidade de $CO_3^=$	Alcalinidade de HCO_3^-
F = 0	0	0	T
F < 1/2 T	0	2F	T-2F
F = 1/2 T	0	2F	0
F > 1/2 T	2 F-T	2 (T-F)	0
F = T	T	0	0

F = alcalinidade e fenolftaleína
T = alcalinidade total

A alcalinidade é geralmente expressa em termos de carbonato de cálcio ($CaCO_3$).

ACIDEZ (gás carbônico livre)

A maioria das águas naturais e dos esgotos domésticos são tamponados por um sistema composto por dióxido de carbono CO_2 e bicarbonatos HCO_3^-. O ácido carbônico não é totalmente neutralizado, a não ser que o pH seja igual ou superior a 8,2, e não diminuirá o pH a valores abaixo de 4,5. Assim, a acidez devida ao CO_2 está na faixa de pH 4,5 a 8,2, enquanto que a acidez causada por ácidos minerais fortes, quase sempre devida a esgotos industriais, ocorre geralmente a pH abaixo de 4,5.

A acidez tem pouco significado do ponto de vista sanitário, porém em muitos casos é necessária a adição de um alcalinizante para manter a estabilidade do carbonato de cálcio e, assim, evitar os problemas de corrosão devido à presença do gás carbônico.

Assim como a alcalinidade, a acidez é expressa em termos de $CaCO_3$, e é medida neutralizando-se o CO_2 livre com um hidróxido, usando a fenolftaleína como indicador.

DUREZA

É uma característica conferida à água pela presença de alguns íons metálicos, principalmente os de cálcio (Ca^{++}) e magnésio (Mg^{++}) e, em menor grau, os íons ferrosos (Fe^{++}) e do estrôncio (S^{++}). A dureza é reconhecida pela sua propriedade de impedir a formação de espuma como sabão. Além disso, produz incrustações nos sistemas de água quente.

A dureza é expressa em termos de $CaCO_3$, e pode ser classificada de duas maneiras: (1) pelos íons metálicos e (2) pelos ânions associados com os íons metálicos.

Na primeira, distingue-se a dureza do cálcio e a do magnésio. Na segunda, a dureza é classificada em dureza de carbonatos e dureza de não carbonatos.

As águas podem ser classificadas em termos do grau de dureza em:

Moles	Dureza inferior a 50 mg/l em $CaCO_3$
Dureza moderada	Dureza entre 50 a 150 mg/l em $CaCO_3$
Duras	Dureza entre 150 a 300 mg/l em $CaCO_3$
Muito duras	Dureza superior a 300 mg/l em $CaCO_3$

Do ponto de vista da saúde pública, não há objeções ao consumo de águas duras. Pelo contrário, alguns pesquisadores têm encontrado uma correlação entre águas moles e certas doenças cardíacas, tendo sido verificado que há um maior número de pessoas com problemas cardiovasculares em áreas de águas moles do que em áreas de águas duras.

Na Europa utilizam-se outras unidades:

Características da água

$$1 \text{ grau francês} = 10,0 \text{mg}/l \text{ em CaCO}_3$$
$$1 \text{ grau alemão} = 17,8 \text{mg}/l \text{ em CaCO}_3$$

FERRO E MANGANÊS

O ferro, muitas vezes associado ao manganês, confere à água um sabor amargo adstringente e coloração amarelada e turva, decorrente da precipitação do mesmo quando oxidado.

Certos sais férricos e ferrosos como os cloretos, são bastante solúveis nas águas. Os sais ferrosos são facilmente oxidados nas águas naturais de superfície, formando hidróxidos férricos insolúveis, que tendem a flocular e decantar ou a serem adsorvidos superficialmente, razão pela qual a ocorrência de sais de ferro em águas superficiais bem aeradas dificilmente se dá em concentrações de elevado teor.

É adotado o limite de 0,3 mg/litro para a concentração de ferro, juntamente com manganês, nas águas, sugerindo-se concentrações inferiores a 0,1 mg/litro. Essa limitação, entretanto, é feita devido a razões estéticas, pois águas contendo sais de ferro causam nódoas em roupas e objetos de porcelana. Em concentrações superiores a 0,5 mg/litro causa gosto nas águas. É altamente prejudicial nas águas utilizadas por lavanderias e indústrias de bebidas gaseificadas.

O manganês é semelhante ao ferro, porém menos comum, e a sua coloração característica é a marrom.

O ferro é facilmente removido da água com um tratamento apropriado.

CLORETOS, SULFATOS E SÓLIDOS TOTAIS

O conjunto de sais normalmente dissolvidos na água, formado pelos bicarbonatos, cloretos, sulfatos e em menor concentração outros sais, pode conferir à água sabor salino e uma propriedade laxativa.

O teor de cloretos é um indicador de poluição por esgotos domésticos nas águas naturais e é um auxiliar eficiente no estudo hidráulico de reatores como traçador. O limite máximo desejável em águas para consumo humano não deve ultrapassar 200 mg/l.

Concentrações de cloretos, mesmo superiores a 1.000 mg/litro, não são prejudiciais ao homem, a menos que ele sofra de moléstia cardíaca ou renal. A restrição de sua concentração máxima está ligada, entretanto, ao gosto que o sal confere à água, mesmo em teores da ordem de 100 mg/litro. Certas águas, entretanto, com concentrações da ordem de 700 mg/litro não acusam gosto devido aos cloretos.

Variações do teor de cloretos em águas naturais deve ser investigada, pois é indicação de provável poluição.

O íon sulfato quando presente na água, dependendo da concentração além de outras propriedades laxativas mais acentuadas que outros sais, associado a íons de cál-

33

cio e magnésio, promove dureza permanente e pode ser um indicador de poluição de uma das fases da decomposição da matéria orgânica, no ciclo do enxofre. Numerosas águas residuárias industriais, como as provenientes de curtumes, fábricas de papel e tecelagem, lançam sulfatos nos cursos de água.

Quantidades excessivas de substâncias dissolvidas nas águas, podem torná-las inadequadas ao consumo. Recomenda-se que o teor de sólidos totais dissolvidos seja menor que 500 mg/ℓ, com um limite máximo aceitável de 1.000 mg/ℓ.

IMPUREZAS ORGÂNICAS E NITRATOS

O nitrogênio é um elemento importante no ciclo biológico. O tratamento biológico dos esgotos só pode ser processado com a presença de uma quantidade suficiente de nitrogênio.

A quantidade de nitrogênio na água pode indicar uma poluição recente ou remota. Inclui-se nesse item o nitrogênio, sob as suas diversas formas compostas, orgânico, amoniacal, nitritos e nitratos. O nitrogênio segue um ciclo desde o organismo vivo até a mineralização total, esta sob a forma de nitratos, sendo assim possível avaliar o grau e a distância de uma poluição pela concentração e pela forma do composto nitrogenado presente na água. Por exemplo, águas com predominância de nitrogênio orgânico e amoniacal são poluídas por uma descarga de esgotos próxima. Águas com concentrações de nitratos predominantes indicam uma poluição remota, porque os nitratos são o produto final de oxidação do nitrogênio.

Independente da sua origem, que também pode ser mineral, os nitratos (em concentrações acima de 50 mg/ℓ em termos de NO_3), provocam em crianças a cianose ou methemoglobinemia, condição mórbida associada à descoloração da pele, em conseqüência de alterações no sangue.

OXIGÊNIO DISSOLVIDO (OD)

A determinação do teor de oxigênio dissolvido é um dos ensaios mais importantes no controle de qualidade da água. O conteúdo de oxigênio nas águas superficiais depende da quantidade e tipo de matéria orgânica instáveis que a água contenha. A quantidade de oxigênio que a água pode conter é pequena, devido à sua baixa solubilidade (9,1 mg/ℓ a 20° C). Águas de superfícies, relativamente límpidas, apresentam-se saturadas de oxigênio dissolvido, porém este pode ser rapidamente consumido pela demanda de oxigênio de esgotos domésticos.

A presença de oxigênio na água, especialmente em companhia do dióxido de carbono (CO_2), constitui-se em um significativo fator a ser considerado na prevenção da corrosão de metais ferrosos (canalizações e caldeiras).

Características da água

DEMANDA DE OXIGÊNIO

A maioria dos compostos orgânicos são instáveis e podem ser oxidados biológica ou quimicamente, resultando compostos finais mais estáveis como o CO_2, NO_3 e H_2).

A matéria orgânica tem, assim, uma certa necessidade de oxigênio, denominada demanda, que pode ser:

1. Demanda bioquímica de oxigênio: é a medida de quantidade de oxigênio necessária ao metabolismo das bactérias aeróbias que destroem a matéria orgânica.

2. Demanda química de oxigênio: permite a avaliação da carga de poluição de esgotos domésticos ou industriais em termos de quantidade de oxigênio necessária para a sua total oxidação em dióxido de carbono e água.

FENÓIS E DETERGENTES

O progresso industrial moderno vem incorporando compostos fenólicos e os detergentes entre as impurezas encontradas em solução na água.

O fenol é tóxico, mas muito antes de atingir teores prejudiciais à saúde já constitui inconveniente para águas que tenham que ser submetidas ao tratamento pelo cloro, pois combina com o mesmo, provocando o aparecimento de gosto e cheiro desagradáveis.

A substituição da técnica de cloração simples pela amoniocloração, cloração flexional ou emprego de dióxido de cloro, tem sido feita com o objetivo de minorar esses inconvenientes.

Os detergentes em mais de 75% dos casos são constituídos de sulfonatos de alquilabenzeno (ABS), são indestrutíveis naturalmente e, por isso, sua ação perdura em abastecimento de água a jusante de lançamentos que os contenham.

O mais visível inconveniente reside na formação de espuma, quando a água é agitada; em concentrações maiores trazem conseqüências fisiológicas.

SUBSTÂNCIAS TÓXICAS

Arsênico — Muitos compostos de arsênico são solúveis na água, podendo a sua ocorrência ser natural. Entretanto, são particularmente importantes como fontes potenciais de poluição pelo arsênico certos inseticidas, banhos carrapaticidas, mata-hervas, processamento de minerais, fabricação de tintas e de produtos químicos, de vidro e de corante e resíduos de curtumes. É considerado tóxico para o homem, que pode entretanto ingerir diariamente, com segurança, até cerca de 0,4 litros de água contendo 20 mg/litro de arsênico, durante tempo limitado. A utilização prolongada de água contendo mais de 0,2 mg/litro pode ocasionar efeitos tóxicos após 2 anos.

35

Cromo hexavalente — Os compostos de cromo hexavalente são os cromatos e os bicromatos (íons CrO_4 e Cr_2O_7). Transformam-se em compostos de cromo trivalente pelo calor, pela ação da matéria orgânica ou por agentes redutores.

Os cromatos e bicromatos de sódio, potássio e de amônio são solúveis. São usados para cromação, anodização de alumínio, fabricação de tintas, corantes, explosivos, materiais cerâmicos, papéis e outras substâncias, e estão presentes nas águas residuárias dessas indústrias.

Os sais de cromo hexavalente são considerados irritantes, porém a concentração máxima não prejudicial ao organismo humano não está bem determinada, relatando-se casos de ingestão de água contendo 3,5 mg/litro, sem nenhum prejuízo. Para animais, os teores podem ser mais elevados.

Cobre — Sais de cobre ocorrem em traços nas águas naturais. A presença de cobre em teores mais pronunciados, decorre da corrosão de tubulações, de efluentes industriais e do emprego de seus compostos para o controle de plâncton indesejável.

O papel do cobre na água para abastecimento doméstico não está bem estabelecido, sendo descrito como sem significado para a saúde pública ou de conseqüência leve. Não há dúvida, entretanto, que é essencial para a nutrição, requerendo-se cerca de 4 mg por dia para crianças e 3 mg por dia para adultos. Considera-se que sendo a dieta pobre em cobre, pequenas quantidades na água poderão ser benéficas.

Por outro lado, o cobre é suspeito como causa de hemocromatose, apesar de não se ter provado ainda casos de envenenamento crônico, mesmo em populações relacionadas com indústrias que trabalham com cobre e que o absorvem em quantidade suficiente para terem a pele e os cabelos coloridos de verde.

A aplicação de cobre para controle de algas dentro das dosagens normais, é uma prática recomendada e não prejudicial ao organismo humano. Não é considerado um veneno cumulativo como o mercúrio e o chumbo. Quase todo o cobre ingerido é eliminado pelo corpo, sendo retida pequena quantidade.

Chumbo — As águas moles e corrosivas dissolvem o chumbo das canalizações desse material. O chumbo, sendo cumulativo no organismo, pode causar o envenenamento (saturnismo).

Os padrões norte-americanos limitam o teor desse elemento em 0,1 mg/litro.

São medidas recomendáveis:

a) O tratamento corretivo das águas para reduzir a sua corrosividade.
b) Restringir o emprego de canalizações de chumbo nas instalações de água potável.
c) Evitar o consumo de águas que tenham estado em contato prolongado com chumbo (por exemplo, no caso de instalações que incluam muitas canalizações de chumbo e que tenham estado fora de serviço durante um período prolongado).

Selênio — O selênio pode ser encontrado naturalmente nas águas ou pode resultar o lançamento de despejos industriais.

Considera-se o selênio tóxico para o homem, embora não sejam conhecidos os sintomas, admitindo-se que o seu efeito seja semelhante ao do arsênico.

Em alimentos, o limite de 3 mg/litro é considerado razoável. Para a água, os padrões estabelecem o limite máximo de 0,05 mg/litro.

Características da água

CARACTERÍSTICAS BIOLÓGICAS DAS ÁGUAS

Entre as impurezas nas águas incluem-se os organismos presentes que, conforme sua natureza, têm grande significado para os sistemas de abastecimento de água.

Alguns desses organismos, como certas bactérias, vírus e protozoários, são patogênicos, podendo provocar doenças e ser a causa de epidemias.

Outros organismos, como algumas algas, são responsáveis pela ocorrência de sabor e odor desagradáveis, ou por distúrbios em filtros e outras partes do sistema de abastecimento.

A hidrobiologia ocupa-se de dois campos:

vegetal: algas (verdes, azuis, diatomáceas)
bactérias (saprofitas e patogênicas)

animal: protozoários
vermes

As características biológicas das águas são determinadas através de exames bacteriológicos e hidrobiológicos; entre os primeiros se destaca a pesquisa do número de coliformes. Normalmente se pesquisa o seguinte:

CONTAGEM DO NÚMERO TOTAL DE BACTÉRIAS

Por meio de processo e técnicas adequadas, conta-se o número total de bactérias existentes, obtendo-se o resultado em número de bactérias por centímetro cúbico (ou mililitro) da amostra de água.

Um número elevado de bactérias não é obrigatoriamente indicativo de poluição; variações bruscas nos resultados dos exames podem ser interpretadas como poluição; águas pouco poluídas geralmente apresentam resultados expressos por números baixos.

A contagem do número total de bactérias é de menor interesse que a pesquisa de coliformes.

PESQUISA DE COLIFORMES

Os coliformes são bactérias que normalmente habitam os intestinos dos animais superiores. A sua presença indica a possibilidade de contaminação da água por esgotos domésticos. Contudo, nem toda água que contenha coliformes é contaminada e, como tal, podem veicular doenças de transmissão hídrica.

O número de coliformes é expresso pelo número mais provável (NMP); representa a quantidade mais provável de coliformes existentes em 100 m*l* de água da amostra.

37

O exame de coliformes é empregado para o controle de sistemas de abastecimento de água, e assim determina a eficiência do tratamento.

CARACTERÍSTICAS HIDROBIOLÓGICAS

Usualmente encontram-se na água os seguintes grupos de organismos, em geral microscópicos e comumente denominados plâncton.

- algas (principalmente)
- protozoários: seres animais unicelulares
- rotíferos: seres animais multicelulares
- crustáceos: seres animais multicelulares
- vermes
- larvas de insetos (visíveis a olho nu)

O exame hidrobiológico, feito com processo e técnicas apropriadas utilizando o microscópio, inclui a identificação das espécies de organismos presentes e também uma estimativa do seu número, as quantidades e as espécies prevalentes de matéria amorfa, que consistem de silte, matérias orgânicas etc. Na contagem dos microrganismos, adota-se algumas vezes a "unidade padrão de área" equivalente a 400 mícrons quadrados (20×20); ou/a unidade padrão volume, de 8.000 mícrons cúbicos ($20 \times 20 \times 20$); os microorganismos são relacionados ao número de unidades padrão de superfície ou de volume por centímetro cúbico; protozoários, rotíferos e outros animais são contados individualmente.

Estes exames, quando feitos regularmente, dão a necessária informação quanto às medidas de controle para prevenir o desenvolvimento de organismos que causam sabores e odores desagradáveis, obstruem filtros e canalizações e ocasionam outras dificuldades na operação das estações de tratamento. Constituem um elemento auxiliar na interpretação de outras análises, principalmente na parte referente à poluição das águas.

CARACTERÍSTICAS RADIOATIVAS

A era da energia atômica trouxe novas e sérias perspectivas à engenharia sanitária. Águas de superfície e subterrâneas podem adquirir uma pequena quantidade de radioatividade natural, proveniente de rochas e minerais. Laboratórios de pesquisas, hospitais, indústrias e instalações experimentais, para não mencionar as zonas de destruição em caso de guerra, podem causar a poluição das águas com substâncias radioativas.

A unidade de radioatividade é o curie, equivalente a $3,7 \times 10^{10}$ desintegrações por segundo. O curie representa um número muito grande de radiações; por este motivo são mais usadas as unidades milicurie, microcurie e picocurie, correspondentes respectivamente a 10^{-3}, 10^{-6} e 10^{-12} curies.

Características da água

A concentração tolerável de uma mistura de produtos de fissão nuclear em água potável, depende dos elementos existentes na mistura e do período após o qual a água é utilizada. Os isótopos mais perigosos, no caso, são os de estrôncio e de ítrio.

No projeto de um novo sistema de abastecimento de água, onde poderão existir depósitos de materiais ou despejos industriais radioativos, é aconselhável determinar o nível de radioatividade natural.

De um modo geral, é aceitável uma água com radioatividade inferior a 10 picocuries por litro, com um limite máximo permissível menor que 100 picocuries por litro.

A eficácia esperada de vários processos de tratamento na remoção de substâncias radioativas, pode ser estimada como segue:

	Fração de radioatividade removida após o tratamento	
Processo	*solúvel*	*em suspensão*
Coagulação, decantação e filtração	25 a 85%	50 a 90%
Abrandamento a cal e soda	30 a 90%	50 a 98%
Pós-tratamento por troca iônica	99 a 99,9%	99 a 99,9%

PESTICIDAS

Os pesticidas são, de um modo geral, substâncias orgânicas sintéticas, extremamente tóxicas, usadas para destruir, repelir ou controlar insetos e ervas daninhas indesejáveis à economia agrícola. De acordo com a sua atividade biológica, podem ser classificados em inseticidas, algicidas, fungicidas e herbicidas.

Devido ao vasto e diversificado uso dos pesticidas na agricultura, há sempre o perigo de contaminação das fontes de água por estas substâncias. A portaria n.º 56-BSB do Ministério da Saúde fixa os limites máximos permitidos na água de consumo humano, para biocidas como Aldrin, Endrin, Toxafens etc.

A determinação rápida e precisa da concentração de pesticidas na água, constitui um problema para os operadores de estações de tratamento de água e órgãos de controle de poluição. A concentração máxima de Endrin, por exemplo, não deve exceder $0,0002\,mg/\ell$. Tão pequena quantidade pode sedimentar ou ser absorvida nas paredes do frasco de amostragem, fazendo com que os resultados de cromatografia sejam falsos.

O uso de biocidas orgânicos degradáveis minimiza os problemas com o abastecimento de água, porém em mananciais adjacentes a áreas agrícolas é importante que se faça o monitoramento da bacia. No projeto da estação de tratamento de água, deve ser previsto o emprego de carvão ativado. O projeto da captação deve ser orientado de modo a evitar a água de superfície e o arrasto de lodo do fundo do rio, que pode conter quantidades significativas de biocidas sedimentados.

REFERÊNCIAS BIBLIOGRÁFICAS

[1] WALKER R. — " Water Suplly. Treatment and Distribution", Prentice-Hall, Inc, N.J., 1978.

[2] HOLDEN, W. S. — "Water Treatment and Examination". J. & A. Churchill, London, 1970.

[3] COX, C. R. — "Operation and Control of Water Treatment Processes" World Health Organization, Geneva, 1969.

[4] BRANCO, S. M. — "Poluição". Ao Livro Técnico S.A. Rio de Janeiro, 1972.

[5] AZEVEDO NETTO, J. M. — "Tratamento de água de abastecimento. São Paulo, Editora da Universidade de São Paulo, 1966.

[6] MARA, D. D. — "Bacteriology for Sanitary Engineers', Churchill Livingstone, London, 1974.

4
Aeração e arejamento

O PROBLEMA CONCEITOS

As águas naturais normalmente apresentam gases dissolvidos, predominando os constituintes do ar atmosférico — nitrogênio e oxigênio — e o gás carbônico. Estamos habituados a utilizar águas nessas condições e estranhamos a ausência de oxigênio. A água recentemente fervida e sem oxigênio, por exemplo, não satisfaz ao nosso paladar. Além disso, na ausência de oxigênio dissolvido, podem ocorrer e manter-se nas águas impurezas dissolvidas de ferro e manganês que são prejudiciais como, por exemplo, o bicarbonato ferroso.

As águas com teores elevados de gás carbônico apresentam características de agressividade (corrosão) e as que contêm gás sulfídrico, ainda que em pequenas quantidades, são consideradas prejudiciais.

A aeração ou arejamento consiste no processo pelo qual uma fase gasosa — normalmente o ar — e a água são colocadas em contato estreito com a finalidade de transferir substâncias voláteis da água para o ar e substâncias solúveis do ar para a água, de forma a obter-se o equilíbrio satisfatório entre os teores das mesmas.

OBJETIVOS DA AERAÇÃO

A aeração das águas pode ser realizada com os seguintes objetivos:

a) remoção de gases dissolvidos em excesso nas águas e também de substâncias voláteis, a saber:

- gás carbônico em teores elevados, que torna a água agressiva;
- ácido sulfídrico, que prejudica esteticamente a água;
- substâncias aromáticas voláteis, causadoras de odor e sabor;
- excesso de cloro e metano, pelos mesmos motivos;

b) introdução de gases nas águas:

- oxigênio para oxidação de compostos ferrosos ou manganosos; e
- aumento dos teores de oxigênio e nitrogênio dissolvidos na água.

APLICABILIDADE

A aeração somente se justifica nos casos em que as águas a tratar apresentam carência ou excesso de gases e substâncias voláteis intercambiáveis. Geralmente, o processo se aplica em águas que não estão em contato com o ar, como por exemplo:

- águas subterrâneas (de poços);
- águas captadas em galerias de infiltração; e
- águas provenientes de partes profundas de grandes represas.

Durante muitos anos a aeração foi um processo tão valorizado pelos projetistas, que nas primeiras décadas deste século os aeradores eram quase sempre parte integrante das estações de tratamento, qualquer que fosse a origem das águas, houvesse ou não necessidade de aeração.

Atualmente a aeração é prevista nos casos em que a água contém gás carbônico em excesso, ácido sulfídrico, ferro dissolvido facilmente oxidável, e substâncias voláteis aromáticas de origem vegetal acumuladas em grandes represas.

Ensaios e experiências de laboratório podem ser de grande utilidade para avaliar os benefícios que a aeração pode oferecer, pois esse processo é facilmente reproduzido em experiências de laboratório.

PRINCÍPIOS TEÓRICOS

A transferência de uma determinada substância volátil da água para o ar ou no sentido inverso, depende de uma série de fatores que abrange as características do material volátil, a temperatura, a resistência específica à transferência, a pressão parcial do gás na atmosfera do aerador, a turbulência presente em cada uma das fases, o tempo de exposição e a relação área/volume (área de transferência e volume do líquido).

A temperatura da água e a pressão parcial do gás na atmosfera do aerador determinam a concentração de equilíbrio do gás ou o valor de saturação. Quanto maior a pressão parcial do gás, maior será a concentração de saturação do mesmo na água, para uma dada temperatura. Quanto maior a temperatura para uma determinada pressão, menor será a solubilidade do gás. Quanto maior a diferença entre a concentração de saturação de um gás na água e sua concentração real, maior será a velocidade com que a transferência se processará.

O sentido da transferência será sempre aquele que tende a conseguir o valor de saturação. Mas é bom lembrar que podem haver gases dissolvidos em estado de supersaturação.

A velocidade de transferência de um gás pode ser calculada pela expressão:

$$\frac{\partial C}{\partial t} = K_L \frac{A}{V} (C_S - C) \tag{4.1}$$

Aeração e arejamento

Integrando a equação (4.1), obtém-se:

$$(C_S - C) = (C_S - C_O)\, e^{-K_L \frac{A}{V}} \qquad (4.2)$$

C_O = concentração inicial do gás

C_S = concentração de saturação

C = concentração no instante t.

K_L = coeficiente de transferência

A = área através da qual ocorre a transferência

V = volume da água.

Essas fórmulas mostram claramente que, para acelerar a transferência, é necessário aumentar a área de transferência, ou o tempo, ou ambos.

PRINCIPAIS TIPOS DE AERADORES

Na prática, encontra-se grande variedade de unidades de aeração. As mais comuns são: aeradores de queda por gravidade (do tipo cascata e de tabuleiros); aeradores de repuxo; e aeradores de borbulhamento.

Aeradores tipo cascata

Geralmente são utilizados para remoção de gás carbônico e substâncias voláteis, em instalações pequenas de vazões não muito elevadas. Compreendem três ou quatro plataformas superpostas e com dimensões crescentes de cima para baixo, separadas de 0,25 a 0,50 m (queda total de 0,75 a 3,00 m).

Considerando-se a área da maior plataforma (inferior), esses aeradores são dimensionados na base de 800 até 1 000 m³ de água por m² de superfície por 24 horas, e permitem reduções do teor de gás carbônico entre 20 e 45%. As plataformas podem ser circulares ou retangulares (Fig. 4.1).

Aeradores de tabuleiros

São os mais indicados para a adição de oxigênio e oxidação de compostos ferrosos ou manganosos.

Os aeradores são construídos com três a nove tabuleiros ou "bandejas", iguais e superpostos, distanciados de 0,30 a 0,75 m (em altura) através dos quais a água percola.

O primeiro tabuleiro (mais alto) serve apenas para distribuir uniformemente a

43

Tratamento de água

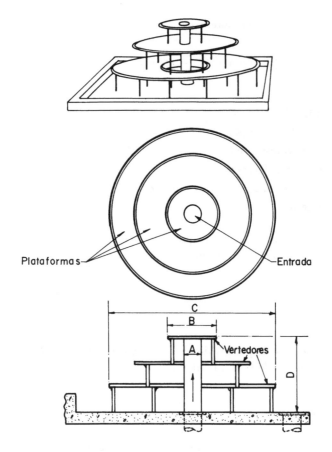

Capacidade litros/seg	A mm	B m	C m	D m
7	75	0,30	1,40	0,75
14	100	0,60	1,70	0,75
21	150	1,00	2,00	0,75
35	200	1,60	2,65	0,75

Figura 4.1 - Aerador de cascata

água, sendo executado com perfurações. Os demais tabuleiros são construídos com uma treliça, sobre a qual é disposta uma camada de pedras, ou seja, material granular, de preferência coque de 1/2 a 6". Essa camada oferece superfície de contato e concorre para acelerar as reações de oxidação.

Os aeradores de tabuleiro são dimensionados na base de 540 a 1 630 m^3 de água por m^2 de superfície (em projeção) por 24 horas (Fig. 4.2).

Aeração e arejamento

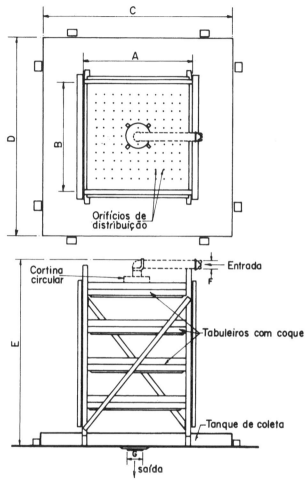

Capacidade litros/seg	A m	B m	C m	D m	E m	F mm	G mm
30	0,90	0,90	1,80	1,80	2,30	75	100
60	1,20	1,20	2,10	2,10	2,40	100	150
95	1,50	1,50	2,40	2,40	2,40	100	150
160	1,80	1,80	2,70	2,70	2,50	150	200
240	2,10	2,10	3,00	3,00	2,50	150	200
330	1,80	3,60	2,70	4,50	2,60	200	250
460	2,10	4,20	3,00	5,20	2,70	250	300

Figura 4.2 - Aerador de tabuleiros

Com esse tipo de aeradores pode-se conseguir reduções de até 90% do gás carbônico contido na água.

Aeradores de repuxo

São os mais eficientes para intercâmbio de gases e substâncias voláteis, podendo ser aplicados em instalações grandes. Freqüentemente exigem pressão de água de 2 até 7 m, dependendo da altura que se deseja para o jato e, portanto, do tempo de exposição especificado.

Um aerador de repuxo compreende tubulações sobre um tanque de coleta de água dotadas de uma série de bocais de aspersão. A água, distribuída uniformemente pelos bocais, sai através dos mesmos com uma velocidade alta em função da pressão inicial (carga hidráulica).

Para o caso de jato vertical, a água deixa o bocal, eleva-se até uma altura H com movimento retardado e cai para o tanque fazendo o percurso inverso (movimento acelerado). O tempo de exposição T, nesse caso, abrange a elevação e a queda. As seguintes fórmulas da hidráulica podem ser aplicadas.

Altura de elevação $\qquad h = C_V^2 H$

Velocidade de saída no bocal $\qquad V_o = C_V \sqrt{2 g H}$

Área do bocal $\qquad S = \dfrac{q}{V_o}$

Tempo de exposição $\qquad T = \dfrac{2 V_o}{g}$

em que C_V é o coeficiente de velocidade do bocal (0,80 a 0,95), H é a carga hidráulica total no bocal (pressão de água), q é a vazão em cada bocal e g é a aceleração da gravidade ($g = 9,81 \, m/s^2$). Os aeradores de jatos verticais apresentam a vantagem de fornecer um maior tempo de exposição para um determinado valor da carga hidráulica. Mas, em compensação, há interferência entre os jatos que se elevam e as gotas que descem.

A fórmula que fornece o tempo de exposição é a seguinte:

$$t = 2 \, C_V \, \text{sen} \, \theta \sqrt{\dfrac{2H}{g}}$$

onde θ é o ângulo de saída do aspersor em relação à horizontal.

Esse tipo de aeradores é dimensionado para cargas entre 270 e 815 m^3/m^2 · dia e permite remoções de gás carbônico superiores a 70%.

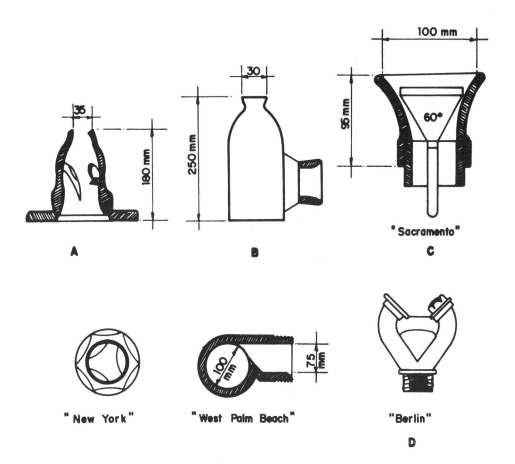

Figura 4.3 - Alguns tipos de bocais para aeradores de repuxo

Aeradores por borbulhamento

Estes aeradores consistem, geralmente, de tanques retangulares, nos quais se instalam tubos perfurados, placas ou tubos porosos difusores que servem para distribuir ar em forma de pequenas bolhas. Essas bolhas tendem a flutuar e escapar pela superfície da água. Entretanto, para dilatar o tempo de contato, faz-se com que a água avance em fluxo de espiral ao longo do tanque. Isso é conseguido, colocando-se os difusores junto a uma das paredes do tanque. A relação largura-profundidade deve manter-se

Tratamento de água

inferior a 2. Geralmente a profundidade varia entre 2,75 e 4,50 m. O comprimento é calculado, levando-se em consideração o tempo de permanência que varia entre 10 a 30 minutos. A quantidade de ar requerida para a operação varia entre 75 e 1.125 litros para cada metro cúbico de água aerada.

EXEMPLOS: Verifica-se através de experiências e ensaios, que a construção de um aerador pode trazer reais benefícios para uma determinada estação de tratamento de água com capacidade para purificar 50 ℓ/s (20 000 hab.). Dimensionar dois tipos de aeradores:

a) Aerador tipo cascata

Serão consideradas três plataformas circulares, adotando-se uma taxa de aplicação de 800 m^3/m^2/dia.

Área da maior plataforma (inferior):

$$A = \frac{0,050 \times 86\,400}{800} = 5,4\,m^2$$

Diâmetro:

$$D = \sqrt{\frac{4A}{\pi}} = \sqrt{\frac{4 \times 5,4}{3,14}} = 2,65\,m$$

Plataforma menor (superior): 1,60 m
Plataforma intermediária: 2,13 m
Separação (altura parcial) das plataformas: 0,35 m
Diâmetro do tanque inferior: 3,50 m

b) Aerador de repuxo

Sobre um tanque de 3,50 × 5,00 m será instalada uma tubulação em forma de U, com tubos de 150 mm (6"), dotados de 6 bocais simples em cada ramo (total 12 bocais). A pressão na tubulação será de 4,50 m.

Vazão por bocal $= \dfrac{50}{12} = 4,2\ \ell$/s

Altura dos jatos: h $= C_V^2\,H = 0,85^2 \times 4,50 = 3,25\,m$

48

Aeração e arejamento

Velocidade inicial da água (na saída do bocal):

$$V_o = C_V \sqrt{2\,g\,H} = 0,85 \sqrt{2 \times 9,8 \times 4,50} = 8,00\,\text{m/s}$$

Seção de escoamento:

$$s = \frac{q}{V_o} = \frac{0,0042}{8} = 0,00052\,\text{m}^2$$

Os bocais terão praticamente 26 mm (aproximadamente 1"). Tempo de exposição:

$$T = \frac{2V}{g} = \frac{2 \times 8}{9,8} \cong 1,6\,\text{s}$$

Espaçamento entre os bocais: 0,75 m
Espaçamento entre os dois ramos de tubulação: 1,50 m
Perda de carga em um ramo de tubulação:

$D = 150\,\text{mm}$
$L = 3,75\,\text{m}$
$Q = \dfrac{50}{2} = 25\,\ell/\text{s}$
$J = 0,022\,\text{m/m (C = 100)}$
$hf = \dfrac{J \times L}{3} = \dfrac{0,022 \times 3,75}{3} = 0,027\,\text{m (desprezível)}$

REMOÇÃO DE FERRO

Presença de ferro

O caminho seguido pelas águas na natureza condiciona as impurezas que elas adquirem. Assim como se apresentam águas de grande pureza que se acumulam nos glaciais, ocorrem águas com elevado teor de cálcio (em decorrência de terrenos calcários), águas ferruginosas etc.

No Brasil, são comuns as águas com teores de ferro, particularmente aquelas captadas em terrenos antigos e aluviões. Às vezes, além de compostos de ferro, ocorrem também impurezas de manganês. Teores elevados de ferro são encontrados, com maior freqüência, nos seguintes casos:

49

Tratamento de água

- águas superficiais, com matéria orgânica, nas quais o ferro se apresenta ligado ou combinado com a matéria orgânica e, freqüentemente, em estado coloidal;
- águas subterrâneas (poços, fontes e galerias de infiltração), agressivas (pH baixo, ricas em gás carbônico e sem oxigênio dissolvido, sob a forma de bicarbonato ferroso dissolvido;
- águas poluídas por certos resíduos industriais ou algumas atividades de mineração.

Inconvenientes

Os teores excessivos de ferro nas águas apresentam vários inconvenientes:
- mancham tecidos, roupas, utensílios, aparelhos sanitários etc.;
- causam sabor desagradável, "metálico";
- prejudicam a preparação de café e chá;
- interferem nos processos industriais (fabricação de papel, tecidos, tinturarias e cervejarias) etc.;
- podem causar depósitos e incrustações:
- podem possibilitar o desenvolvimento de bactérias ferruginosas nocivas (crenotrix).

Os padrões de água potável geralmente limitam o teor de ferro a $0,3 \, mg/\ell$. As águas contendo ferro dissolvido na forma de carbonato ferroso podem conduzir a graves enganos. Na ausência de oxigênio são límpidas e de aparência agradável, podendo induzir o técnico à sua utilização sem maior cuidado. Entretanto, após contato com o ar, o bicarbonato oxida-se e precipita-se, ocasionando o mau aspecto.

Processos de remoção

Entre os vários processos para remoção de ferro nas águas, incluem-se a aeração seguida de contato ou filtração e a aeração seguida de coagulação, decantação e filtração.

A escolha do processo dependerá da forma como as impurezas de ferro se apresentam. No caso de águas limpas que prescindem de tratamento químico, como as águas subterrâneas (poços, fontes, galerias de infiltração), contendo bicarbonato ferroso dissolvido (na ausência de oxigênio) o primeiro processo é o mais indicado.

Constrói-se um aerador do tipo de tabuleiro, seguido por um filtro (lento ou rápido, conforme o caso) ou então por um leito de contato (leito de material granular, à semelhança de um filtro grosseiro).

Se o ferro estiver presente junto com a matéria orgânica, as águas, em geral, não dispensarão o tratamento químico (coagulação e precipitação) e a filtração. A instalação completa compreenderá então as unidades clássicas de uma estação de tratamento com aeração inicial (aeração, floculação, decantação e filtração). Sempre que forem captadas águas com teores elevados de ferro, é muito importante verificar a forma e o estado em que se apresentam essas impurezas. As determinações e os ensaios de laboratório podem oferecer valiosas informações para os projetistas.

Manganês

Quando presente nas águas causa inconvenientes semelhantes, porém muito mais graves do que os provocados pelas impurezas de ferro.

O manganês ocorre mais raramente do que o ferro, mas quando acontece, quase sempre ocorre juntamente com o ferro.

Os processos gerais de remoção são semelhantes para os compostos de ambos. O manganês, porém, é de remoção mais difícil do que o ferro, exigindo uma investigação cuidadosa.

As Figs. 4.4 e 4.5 mostram dois tipos de instalações para remoção de ferro.

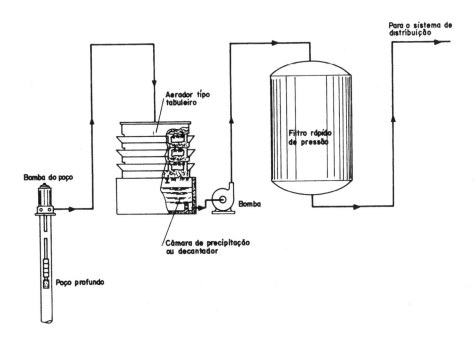

Figura 4.4 - Instalação típica de remoção de ferro

Tratamento de água

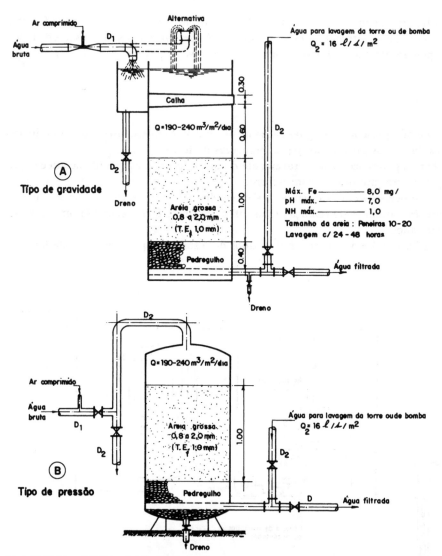

Figura 4.5 - Filtros para remoção de ferro

5
Projetos de unidades de mistura rápida

GENERALIDADES

Os termos coagulação e floculação são freqüentemente usados como sinônimos, ambos significando o processo integral de aglomeração de partículas. Entre diversas definições desses termos serão aqui adotadas as seguintes interpretações:

Coagulação: Processo através do qual os coagulantes são adicionados à água, reduzindo as forças que tendem a manter separadas as partículas em suspensão.

Floculação: Aglomeração das partículas por efeito de transporte de fluido, de modo a formar partículas de maior tamanho que possam sedimentar por gravidade.

A mistura rápida tem, portanto, a finalidade de promover a dispersão do coagulante à água. Essa dispersão deve ser a mais homogênea, ou seja, uma distribuição equânime e uniforme do coagulante à água, e a mais rápida possível. Isso constitui um dos problemas mais sérios no tratamento da água, tendo em vista que as quantidades de coagulantes utilizadas são muito pequenas comparadas com o volume de água a ser tratado, da ordem de umas poucas a 60 ou 70 gramas de coagulante por metro cúbico de água. As doses médias de sulfato de alumínio, por exemplo, encontram-se na faixa de 25 a 35 mg/ℓ. Quando se aplica o sulfato de alumínio em solução a 5%, isto representa dispersar 500 a 700 centímetros cúbicos de solução em um metro cúbico de água.

A eficiência da coagulação e, portanto, das fases subseqüentes do tratamento, está relacionada com a formação dos primeiros complexos de cátions metálicos hidrolisados, cuja composição depende das condições da água no momento e no ponto em que entram em contato. Essa reação de hidrólise é muito rápida e, para haver a desestabilização dos colóides, é indispensável a dispersão de algumas gramas de coagulante sobre toda a massa de água em um tempo muito curto, o que implica na necessidade de aplicá-lo em uma região de grande turbulência. A dispersão do coagulante é facilitada quando se dilui a solução aplicada, a um valor suficientemente baixo. Valores de 1% têm conduzido a bons resultados. A diluição pode ser feita nos próprios tanques de dissolução, quando estes têm um volume suficiente, ou aplicando-se água numa vazão conhecida na canalização que conduz a solução de sulfato de alumínio, um pouco antes do ponto de aplicação.

O CONCEITO DE GRADIENTE DE VELOCIDADE

O agente físico para a realização tanto da coagulação como da floculação é a agitação mais ou menos intensa da água, através da operação de mistura, com a denominação de *mistura rápida*, quando aplicada à coagulação, e *mistura lenta*, quando aplicada à floculação. A esta última finalidade comumente não se aplica o termo mistura, mas simplesmente *floculação*.

O conceito de gradiente de velocidade, aplicado particularmente às operações unitárias de mistura rápida e floculação, teve origem nas primeiras teorias sobre a conjunção de partículas, devidas a von Smoluchowski (1917), que demonstrou que a taxa de colisão entre partículas é resultado do movimento do fluido e, portanto, controlável. A teoria de von Smoluchowski pode ser sumarizada na expressão:

$$J_{ij} = \frac{4}{3} \, n_i \, n_j \, (Y_{ij})^3 \, \frac{dv}{dy}$$

Onde:

J_{ij} = número de colisões por unidade de tempo entre as partículas (i) e as partículas (j);

n_i, n_j = concentração de partículas (i) e (j);

Y_{ij} = distância de colisão igual à soma dos raios das partículas;

$\dfrac{dv}{dy}$ = gradiente de velocidade

O gradiente médio de velocidade, comumente anotado pela letra G, pode ser facilmente calculado pela equação de Camp e Stein, cuja dedução é apresentada a seguir.

Considere-se um elemento de fluido $\triangle X \, \triangle Y \, \triangle Z$ (Fig. 5.1), sujeito à agitação hidráulica ou mecânica no processo de mistura. A potência dissipada é o produto da força de viscosidade pela velocidade, ou

$$P = \text{tensão de cisalhamento } (\tau) \times \text{ área } (\triangle X \, \triangle Z) \times \text{ velocidade } (\triangle v)$$

$$P = \tau \, \triangle X \, \triangle Y \, \triangle Z \, \frac{\triangle v}{\triangle Y}$$

Sendo $\triangle X \, \triangle Y \, \triangle Z = \triangle V$, volume do elemento de fluido, no limite

$$\frac{P}{V} = \tau \, \frac{dv}{dy}$$

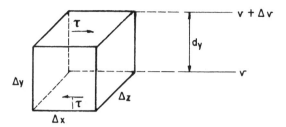

Figura 5.1

onde P/V é a potência dissipada por unidade de volume.

Para um líquido newtoniano $\tau = \mu\, dv/dy$, onde μ é o coeficiente de viscosidade dinâmica. Substituindo τ na equação anterior, resulta

$$\frac{P}{V} = \mu\left(\frac{dv}{dy}\right)^2$$

ou, explicitando $dv/dy\ (= G)$:

$$G = \sqrt{\frac{P}{\mu V}}$$

A potência P pode ser calculada em função da perda de carga em dispositivos de mistura hidráulica, seja em condições de fluxo laminar ou turbulento. Em equipamentos de mistura mecânica tipo turbinas, a análise dimensional demonstra que a quantidade adimensional $P/\omega^{-3}L^{-5}$, chamada número de potência, depende do número de Reynolds ($\omega L^2/\nu$) e do número de Froude ($\omega^2 L/g$) onde P é a potência dissipada na água pelo impulsor, ϱ é a densidade da água, ω e a velocidade angular do rotor, ν é o coeficiente de viscosidade cinemática, g é a aceleração da gravidade e L é uma dimensão característica do agitador.

A relação entre o número de potência, o número de Reynolds e o número de Froude, depende das características geométricas do impulsor e da câmara de mistura e das características do fluxo.

FATORES QUE INFLUEM NO PROCESSO

A mistura rápida dos coagulantes na água é uma das fases mais importantes do tratamento, porém ainda não se chegou a conclusões definitivas a respeito do tempo de mistura e grau de agitação.

A AWWA, na terceira edição (1971) do manual "Water Treatment Plant Design", sugere tempos de detenção na câmara de mistura de 10 a 30s, com aparelhos de mistura de potência relativamente alta, de modo a promover gradientes de velocidade variáveis com o tempo de mistura, como segue:

$$
\begin{array}{ll}
20\,s & G = 1\,000\,s^{-1} \\
30 & 900 \\
40 & 790 \\
>40 & 700
\end{array}
$$

A potência aplicada à água resulta entre 1 e 2 HP por m^3 da câmara.

Em trabalho recente, Letterman et al[7], concluem que a mistura rápida é função do tempo de mistura T, da dose de sulfato de alumínio aplicada C e do gradiente de velocidade G, e que a operação de mistura rápida encontra um ponto ótimo quando

$$GTC^{1,46} = 5,9 \times 10^6$$

Fazendo $G = 1\,500$ e $C = 30\,mg/\ell$, resulta $T = 27\,s$

Isso está mais ou menos de acordo com as recomendações anteriores, porém não deve ser considerado regra geral para projetos, por ser uma expressão válida para condições particulares de uma dada experiência[4].

Hudson recomenda um gradiente de velocidade o mais alto possível e um tempo de mistura inferior a 1 segundo, preferencialmente menor de 0,5 s.

Para esse critério, tem-se orientado a maioria dos projetos realizados no Brasil, com bons resultados. Essas condições se cumprem automaticamente, na maioria dos casos, quando se utiliza ressalto hidráulico para a mistura rápida.

MISTURA RÁPIDA HIDRÁULICA

As primeiras estações de tratamento de água não dispunham de dispositivos especiais para a mistura rápida do coagulante à água. Historicamente, os primeiros dispositivos a serem empregados para a mistura foram hidráulicos, isto é, utilizavam a energia hidráulica para a dispersão do coagulante. Em 1927, o ressalto hidráulico foi patenteado por J. W. Ellms e aplicado a uma importante estação de tratamento, na cidade de Detroit.

A mistura também pode ser realizada em câmaras com chicanas de fluxo horizontal ou vertical, mas seu uso tem diminuído, ao contrário do ressalto hidráulico e dos misturadores mecanizados que cada vez são mais utilizados, pelo pequeno volume que ocupam.

O ressalto hidráulico é um fenômeno que ocorre quando a corrente líquida passa do regime rápido para o tranqüilo, através da profundidade crítica, passando de menor a maior que esta, e a velocidade de maior a menor que a crítica. A Fig. 5.2 esclarece como ocorre o salto através da curva de energia específica.

Tipos de ressaltos hidráulicos

Os ressaltos podem ocorrer em canais horizontais ou de fundo inclinado. São freqüentemente utilizados para a mistura rápida ressaltos produzidos em canais retangulares por mudança brusca de declividade, em calhas Parshall e em vertedores (provocados pela queda livre).

Para efeito de cálculo de ressaltos para a mistura rápida, pode-se desprezar o efei-

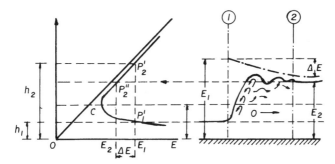

Figura 5.2 -

to produzido pelo peso da água e admitir, Fig. 5.3, que $h_1 = d_1$ e aplicar as equações do ressalto em canais horizontais.

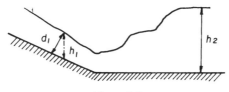

Figura 5.3 -

Para que ocorra o salto, é necessário que as profundidades da água imediatamente antes e depois do salto, h_1 e h_2, satisfaçam a relação

$$\frac{h_2}{h_1} = -\frac{1}{2}(\sqrt{1 + 8F_1^2} - 1)$$

onde: $\quad F_1 = \dfrac{V_1}{\sqrt{gh_1}}$ (5.2)

é o número de Froude correspondente à secção (1) da Fig. 5.2.

Em hidráulica reconhecem-se diversos tipos de salto, conforme o valor do número de Froude (Fig. 5.4).

Tratamento de água

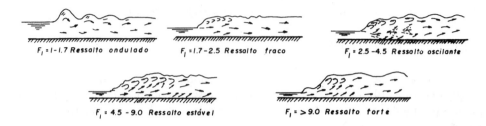

Figura 5.4 - Tipos de ressalto

Número de Froude	Tipo de salto
$F_1 = 1$ a $1,7$	salto ondulado
$F_1 = 1,7$ a $2,5$	salto fraco
$F_1 = 2,5$ a $4,5$	salto oscilante
$F_1 = 4,5$ a $9,0$	salto estável
$F_1 > 9,0$	salto forte

O tipo de salto desejável para a mistura rápida é o salto estável, com número de Froude entre 4,5 a 9,0. Correspondente a uma dissipação de energia de 3,5 a 7,0 HP por m³/s de capacidade da estação de tratamento e um tempo de mistura ao redor de um segundo, o que faz o salto hidráulico um misturador muito eficiente.

Energia hidráulica dissipada e gradientes de velocidade

A energia hidráulica dissipada, devida ao gradiente de velocidade que promove a mistura rápida, pode ser calculada pela fórmula de Bélanger:

$$h_p = \frac{(h_2 - h_1)^3}{4\, h_1\, h_2} \qquad (5.3)$$

Essa energia é dissipada no volume de água compreendido entre as secções (1) e (2) (Fig. 5.2), correspondendo à extensão L do ressalto. Para números de Froude compreendidos entre 4,5 e 16, pode-se aplicar a fórmula de Smetana:

$$L = 6\,(h_2 - h_1) \qquad (5.4)$$

O gradiente de velocidade é calculado então pela fórmula:

$$G = \sqrt{\frac{\gamma\, Q\, h_p}{\mu\, V}} = \sqrt{\frac{\gamma}{\mu} \cdot \frac{h_p}{T}} \qquad (5.5)$$

com T tempo de mistura dado por
$$T = \frac{2L}{V_1 + V_2} \qquad (5.6)$$

onde:

γ = peso específico da água (kgf/m³)
μ = coeficiente de viscosidade absoluta (kgf . s/m²)
Q = vazão (m³/s)
h_p = perda de carga no ressalto (m)
V = volume compreendido entre as secções (1) e (2) em m³
V_1 = velocidade da água na secção 1 (m/s)
V_2 = velocidade da água na secção 2 (m/s)

Ressalto por mudança de declividade em canais retangulares

Uma mudança de declividade em um canal retangular é um dos meios mais simples para se produzir um ressalto com a finalidade de mistura rápida. O gradiente de velocidade é calculado segundo a orientação dada no item anterior, bastando determinar as alturas e velocidades conjugadas (h_1 V) nas secções (1) e (2) (Fig. 5.5). Aqui é feita a simplificação proposta na Fig. 5.3.

Para as condições fixadas na Fig. 5.5, a carga hidráulica disponível na secção (1), desprezadas as perdas de carga, é

$$E_1 = E_o = \frac{V_1^2}{2g} + h_1 \qquad (5.7)$$

Altura da água antes do ressalto

$$h_1 = \frac{Q}{BV_1} = \frac{q}{V_1} \qquad (5.8)$$

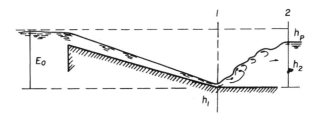

Figura 5.5

Substituindo (5.8) em (5.7) resulta

$$\frac{V_1^2}{2g} + \frac{q}{V_1} = E_o \qquad (5.9)$$

equação do terceiro grau, cuja solução é dada por

$$V_1 = 2\sqrt{\frac{2g\,E_o}{3}} \cos\frac{\theta}{3} \qquad (5.10)$$

na qual

$$\cos\theta = -\frac{g\cdot q}{(\frac{2}{3}g\,E_o)^{3/2}} \qquad (5.11)$$

Calculados h_1 e V_1, os demais elementos são determinados aplicando-se as relações dadas no item anterior.

A seqüência de cálculo ficará suficientemente aclarada com um exemplo:

Verificar as condições de mistura rápida do canal esquematizado na Fig. 5.5, para $E_o = 0,60$ e uma vazão de 120 ℓ/s. A largura do canal é $B = 0,80$ m. Temperatura da água 15°C.

Solução: A seqüência de cálculo acha-se esquematizada no fluxograma anexo e realizada no Quadro 5.1, cuja apreciação dispensa maiores comentários. O número de Froude resultante, indica um ressalto estável ($F_1 = 4,5$ a $9,0$), com um tempo de mistura de 0,8 s e um gradiente de velocidade superior a $1.000\,s^{-1}$, demonstrando condições satisfatórias para a mistura rápida.

Ressalto em calhas "Parshall"

Um dispositivo muito utilizado nas estações de tratamento de água com a dupla finalidade de medir a vazão afluente e realizar a mistura rápida é a calha "Parshall". Trabalha normalmente com descarga livre, passando a corrente líquida de uma condição supercrítica para uma subcrítica, causando o ressalto. Foi idealizada em 1927 por R. L. Parshall e patenteada para vários tamanhos, com as dimensões constantes da tabela da Fig. 5.6.

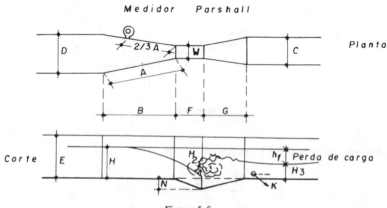

Figura 5.6

Projetos de unidades de mistura rápida

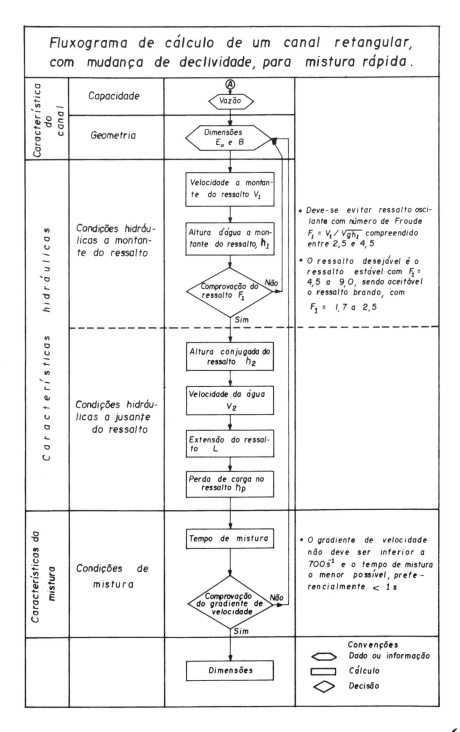

Quadro 5.1 — Exemplo de cálculo de um canal retangular de declividade variável para mistura rápida

Passo	Dados	Quantidade	Unidade	Fórmula	Cálculos	Resultado	Unidade	Saída
1	• Vazão • Largura do canal	$Q = 0,120$ $B = 0,80$	m^3/s m	$q = \dfrac{Q}{B}$	$q = \dfrac{0,120}{0,80}$	$q = 0,15$	$m^3/s/m$	Vazão específica
2	• Carga hidráulica disponível	$E_o = 0,60$ $g = 9,81$	m m/s^2	$\cos\theta = -\dfrac{g \cdot q}{\left(\frac{2}{3}\, g\, E_o\right)^{1.5}}$	$\cos\theta = -\dfrac{9,8 \times 0,15}{\left(\frac{2}{3} \cdot 9,8 \cdot 0,6\right)^{1.5}}$	$\cos\theta = -0,189$ $\theta = 100^\circ\,54'$		Resolução da equação $E_1 = E_o = \dfrac{V_1^2}{2g} + \dfrac{q}{V_1}$
3				$V_1 = 2\sqrt{\dfrac{2g E_o}{3}}\,\cos\dfrac{\theta}{3}$	$V_1 = 2\sqrt{\dfrac{2 \times 9,8 \times 0,6}{3}}\,\cos 33^\circ\,38'$	$V_1 = 3,30$		Velocidade na secção (1)
4				$h_1 = \dfrac{q}{V_1}$	$h_1 = \dfrac{0,15}{3,30}$	$h_1 = 0,05$	m	Altura de água na secção (1)
5				$F_1 = \dfrac{V_1}{\sqrt{g h_1}}$	$F_1 = \dfrac{3,30}{\sqrt{9,8 \times 0,05}}$	$F_1 = 4,7$		Número de Froude na secção (1)
6				$h_2 = \dfrac{h_1}{2}\left(\sqrt{1 + 8 F_1^2} - 1\right)$	$h_2 = \dfrac{0,05}{2}\left(\sqrt{1 + 8\,(4,7)^2} - 1\right)$	$h_2 = 0,30$	m	Altura do ressalto secção (2)
7				$V_2 = \dfrac{q}{h_2}$	$V_2 = \dfrac{0,150}{0,30}$	$V_2 = 0,50$	m/s	Velocidade na secção (2)
8				$h_p = \dfrac{(h_2 - h_1)^3}{4 h_1 h_2}$	$h_p = \dfrac{(0,30 - 0,05)^3}{4 \times 0,3 \times 0,05}$	$h_p = 0,10$	m	Perda de carga (fórmula de Belanger)
9				$L = 6(h_2 - h_1)$	$L = 6(0,30 - 0,05)$	$L = 1,50$	m	Extensão do ressalto (fórmula de Smetana)
10				$T = \dfrac{2L}{V_1 + V_2}$	$T = \dfrac{2 \times 1,50}{3,30 + 0,50}$	$T = 0,8$	s	tempo de mistura
11	• peso específico • coef. de viscosidade	$\gamma = 1\,000$ $\mu = 0,0001167$ (a 15°C)	$kg \cdot /m^3$ $kg \cdot /m^2$	$G = \sqrt{\dfrac{\gamma}{\mu} \times \dfrac{h_p}{T}}$	$G = \sqrt{\dfrac{1\,000}{1,167 \times 10^{-4}} \times \dfrac{0,10}{0,8}}$	$G = 1\,035$	s^{-1}	Gradiente de velocidade

Projetos de unidades de mistura rápida

Dimensões padronizadas de medidores Parshall

(cm)

W	A	B	C	D	E	F	G	K	N
1"	2,5	36,3	35,6	9,3	16,8	22,9	7,6	20,3	1,9	2,9
3"	7,6	46,6	45,7	17,8	25,9	45,7	15,2	30,5	2,5	5,7
6"	15,2	61,0	61,0	39,4	40,3	61,0	30,5	61,0	7,6	11,4
9"	22,9	88,0	86,4	38,0	57,5	76,3	30,5	45,7	7,6	11,4
1'	30,5	137,2	134,4	61,0	84,5	91,5	61,0	91,5	7,6	22,9
1 1/2'	45,7	144,9	142,0	76,2	102,6	91,5	61,0	91,5	7,6	22,9
2'	61,0	152,5	149,6	91,5	120,7	91,5	61,0	91,5	7,6	22,9
3'	91,5	167,7	164,5	122,0	157,2	91,5	61,0	91,5	7,6	22,9
4'	122,0	183,0	179,5	152,5	193,8	91,5	61,0	91,5	7,6	22,9
5'	152,5	198,3	194,1	183,0	230,3	91,5	61,0	91,5	7,6	22,9
6'	183,0	213,5	209,0	213,5	266,7	91,5	61,0	91,5	7,6	22,9
7'	213,5	228,8	224,0	244,0	303,0	91,5	61,0	91,5	7,6	22,9
8'	244,0	244,0	239,2	274,5	340,0	91,5	61,0	91,5	7,6	22,9
10'	305,0	274,5	427,0	366,0	475,9	122,0	91,5	183,0	15,3	34,3

A seqüência de cálculo é semelhante a dos canais retangulares, introduzindo-se as alterações devidas às variações de secção. A energia hidráulica disponível é calculada na secção de medição (Fig. 5.7):

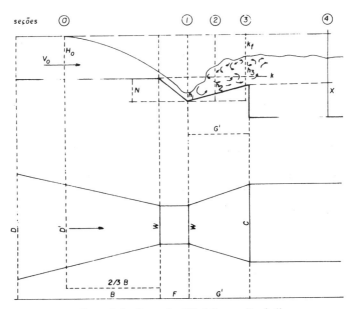

Figura 5.7 - O ressalto hidráulico no Parshall

Tratamento de água

$$E_o = \frac{V_o^2}{2g} + H_o + N$$ (5.12)

A altura da água na secção de medição pode ser calculada pela equação

$$H_o = k\,Q^n$$ (5.13)

com os parâmetros k e n na Tabela 5.1

Tabela 5.1 — Valores de k e n para a equação 5.13

W		k	n
pol	m		
3"	0,075	3,704	0,646
6"	0,150	1,842	0,636
9"	0,229	1,486	0,633
1'	0,305	1,276	0,657
1,5'	0,460	0,966	0,650
2'	0,610	0,795	0,645
3'	0,915	0,608	0,639
4'	1,220	0,505	0,634
5'	1,525	0,436	0,630
6'	1,830	0,389	0,627
8'	2,440	0,324	0,623

A velocidade na secção de medição é calculada por

$$V_o = \frac{Q}{H_o\,D'}$$ (5.14)

com

$$D' = \frac{2}{3}(D - W) + W$$ (5.15)

sendo D, N e W dimensões padronizadas da canaleta, dadas na tabela da Fig. 5.6. Os demais cálculos seguem o mesmo fluxograma dos canais horizontais. No cálculo da extensão do ressalto, pode-se considerar que toda a energia dissipada no Parshall se dá entre a saída da garganta (secção 2) e a secção de saída da calha (3) e que, neste volume, a mistura praticamente completa-se.

Sob condições de escoamento de descarga livre, a perda de carga pode ser calculada por (Fig. 5.7):

$$h_f = H_o + K - h_3$$ (5.16)

ou, pela fórmula 5.3, que dá resultados ligeiramente inferiores.

Projetos de unidades de mistura rápida

EXEMPLO: Verificar as condições de mistura rápida de uma calha Parshall de 3' (0,915 m) para a vazão de 760 ℓ/s.

SOLUÇÃO: O quadro 5.2 apresenta a seqüência de cálculo das condições hidráulicas do Parshall como misturador rápido. Comprovam-se condições satisfatórias, com um gradiente de velocidade resultante pouco superior a 860 s^{-1}, em tempo de mistura de 0,7 segundos e um número de Froude igual a 2,1 (ressalto fraco).

A Fig. 5.8 permite avaliar rapidamente o gradiente de velocidade em função da vazão e da medida da garganta da calha Parshall.

MISTURA RÁPIDA MECÂNICA

A mistura rápida mecanizada é melhor realizada por meio de agitadores tipo turbina.

Um agitador de turbina é um aparelho mecânico que produz movimento em um líquido através do movimento rotativo dos impulsores.

Os agitadores de turbina são classificados pelo tipo de fluxo produzido. As turbinas de fluxo axial movem o líquido paralelamente ao eixo do agitador, enquanto que as turbinas de fluxo radial movimentam o líquido perpendicularmente ao eixo.

Os tipos mais comuns de turbina estão esquematizados na Fig. 5.9. A turbina com paletas a 45° é de fluxo basicamente axial, enquanto a de paletas planas paralelas ao eixo é de fluxo tipicamente radial.

A potência aplicada à água pelas turbinas depende do volume e forma da câmara de mistura, da velocidade de rotação e da geometria do impulsor. Essas variáveis estão inter-relacionadas, de modo que o projeto da câmara de mistura é dependente do tipo de turbina e vice-versa.

Rushton[5] encontrou que a potência devida às forças de inércia e as forças de viscosidade, representadas pelo número de Reynolds (R_e), estão relacionadas pelas seguintes expressões, conforme seja o regime hidráulico:

$$- \text{Laminar} \quad P = \frac{K}{g_c} \, \mu \, n^2 D^3 \tag{5.17}$$

$$- \text{Turbulento} \quad P = \frac{K}{g_c} \, \varrho \, n^3 D^5 \tag{5.18}$$

onde:

P = potência necessária (kgf · m/s)
n = número de rotações por segundo (rps)
D = diâmetro do rotor (m)
ϱ = densidade da água (kg/m^3)

Quadro 5.2 — Exemplo de cálculo de uma calha "Parshall" como misturador rápido

Passo	Dados	Quantidade	Unidade	Fórmula	Cálculos	Resultado	Unidade	Saída
1	• Vazão • Tamanho (Tabela 5.1)	$Q = 0,760$ $W = 3 = 0,915$ $k = 0,608$ $n = 0,639$	m^3/s m	$H_o = k \cdot Q^n$	$H_o = 0,608 \, (0,760)^{0,639}$	$H_o = 0,51$	m	Altura de água na secção de medição
2	Dimensões padronizadas (Fig. 5.6)	$D = 1,572$	m	$D' = \frac{2}{3}(D - W) + W$	$D' = \frac{2}{3}(1,572 - 0,915) + 0,915$	$D' = 1,35$	m	Largura do Parshall na secção de medição
3				$v_o = \frac{Q}{D'H_o}$	$v_o = \frac{0,760}{1,35 \times 0,51}$	$v_O = 1,10$	m/s	Velocidade na secção de medição
4				$q = \frac{Q}{W}$	$q = \frac{0,760}{0,915}$	$q = 0,83$	$m^3/s/m$	Vazão específica na garganta do Parshall
5	Dimensões padronizadas (Fig. 5.6)	$N = 0,23$ $g = 9,81$	m/s^2	$E_o = \frac{v_o^2}{2g} + H_o + N$	$E = \frac{(1,10)^2}{2 \times 9,8} + 0,51 + 0,23$	$E_o = 0,80$	m	Carga hidráulica disponível
6				$\cos\theta = -\dfrac{g \cdot q}{\left(\frac{2}{3} \cdot g \, E_o\right)^{1,5}}$	$\cos\theta = -\dfrac{9,8 \times 0,83}{\left(\frac{2}{3} \cdot 9,8 \cdot 0,80\right)^{1,5}}$	$\cos\theta = -0,68$ $\theta = 132° \, 54'$		Resolução da equação[1] $E_o = \frac{v_1^2}{2g} + \frac{q}{v_1}$
7				$v_1 = 2\sqrt{\frac{2g E_o}{3}} \cos\frac{\theta}{3}$	$v_1 = 2\sqrt{\frac{2 \times 9,8 \times 0,8}{3}} \cos 44° \, 18'$	$v_1 = 3,29$	m/s	Velocidade antes do ressalto
8				$h_1 = \frac{q}{v_1}$	$h_1 = \frac{0,83}{3,29}$	$h_1 = 0,25$	m	Altura de água antes do ressalto
9				$F_1 = \frac{v_1}{\sqrt{gh_1}}$	$F_1 = \frac{3,29}{\sqrt{9,8 \times 0,25}}$	$F_1 = 2,10$		Número de Froude

(Continua)

Quadro 5.2 — Exemplo de cálculo de uma calha "Parshall" como misturador rápido *(Continuação)*

Passo	Dados	Quantidade	Unidade	Fórmula	Cálculos	Resultado	Unidade	Saída
10				$h_2 = \dfrac{h_1}{2}\left[\sqrt{1 + 8\,F_1^2} - 1\right]$	$h_2 = \dfrac{0.25}{2}\left[\sqrt{1 + 8\,(2.1)^2} - 1\right]$	$h_2 = 0.63$	m	Altura de ressalto
11				$V_2 = \dfrac{Q}{w h_2}$	$V_2 = \dfrac{0.760}{0.915 \times 0.63}$	$V_2 = 1.32$	m/s	Velocidade no ressalto
12	Dimensões padronizadas	K = 0,08	m	$h_3 = h_2 - (N - K)$	$h_3 = 0.63 - (0.23 - 0.08)$	$h_3 = 0.48$	m	Altura na seção de saída
13	Dimensões padronizadas (Fig. 5.6)	C = 1,22	m	$V_3 = \dfrac{Q}{C h_3}$	$V_3 = \dfrac{0.760}{1.22 \times 0.48}$	$V_3 = 1.30$	m/s	Velocidade na secção de saída do Parshall
14				$h_f = \dfrac{(h_2 - h_1)^3}{4\,h_1 h_2}$	$h_f = \dfrac{(0.63 - 0.25)^3}{4 \cdot 0.25 \cdot 0.63}$	$h_f = 0.09$	m	Perda de carga no ressalto
15	Dimensões padronizadas (Fig. 5.6)	G' = 0,915	m	$T = \dfrac{2G'}{V_2 + V_3}$	$T = \dfrac{2 \times 0.915}{1.32 + 1.30}$	$T = 0.70$	s	Tempo de mistura
16	Peso específico Coef. de viscosidade	$\gamma = 1\,000$ $\mu = 1.67 \times 10^{-4}$	kg^*/m^3 kg^*s/m^2	$G = \sqrt{\dfrac{\gamma}{\mu} \cdot \dfrac{h_p}{T}}$	$G = \sqrt{\dfrac{1\,000 \times 0.09}{1.67 \times 10^{-4} \times 0.7}}$	$G = 863$	s^{-1}	Gradiente de velocidade

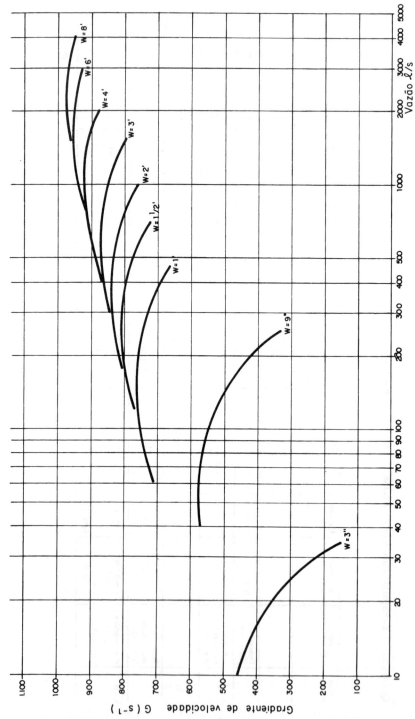

Figura 5.8 - Gradientes de velocidade em calhas Parshall (10°C)

Projetos de unidades de mistura rápida

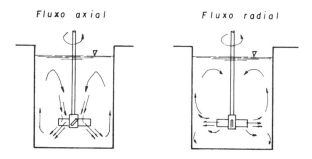

Figura 5.9 - Tipos de turbinas

μ = viscosidade absoluta (kgf · s/m²)
g_c = fator de conversão da lei de Newton (9,81 kg · m/kgf · s²)

A equação 5.17 é válida para valores do número de Reynolds inferiores a 10 e a equação 5.18 aplica-se para número de Reynolds superiores a 10.000. Para valores intermediários do número de Reynolds, a potência seria calculada pela fórmula:

$$P = \frac{K}{g_c} \sigma n^3 D^5 \cdot (N_R)^p \cdot (N_F)^q \qquad (5.19)$$

onde:

N_R é o número de Reynolds $\qquad N_R = \dfrac{N \varrho D^2}{\mu} \qquad (5.20)$

N_F é o número de Froude $\qquad N_F = \dfrac{N^2 D}{g} \qquad (5.21)$

O coeficiente K depende a geometria do sistema câmara equipamento de mistura e p e q dependem do regime de escoamento.

Valores de K para quatro tipos básicos de turbina são dados em função do número de Reynolds no gráfico da Fig. 5.10.

Para o regime turbulento, que é a condição para a mistura rápida, tais valores só serão válidos se forem previstos dispositivos para a eliminação do vórtex. Isso pode ser feito por meio de quatro cortinas, como indicado na Fig. 5.11, cada uma tomando 10% do diâmetro do tanque D_T.

A turbina de tipo 1 é a que fornece, sob idênticas condições de rotação e diâmetro, a maior potência útil ($K = 5$). A geometria do sistema câmara equipamento de mistura é definida pelas seguintes relações (Fig. 5.11):

69

$$2{,}7 \leqslant \frac{D_T}{D} \leqslant 3{,}3 \qquad (5.22)$$

$$2{,}7 \leqslant \frac{T}{D} \leqslant 3{,}9 \qquad (5.23)$$

$$0{,}75 \leqslant \frac{h}{D} \leqslant 1{,}3 \qquad (5.24)$$

$$\frac{B}{D} = \frac{1}{4} \qquad (5.25)$$

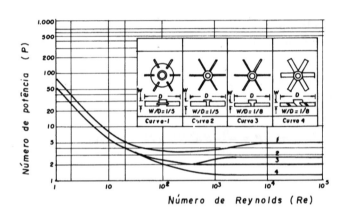

Figura 5.10 Relação entre o número de potência e o número de Reynolds para alguns tipos de turbinas.

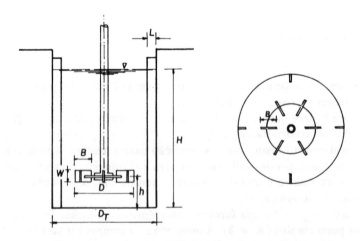

Figura 5.11 - Relações geométricas da câmara de mistura.

Projetos de unidades de mistura rápida

$$\frac{W}{D} = \frac{1}{5} \tag{5.26}$$

$$\frac{L}{D_T} = \frac{1}{10} \tag{5.27}$$

EXEMPLO: Dimensionar um misturador rápido e a câmara de mistura para uma estação de tratamento que vai tratar 450 ℓ/s.

• gradiente de velocidade $\quad G = 2\,000\,s^{-.1}$
• tempo de mistura $\quad\quad\quad t = 1\,s$

SOLUÇÃO: Os cálculos são bastante simples, como mostra o quadro 5.3. Inicia-se fixando as relações geométricas entre a câmara e a turbina, como indicado na Fig. 5.11. Com o gradiente de velocidade prefixado, a seqüência de cálculo é orientada para a determinação da potência aplicada à água e, finalmente, a velocidade de rotação, de acordo com o fluxograma de cálculo.

Para um motor elétrico de quatro pólos ($\cong$ 1\,750 rpm a 60 Hz), será necessário um redutor de velocidade com um fator de redução de 1\,750/420, ou de aproximadamente 4:1

Na determinação da potência do motor elétrico, deve-se levar em consideração o rendimento do redutor de velocidade. A um rendimento de 80%, a potência mínima do motor elétrico deverá ser:

$$P_m = \frac{210}{75 \times 0{,}8} = 3{,}5\,HP$$

A escolha deverá recair em um motor de potência nominal de 4 HP (potência de placa).

A escolha do redutor de velocidade é um dos pontos críticos no dimensionamento mecânico do misturador. É o componente mais importante e também o mais caro. Devem ser especificados para um fator de serviço, baseado na potência nominal do motor elétrico, não inferior a 1,5. No exemplo, o redutor seria, então, dimensionado para a potência de 6 HP.

A adoção de pequenos períodos de detenção, inferiores a 2 segundos, nas câmaras de mistura rápida mecanizadas, exige que a corrente líquida incida diretamente sobre as pás do agitador. O coagulante deverá ser aplicado logo abaixo da turbina do agitador.

DIFUSORES

Um único ponto de aplicação, numa dada secção de um canal ou canalização, conduz a resultados bastante ineficientes. Isso se explica, porque a mistura somente se

Quadro 5.3 — Exemplo de dimensionamento de um misturador rápido mecanizado com uma turbina radial de seis paletas planas

Passo	Dados	Quantidade	Unidade	Fórmula	Cálculos	Resultado	Unidade	Saída
1	• Vazão Tempo de mistura	Q = 0,450 t = 1 s	m³/s	$V = Qt$	$V = 0,45 \cdot 1$	$V = 0,45$	m³	Volume da câmara de mistura
2	$a = \dfrac{D_T}{D}$ $b = \dfrac{H}{D}$	a = 3 b = 3,5		$D_T = 1,08\sqrt{\dfrac{a}{b}V}$ $H = \dfrac{b}{a}D_T$	$D_T = 1,08\sqrt{\dfrac{3,9}{3,5}\times 0,45}$ $H = \dfrac{3,5}{3,0}\times 0,79$	$D_T = 0,79$ $H = 0,92$	m m	Diâmetro da câmara de mistura Profundidade do nível de água
3	Gradiente Temperatura Coef. de visc.	G = 2 000 15°C μ = 0,0001167	s^{-1} °C $kg{\cdot}s/m^2$	$P = \mu V G^2$	$P = 1,167\times 10^{-4}\times 0,45\times (2\,000)^2$	$P = 210$	$kg{\cdot}\,m/s$	Potência aplicada à água
4				$D = \dfrac{D_T}{3}$	$D = \dfrac{0,79}{3}$	$D = 0,26$	m	Diâmetro de turbina
5				$B = \dfrac{D}{4}$ $W = \dfrac{D}{5}$	$B = \dfrac{0,26}{4}$ $W = \dfrac{0,26}{5}$	$B = 0,07$ $W = 0,05$	m m	Dimensões das paletas
6	Coef. ou n.º de potência	K = 5 g = 9,81 ϱ = 1000		$n = \sqrt[3]{\dfrac{gP}{K\,\varrho\,D^5}}$	$n = \sqrt[3]{\dfrac{9,81\times 210}{5\times 1000\times (0,26)^5}}$	n = 7 ou n = 420	rps rpm	Velocidade de rotação

completará a uma distância L demandando um tempo exagerado. Como o sulfato de alumínio em contato com a água se hidroliza e polimeriza em frações de segundo, a eficiência das fases posteriores do tratamento fica extremamente reduzida.

Quanto maior o número de pontos de aplicação, menor será a distância L e o tempo para completar a mistura, como indica a Fig. 5.12, e melhor será a dispersão do coagulante.

Na prática, isso pode ser conseguido por meio de um ou de uma malha de tubos perfurados. Segundo Stenkist e Kaufman[8], seriam necessários pelo menos 16 orifícios por decímetro quadrado para se obter resultados melhores do que os misturadores mecânicos.

Quando a lâmina de água for bastante pequena à montante de um ressalto, é suficiente um tubo perfurado ou canaleta de distribuição de sulfato como indicado na Fig. 5.13. No caso do exemplo do Quadro 5.2, onde resultou uma profundidade de 0,25 m, seriam necessários $16 \times 0,25 \times 10 \cong 40$ orifícios por metro ou 1 orifício a cada 2,5 cm.

Figura 5.12 - Princípio dos difusores

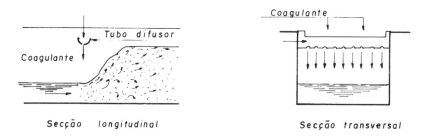

Figura 5.13 - Difusor em um ressalto

O espaçamento máximo entre dois orifícios nunca deverá ser superior a 10 cm.

Tal quantidade de orifícios torna difícil uma perfeita distribuição, principalmente se o coagulante for aplicado em concentrações relativamente altas. Reforça-se assim as vantagens de se aplicar a solução de coagulantes a mais diluída possível.

Em canais onde a lâmina de água é relativamente profunda ou em canalizações sob pressão, pode-se utilizar dispositivos como os indicados nas Figs. 5.14 e 5.15. As normas brasileiras limitam em 200 cm² a área da secção transversal correspondente a

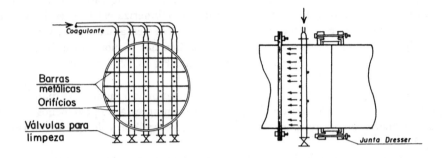

Figura 5.14 - Difusor em uma tubulação

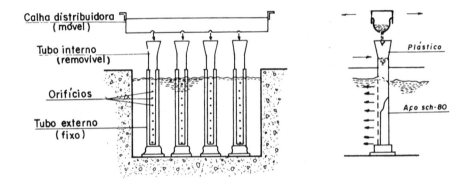

Figura 5.15 - Difusor em um canal

cada orifício e fixam a dimensão máxima desta área em 20 cm. Estabelecem, ainda, o seguinte:

1. os jatos de coagulante deverão se dirigir perpendicularmente ao sentido do fluxo ou frontalmente ao mesmo, não sendo admitidos jatos dirigidos no mesmo sentido do fluxo;
2. a velocidade da água onde os jatos forem distribuídos deverá ser igual ou superior a 2m/s;
3. os orifícios deverão ter um diâmetro mínimo de 3 mm;
4. um problema que ocorre com freqüência com os difusores é causado pelas impurezas insolúveis carreadas pela solução do coagulante, principalmente quando se utiliza o sulfato de alumínio. Por isso, deve-se prever facilidades para limpeza, ou para rápida remoção e substituição do difusor.

LOCALIZAÇÃO DA UNIDADE DE MISTURA RÁPIDA

Como regra geral, a unidade ou câmara de mistura rápida deve ficar o mais próximo possível dos tanques de floculação. A situação ideal seria aquela em que a floculação seguisse imediatamente à mistura rápida.

Na Fig. 5.16 estão representadas duas disposições clássicas de estações de tratamento. A disposição B apresenta um bom arranjo das unidades de mistura e floculação, enquanto a disposição A, se bem que bastante comum, apresenta o grave inconveniente de um longo canal entre a câmara de mistura e os tanques de floculação. Nesse canal, inicia-se uma floculação a gradientes baixos, formando flocos fracos que serão rompidos, em decorrência dos gradientes mais elevados no início dos tanques de floculação. Por este motivo, as normas brasileiras de projeto, especificam que *a distância a ser percorrida pela água até o processo de floculação (ou filtração) que seguir-se, deverá corresponder a um tempo de percurso máximo de 60 segundos; este tempo poderá ser aumentado para até 3 minutos se, ao longo dos condutos entre a mistura rápida e a floculação, existir um sistema de agitação capaz de conferir à água um gradiente de velocidade superior a $75s^{-1}$*.

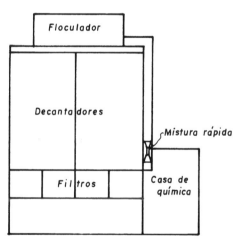

Figura 5.16 A

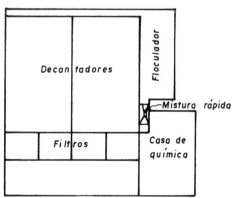

Figura 5.16 B

REFERÊNCIAS BIBLIOGRÁFICAS

[1] AZEVEDO NETTO, J.M. — Manual do curso "Técnicas avançadas de Tratamento de Água: experiência brasileira de projeto". São Paulo.

[2] AZEVEDO NETTO, J. M. e ALVAREZ, G.A. — "Manual de Hidráulica" (6ª edição, Editora E. Blücher, São Paulo.

[3] PAES LEME, F. — "Avaliação da Eficiência do Misturador Parshall". 9.º Congresso Brasileiro de Engenharia Sanitária, Belo Horizonte.

[4] RICHTER, C.A. — "Mistura Rápida. Tecnologia del Tratamiento de agua para paises en desarrollo". Lima, OPS, CEPIS, 1977.

[5] RUSCHTON, J.H. — "Mixing of liquids in chemical processing". Ind. Eng. Chem., 44, 1952.

[6] SANKS, R.L. — "Water treatment plant design for the practicing engineer". Ann Arbor Science Publ., 1979.

[7] LETTERMAN, R.D., QUON, J.E. e GEMMELL, R.A. — "Influence of rapid mix parameters on flocculation". Journal AWWA, 65(11): 716-722, Nov. 1973.

[8] STENQUIST, R.J. e KAUFMAN, W. — "Initial Mixing in Coagulation Processes". SERL Report No. 72-2, College of Engineering University of California at Berkeley, February 1972.

6
Mistura rápida em vertedores retangulares

INTRODUÇÃO

As primeiras estações de tratamento que se construíram não tinham dispositivos especiais para a dispersão dos produtos químicos. Historicamente, os primeiros dispositivos para a mistura rápida foram hidráulicos, passando-se depois, principalmente nos países mais industrializados, a dar-se preferência a aparelhos mecanizados.

A principal objeção que se faz aos dispositivos hidráulicos é a sua pouca flexibilidade a variações de vazão. Por outro lado, o custo acompanhado da complexidade própria dos equipamentos eletromecânicos torna sua utilização inadequada em países em desenvolvimento. Em nosso meio, tradicionalmente, tem-se dado preferência a dispositivos hidráulicos de mistura rápida, tais como as calhas Parshall e vertedores.

Recentemente, surgiram importantes trabalhos sobre calhas Parshall como misturador rápido, desenvolvidos pelo prof. Azevedo Netto[1] e pelo engenheiro Francílio P. Leme[2], contribuindo para o dimensionamento racional destas unidades, e para a otimização de misturadores existentes, sobrepujando a falta de flexibilidade apontada através de projetos adequados. A importância desses trabalhos é salientada pelo fato de ser a calha Parshall o dispositivo utilizado com maior freqüência em todo o Brasil. Há, entretanto, um número elevado de instalações que, por facilidade construtiva ou por serem de menor capacidade, utilizam a queda livre da água em vertedores para realizar a mistura rápida.

Pretende-se dar continuação aos trabalhos anteriores sobre mistura rápida hidráulica, estudando e analisando o comportamento dos vertedouros como dispositivos de mistura rápida, visando o seu correto dimensionamento e a racionalização dos projetos.

GRADIENTES DE VELOCIDADE E TEMPO DE MISTURA

A intensidade da agitação mecânica ou hidráulica aplicada à água no processo de mistura é avaliada pelo parâmetro gradiente de velocidade. Inicialmente, o projeto de câmaras de mistura rápida era orientado por condições mais ou menos vagas como:

Tratamento de água

"... Considera-se suficiente para a mistura qualquer velocidade superior a 1,5 m/s ..."

"... A potência requerida... para um rendimento do equipamento de mistura igual a 75%, é de 1/3 a 1 HP para cada 5.000 m³ de água tratada por dia..."

O parâmetro gradiente de velocidade somente foi introduzido há relativamente pouco tempo (1955) por Camp[3], no dimensionamento racional de unidades de mistura.

A intensidade média do gradiente de velocidade é calculada pela fórmula

$$G = \sqrt{\frac{P}{\mu V}} \qquad (6.1)$$

onde P é a potência em kgfm/s aplicada ao volume de água V em m³ e μ é o coeficiente de viscosidade em kgfm/s².

Se a potência dissipada é hidráulica,

$$G = \sqrt{\frac{\gamma}{\mu} \cdot \frac{h}{T}} \qquad (6.2)$$

onde:

γ = peso específico em kgf/m³
h = perda de carga na câmara de mistura, em m
T = tempo médio de mistura, em s.

RESSALTO HIDRÁULICO

A condição de otimização da mistura rápida preconizada por Hudson, tal seja, gradiente elevado em um mínimo tempo de mistura, é geralmente satisfeita em um ressalto hidráulico.

Quando ocorre um ressalto, as profundidades antes e depois do ressalto, h_1 e h_2, estão relacionadas entre si por

$$\frac{h_2}{h_1} = \frac{1}{2}(\sqrt{1 + 8F_1^2} - 1) \qquad (6.3)$$

onde:

$$F_1 = \frac{V_1}{\sqrt{gh_1}} \qquad (6.4)$$

é o número de Froude correspondente à secção 1 da Fig. 6.1.

VERTEDORES RETANGULARES COMO MISTURADORES RÁPIDOS

Na Fig. 6.1 está representada a forma mais simples de um vertedor retangular, estendendo-se por toda a largura do canal, portanto, sem efeitos de contração.

A lâmina vertente atinge o piso na secção 1. Neste local, há uma grande perda de energia, devido à circulação da massa de água, represada sob a lâmina do jato.

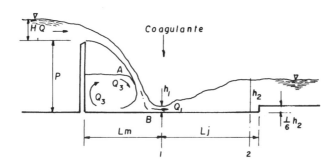

Figura 6.1 - Configuração do ressalto no vertedor retangular

Essa massa de água produz o empuxo necessário a mudar o jato para a direção horizontal. Parte da energia remanescente, após a queda, é dissipada no ressalto que se forma à jusante, o qual pode ser utilizado na dispersão do coagulante. O ponto de aplicação do coagulante deverá, então, ficar sobre a secção 1, à distância L_m do vertedor, assegurando-se, assim, uma dispersão homogênea e contínua do coagulante em toda a massa de água bruta.

Quando a lâmina de água atinge o fundo, divide-se em uma corrente principal que se move para a frente e uma corrente secundária, que retorna, contribuindo para a massa de água represada à montante. Um igual volume de água é arrastado pelo jato no ponto A, retornando a corrente líquida à mesma taxa Q_3. Desse modo, a aplicação de coagulante a uma distância menor de L_m, faria com que parte da água bruta recebesse uma quantidade maior de coagulante e, a restante, uma quantidade proporcionalmente menor, fazendo com que as condições de coagulação se afastassem do ponto ótimo, reduzindo a sua eficiência.

Identifica-se aqui um erro comum, encontrado em muitas instalações, que é aplicar o coagulante sobre a lâmina de água do vertedor.

Por outro lado, o ponto de aplicação deslocando-se para uma distância maior que L_m, não se aproveitaria toda a energia do ressalto disponível para a mistura.

Essas considerações ressaltam a importância da determinação a mais exata possível da distância L_m.

Em uma primeira aproximação, poderia-se determinar o perfil inferior da lâmina vertente, dado pela equação de Scimeni:

79

$$\frac{L_m}{H} = 1,45 \left(\frac{P}{H}\right)^{0,54}$$ (6.5)

Ao valor calculado por esta equação, deve-se acrescentar ou prever uma distância adicional, correspondente à largura da lâmina vertente no ponto de queda.

Determinações experimentais[5] para vertedores de parede espessa, conduziram à equação

$$\frac{L_m}{P} = 4,30 \left(\frac{h_c}{P}\right)^{0,9}$$ (6.6)

que dá resultados um tanto superiores aos da (6.5).

O gradiente de velocidade resultante póde ser calculado na seqüência de cálculo que se apresenta a seguir:

1. *Cálculo das alturas conjugadas do resalto h_1 e h_2*

A dificuldade estaria em determinar-se a energia perdida na queda livre ou a energia remanescente na secção 1. A profundidade da água nesta secção, h_1, está relacionada com a profundidade crítica h_c, pela equação devida a White[5].

$$\frac{h_1}{h_c} = \frac{\sqrt{2}}{\sqrt{1,06 + \dfrac{P}{h_c} + \dfrac{3}{2}}}$$ (6.7)

com

$$h_c = \sqrt[3]{\frac{q^2}{g}}$$ (6.8)

e

$$q = \frac{Q}{B}$$ (6.9)

Calcula-se $V_1 = \dfrac{q}{h_1}$ (6.10)

e

$$F_1 = \frac{V_1}{\sqrt{gh_1}}$$ (6.11)

Mistura rápida em vertedores retangulares

Com h_1 e F_1, calcula-se h_2 e V_2:

$$h_2 = \frac{h_1}{2} \cdot (\sqrt{1 + 8\,F_1^2} - 1) \qquad (6.12)$$

$$V_2 = \frac{q}{h_2} \qquad (6.13)$$

2. Cálculo da perda de carga

A perda de carga pode ser calculada pela fórmula de Belanger:

$$h_p = \frac{(h_2 - h_1)^3}{4\,h_1\,h_2} \qquad (6.14)$$

3. Comprimento do ressalto

O ressalto, sendo estável, pode ser calculado pela fórmula de Smetana:

$$L_m = 6\,(h_2 - h_1) \qquad (6.15)$$

4. Tempo de mistura

$$T = \frac{L_m}{V_m} \qquad (6.16)$$

com

$$V_m = \frac{V_1 + V_2}{2} \quad , \text{velocidade média no ressalto.}$$

5 Gradiente de velocidade

Com os valores de h_p, T e dados γ e μ, calcula-se finalmente:

$$G = \sqrt{\frac{\gamma}{\mu} \cdot \frac{h_p}{T}} \qquad (6.17)$$

81

EXEMPLO: Calcular o gradiente de velocidade e o tempo de mistura rápida da estrutura esquematizada abaixo:

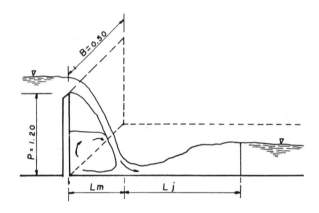

Figura 6.2

para a vazão de 98 ℓ/s

SOLUÇÃO:

a) Para as condições dadas

Vazão específica $\quad q = \dfrac{Q}{B} = \dfrac{0{,}098}{0{,}50} = 0{,}20 \, \text{m}^3/\text{s} \times \text{m}$

$$h_c = \sqrt[3]{\dfrac{q^2}{g}} = \sqrt[3]{\dfrac{(0{,}20)^2}{9{,}8}} = 0{,}16 \, \text{m}$$

b) Cálculo das alturas conjugadas do ressalto, h_1 e h_2

$$\dfrac{h_1}{h_c} = \dfrac{\sqrt{2}}{\sqrt{1{,}06 + \dfrac{P}{h_c} + 1{,}5}}$$

$$\dfrac{h_1}{0{,}16} = \dfrac{\sqrt{2}}{\sqrt{1{,}06 + \dfrac{1{,}20}{0{,}16} + 1{,}5}} \qquad h_1 \simeq 0{,}06 \, \text{m}$$

Mistura rápida em vertedores retangulares

$$V_1 = \frac{q}{h_1} = \frac{0,20}{0,056} = 3,57\,\text{m/s}$$

$$F_1 = \frac{V_1}{\sqrt{gh_1}} = \frac{3,6}{\sqrt{9,8 \times 0,06}} = 4,9$$

$$h_2 = \frac{h_1}{2}(\sqrt{1 + 8\,F_1^2} - 1) = \frac{0,056}{2}\,(\sqrt{1 + 8 \times (4,9)^2} - 1)$$

$$h_2 = 0,36\,\text{m}$$

$$V_2 = \frac{q}{h_2} = \frac{0,20}{0,36} = 0,56\,\text{m/s}$$

c) Cálculo das perdas de carga

$$h_p = \frac{(h_2 - h_1)^3}{4\,h_1\,h_2} = \frac{(0,36 - 0,06)^3}{4 \times 0,06 \times 0,36} = 0,30\,\text{m}$$

d) Tempo de mistura

Extensão do ressalto

$$L_j = 6\,(h_2 - h_1) = 6\,(0,36 - 0,06) = 1,80\,\text{m}$$

Velocidade média no ressalto

$$V_m = \frac{V_1 + V_2}{2} = \frac{3,57 + 0,56}{2} = 2,07\,\text{m/s}$$

Tempo de mistura

$$T = \frac{1,80}{2,07} = 0,87\,\text{s}$$

e) Cálculo do gradiente de velocidade

A 15°C, $\gamma \cong 1\,000\,kgf/m^3$ e $\mu = 0,000112\,kgf\,m^2/s$

$$G = \sqrt{\frac{1\,000}{0,000112} \times \frac{0,30}{0,87}} \cong 1\,750\,s^{-1}$$

USOS E LIMITAÇÕES DO VERTEDOR

Um vertedor retangular, em queda livre, é sempre interessante quando se pretende medir a vazão e realizar simultaneamente a mistura rápida com um dispositivo de construção bastante simples.

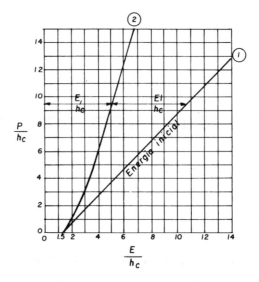

Figura 6.3 - Dissipação de energia na queda livre do vertedor

A perda de energia na queda livre da lâmina vertedora é relativamente grande, constituindo-se numa limitação ao uso dos vertedores como misturadores rápidos, sempre que a água bruta é bombeada e a energia é cara.

A quantidade de energia perdida na queda livre da lâmina vertente pode ser avaliada pela Fig. 6.3, adaptada de Henderson[5]. A curva (2) dá a energia remanescente na secção (1), traçada a partir de valores calculados pela equação (6.7) e aplicada a

$$\frac{E_1}{h_c} = \frac{h_1}{h_c} + \frac{h_c^2}{2\,h_1^2} \qquad (6.18)$$

Verifica-se que a perda de energia na queda livre aumenta com a relação P/h_c, podendo ser maior que 50% da energia inicial. Essa energia não é utilizada na mistura rápida; para isso apenas o ressalto à jusante. Desse modo, importa reduzir ao máximo a perda de queda livre, fazendo a relação P/h_c a menor possível. Entretanto, para o vertedor ser utilizado também como medidor, a relação P/h_c não deve ser inferior a 3.

A energia perdida para a obtenção de iguais gradientes de velocidade não é maior em um vertedor que um dispositivo mecânico, uma turbina, por exemplo, mas é superior a outros dispositivos hidráulicos, como o ressalto em canais de declividade variável ou em calhas Parshall.

Em um vertedor em queda livre, as condições de fluxo e, em conseqüência o gradiente de velocidade e o tempo de mistura, não variam se mantém-se constante a vazão específica q. Assim, no projeto de uma estação de tratamento dividida em, por exemplo, duas etapas de igual vazão, seria suficiente prever dois canais paralelos de chegada de água bruta.

Como nos demais dispositivos de mistura rápida hidráulica, pode-se também tentar superar a sua pouca flexibilidade a variações de vazão, fazendo variar a profundidade do canal. Na primeira etapa, deixa-se um enchimento de um material que possa ser facilmente removido, quando for necessário o aumento de capacidade da estação. Tal profundidade é calculada por tentativas, o que torna mais fácil, para o projetista, a adoção de um dispositivo mecânico, porquanto neste, o gradiente de velocidade não depende das condições hidráulicas do fluxo, mas somente do volume da câmara de mistura e da potência aplicada à água pelo equipamento.

O uso de vertedores retangulares fica, então, limitado a:

1. Pequenas instalações, por sua extrema simplicidade, fáceis de construir e de relativamente pequenas dimensões;

2. Instalações por gravidade, preferencialmente, à vazão constante.

REFERÊNCIAS BIBLIOGRÁFICAS

[1] AZEVEDO NETTO, J.M. — Manual do curso "Técnicas avançadas de Tratamento de Água: experiência brasileira de projeto" - CETESB - São Paulo.

[2] PAES LEME, F. — "Avaliação da Eficiência do Misturador Parshall". IX Congresso Brasileiro de Engenharia Sanitária Belo Horizonte, 1977.

[3] CAMP, THOMAS R. — "Flocculation and Flocculation Basins." Transc. ASCE, 2722:1 (1955).

[4] HUDSON, HERBERT, E. e WOLFNER, J.P. — "Design of Mixing & Flocculating Basins". Journ - AWWA 59:11:1257 (Oct. 1967).

[5] HENDERSON, F.M. — "Open Channel Flow". MacMillan Series in C. Eng., 1966.

[6] AZEVEDO NETTO, J.M. e ALVAREZ, G.A. — "Manual de Hidráulica". 6ª edição.

7
Floculadores

INTRODUÇÃO

Na América Latina, tem-se realizado esforços para acompanhar o desenvolvimento tecnológico dos países industrializados, adaptando essa moderna tecnologia a condições sócio-econômicas e a nível industrial local. Isso é particularmente verdadeiro no abastecimento de água potável, onde a adoção da moderna tecnologia é facilitada pela construção de novos sistemas e ampliação de serviços existentes, face ao crescente aumento da população urbana.

Adaptação de tecnologia a condições locais conduz a projetos simplificados. A menção de tecnologia simplificada pode sugerir a idéia de nível tecnológico inferior. Essa não é a verdade; significa alta tecnologia em projetos possíveis de serem construídos com materiais e equipamentos locais e idealizados de modo a exigir um mínimo dos operadores. Resulta facilidade de operação e garantia de manutenção, não exigindo a importação de equipamentos caros e sofisticados, difíceis de se obterem e manterem em boas condições de funcionamento nos países em desenvolvimento.

A aplicação dos conceitos modernos de tratamento de água a novos projetos tem sido uma constante na administração da Sanepar (Companhia de Saneamento do Paraná)* desde 1971. Cerca de uma centena de novas estações foram construídas, com capacidade que varia desde 5 até 1.500 ℓ/s.

(*) A Companhia de Saneamento do Paraná-Sanepar, é uma sociedade por ações de economia mista, fundada em 1963. Inicialmente, a Sanepar não explorou os serviços de água e esgotos, limitando-se a projetos, construções e entrega dos serviços aos municípios, que se encarregavam de sua exploração. A partir de 1972, a companhia começou a explorar os serviços em 15 sedes municipais. Atualmente a Sanepar atende a 265 sedes municipais e 230 distritos com água potável, correspondendo a 87% da população urbana. A companhia possui atualmente (1988) 4.352 empregados, correspondendo a 3,68 empregados por 1.000 ligações.

Floculadores

A eficiência das fases de coagulação e floculação pode ser avaliada pelo consumo de coagulante e pela turbidez da água decantada. Os resultados para a Sanepar foram, a cada vez, menor consumo de coagulante e melhor qualidade de água, como demonstram as Figs. 7.1 e 7.2, à medida que os projetos se aperfeiçoam. Nesses gráficos, avalia-se a eficiência de novos projetos comparados a projetos convencionais típicos. Nestes, há uma só câmara de floculação (sem compartimentação), enquanto que aqueles têm quatro câmaras de floculação em série, com gradientes de velocidade decrescentes. Convém observar que, em nenhum desses casos, são usados auxiliares de coagulação ou polieletrólitos, para dar peso aos flocos ou reduzir a dosagem de sulfato.

Aqui são expostos os conceitos teóricos e práticos que orientaram a maioria desses projetos, bem como apontadas as suas principais falhas.

FUNDAMENTOS TEÓRICOS

A coagulação, ou seja, a desestabilização e agregação inicial da matéria coloidal pela adição à água de produtos químicos floculantes, tais como o sulfato de alumínio e

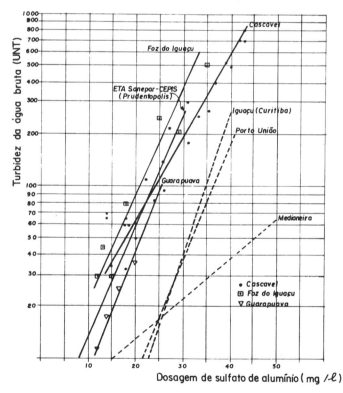

Figura 7.1 - Consumo de sulfato de alumínio em estações de tratamento de água com nova tecnologia, comparada ao de estações convencionais

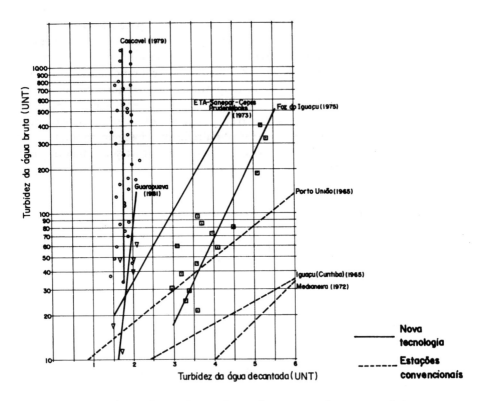

Figura 7.2 - Turbidez da água bruta e da água decantada em estações de tratamento de água com nova tecnologia, comparada a estações convencionais

sulfato de ferro III, realiza-se na câmara de mistura rápida. Segue-se o processo de floculação que consiste na aglomeração das partículas já desestabilizadas, pelas colisões induzidas por seu movimento relativo. O processo é chamado floculação pericinética, quando o movimento das partículas é causado pelo movimento browniano e; ortocinética, quando por gradientes de velocidade gerados na água por seu movimento (floculação hidráulica) ou por agitadores mecanizados (floculação mecânica). Se os gradientes de velocidade na água são maiores que $5s^{-1}$ (Bratby, 1980) e as partículas têm tamanho maior que um mícron, o efeito da floculação pericinética é negligível e, assim, somente a floculação ortocinética tem interesse prático.

O modelo teórico da floculação, em sua forma mais geral, combinando os efeitos de agregação e quebra de flocos (Argaman, 1971), pode ser representado por:

$$\frac{dN}{dt} = - \text{ (função de agregação)} + \text{(função de quebra)} \qquad (7.1)$$

A função de agregação, ou taxa de crescimento dos flocos, é definida por Argaman e Kaufman, 1971.

Floculadores

$$\frac{dN_A}{dt} = - K_A N G \tag{7.2}$$

N = concentração de partículas primárias (m^{-3})
G = gradiente de velocidade (s^{-1})
K_A = coeficiente de agregação (*)

A função de quebra pode ser escrita da seguinte maneira (Kaufman, 1970):

$$\frac{dN_B}{dt} = K_B N_o G^2 \tag{7.3}$$

N_o = concentração inicial de partículas primárias ao entrar no floculador (m^{-3})
K_B = coeficiente de quebra (*)

Combinando (7.2) e (7.3), a equação (7.1) torna-se

$$\frac{dN}{dt} = - K_A N G + K_B N_o G^2 \tag{7.4}$$

ou, integrando para ($t = 0$; $N = N_o$) e ($t = T$; $N = N_t$), vem

$$\frac{N_o}{N_t} = \frac{1 + K_A G T}{1 + K_B G^2 T} \tag{7.5}$$

Essa equação é válida para um único reator.

Admitindo que os coeficientes K_A e K_B mantém-se constantes em um tanque com m câmaras de floculação em série, então:

$$\frac{N_o}{N_m} = \frac{(1 + K_A G T/m)^m}{1 + K_B G^2 T/m \displaystyle\sum_{i=0}^{m-1} (1 + K_A G T/m)^i} \tag{7.6}$$

(*) Nos trabalhos originais, K_A e K_B são denominados "constantes"; preferiu-se aqui a denominação coeficiente, porque não são exatamente constantes, mas variáveis respectivamente com N_o e G.

89

onde N_m é a concentração de partículas saindo da última câmara de floculação e T é o tempo médio total de floculação.

Bratby et al (1977) demonstrou que a relação equivalente para um ensaio de coagulação ou um reator em fluxo de pistão ("plug flow", m = ∞) é a seguinte:

$$\frac{N_o}{N} = \left[\frac{K_B}{K_A} G + (1 - \frac{K_B}{K_A} G) e - K_A \dot{G} T \right]^{-1} \quad (7.7)$$

Determinação experimental de K_A e K_B

A determinação de K_A e K_B pode ser feita através das curvas de determinação do tempo ótimo de floculação a gradientes constantes. Essas curvas são traçadas a partir de ensaios de coagulação ("jar-tests") realizados com velocidade de rotação constante. A cada um dos jarros foi aplicada a dose ótima de coagulante previamente determinada. No primeiro jarro, a floculação é interrompida a 5 minutos; no segundo, a 10 e assim por diante, com os demais distribuídos num intervalo total de 50 ou 60 minutos. Em cada jarro deixa-se decantar por um período de 10 ou 15 minutos e, do sobrenadante, determina-se a turbidez remanescente. O resultado é uma série de curvas como a Fig. 7.3.

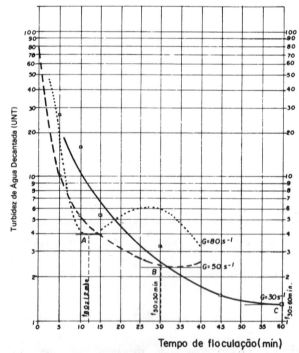

Figura 7.3 - Estação de tratamento de água de Maringá. Determinação do tempo ótimo de floculação

Floculadores

Para os pontos A, B e C, onde as curvas tornam-se horizontais

$$\frac{K_B}{K_A} = 1/G\,(N_o/N) \tag{7.8}$$

Com os resultados da Fig. 7.3, tira-se

- para o ponto A:

$$\frac{K_B}{K_A} = 1/80\,(80/4) = 6,25 \times 10^{-4}$$

- para o ponto B:

$$\frac{K_B}{K_A} = 1/50\,(80/2,5) = 6,25 \times 10^{-4}$$

- para o ponto C:

$$\frac{K_B}{K_A} = 1/30\,(80/1,5) = 6,25 \times 10^{-4}$$

Explicitando K_A da equação (7.7)

$$K_A = \frac{1}{GT}\,ln\,\frac{1 - \dfrac{K_B}{K_A}\,G}{\dfrac{N}{N_o} - \dfrac{K_B}{K_A}\,G} \tag{7.9}$$

Tomando-se diversos pontos nas curvas $G = 80$, 50 e $30\,s^{-1}$, respectivamente, encontram-se os valores médios $K_A = 1,10 \times 10^{-4}$ e $K_B = 0,7 \times 10^{-7}$.

Bratby (1970) demonstrou que o coeficiente de quebra de flocos K_B é dependente do gradiente de velocidade

$$K_B = k_1\,ln\,G + k_2 \tag{7.10}$$

onde k_1 e k_2 são constantes para uma determinada água.

A Tab. 7.1 mostra que K_A e K_B dependem das propriedades físico-químicas da água.

91

Tratamento de água

Tabela 7.1 — Constantes da floculação conforme equação (7.5)
Coagulante: sulfato de alumínio

Qualidade da água bruta	Valores de G estudados (s^{-1})	Coeficiente de agregação de flocos $K_A - 10^4$ (—)	Coeficiente de quebra de flocos $K_B - 10^7$	Referência
Turb. artificial (25 mg/)	15 - 200	0,51	1,10	Argaman (1970)
Turb. artificial (40 UNT)	40 - 222	2,5	3,5(*)	Bratby (1977)
Turb. Artificial (85 UNT)	90	6,5	1,7	Richter (1987)
Água superf. (8 UNT)	5 450	1,1	36,0	Hedberg (1976)
Água superf. (80 UNT)	30 - 80	1,1	0,7	Richter (1984)
Água superf. (2,5 UNT)	100	0,29	1,64	Bratby (1981)
Água superf. (5 UNT)	20 - 90	0,16	0,53	Richter (1987)

(*) = valor médio

Verifica-se que, para baixos valores de G, o coeficiente de quebra é bastante pequeno, de modo que, nas condições de floculação normalmente empregadas na prática (G entre 70 e $15\,s^{-1}$), pode-se simplificar a equação (7.6) para

$$\frac{N_o}{N_m} = \left(1 + K_A\, G\, \frac{T}{m}\right)^m \tag{7.11}$$

A partir deste modelo simplificado e com os resultados de cerca de 300 ensaios de floculação realizados com água do rio Iguaçu, em Curitiba, Richter (1978) encontrou a seguinte correlação entre o coeficiente de agregação K_A e a turbidez da água bruta N_o (Fig. 7.4)

$$K_A = 0,192 \times 10^{-4} N_o^{0,8} \tag{7.12}$$

Demonstra-se, assim, que o coeficiente de agregação também não é constante, variando com a turbidez da água bruta. Quanto maior a turbidez desta, maior é o coeficiente de agregação. Na prática, sabe-se que sempre é mais difícil flocular águas de baixa turbidez!

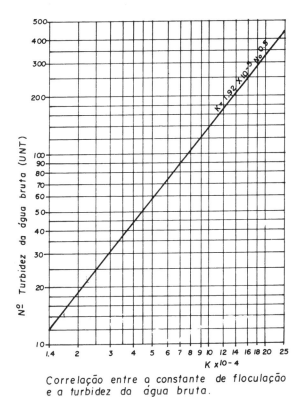

Figura 7.4 - Correlação entre a constante de floculação e a turbidez da água bruta.

Significado e aplicações de G

Smoluchowski (1917) mostrou que a taxa de floculação, em condições de fluxo laminar, é diretamente proporcional ao gradiente de velocidade em um dado ponto. Entretanto, como os gradientes de velocidade localizados não são conhecidos no regime turbulento, Camp e Stein (1943) substituíram a função puntual gradiente de velocidade, dv/dy, por um valor médio mensurável, definido como

$$\overline{G} = (W/\mu)^{1/2} = (\varepsilon/\nu)^{1/2} \qquad (7.13)$$

onde:

μ = coeficiente de viscosidade absoluta;

W = função de dissipação = potência total dissipada dividida pelo volume da câmara de floculação = valor médio do trabalho devido a forças de cisalhamento hidrodinâmico por unidade de volume e por unidade de tempo;

ε = potência dissipada por unidade de massa do fluido;

v = coeficiente de viscosidade cinemática.

Richter (1981) e Arboleda (1982), considerando a existência de tensões de cisalhamento devidas a turbulência, mostraram que o parâmetro G, como definido acima, perde muito de seu sentido físico para a maioria dos floculadores reais, onde o regime é turbulento.

Do mesmo modo que no regime laminar, no qual a tensão longitudinal devida ao atrito entre duas lâminas de corrente é igual a $\mu\, dv/dy$, existe outra de origem turbulenta, denominada esforço cortante de Reynolds, definida por $\tau = \eta\, dv/dy$, em que η é o coeficiente de viscosidade virtual ou de turbulência ou viscosidade de redemoinho.

A tensão total é dada, então por $\tau = (\mu + \eta)\, dv/dy$ e a equação (7.13) toma a forma

$$G = [W/(\mu + \eta)]^{1/2} \qquad (7.14)$$

Esta equação torna-se igual a (7.13) quando a dissipação de energia por turbulência é negligenciável, face à devida viscosidade, isto é, quando o fluxo é laminar. Quando o fluxo é turbulento, o coeficiente de viscosidade turbulenta aumenta rapidamente ao crescer o número de Reynolds, atingindo valores muitas vezes superior ao de viscosidade dinâmica, o qual pode ser negligenciado em presença daquele, e a equação (7.14) pode ser simplificada a

$$G = (W/\eta)^{1/2} \qquad (7.15)$$

O coeficiente de viscosidade turbulenta é definido (Prandtl) como $\eta = \varrho\, \lambda^2 |dv/dy|$ ou $\eta = \varrho\, \lambda^2\, G$; levando este valor à equação (7.15), resulta

$$G = (W/\varrho\, \lambda^2)^{1/3} = (\varepsilon/\lambda^2)^{1/3} \qquad (7.16)$$

onde

ϱ = massa específica;

λ = é a distância média de mistura turbulenta, ou seja, o caminho que percorre um conglomerado de partículas para sair de uma camada e atingir a camada adjacente.

Floculadores

Com base na expressão (7.16), Arboleda e Snel concluem que é necessária a dissipação de uma grande energia em uma ampla escala de turbulência para produzir o mesmo gradiente, com um mínimo de energia, se a escala de turbulência é pequena. Esse é o princípio básico dos floculadores em malhas, experiência que se está realizando em algumas partes da América Latina.

Cleasby (1984), reanalisando dados experimentais na literatura, conclui que a dissipação de energia por unidade de massa elevada a potência dois terços, $(\varepsilon)^{2/3}$, é parâmetro mais apropriado que G, quando é grande a turbulência. Por outro lado, Hahn (1984), admite que, do ponto de vista operacional, o termo médio de energia dissipada por unidade de volume (módulo de Camp = equação (7.15)) pode, a um grau satisfatório, descrever a cinética da floculação, apesar de que, conceitualmente, pode haver divergências.

Outra importante conclusão que se pode tirar da equação (7.16) (Arboleda e Snel) ou de seu equivalente elevado ao quadrado (Cleasby) é que a taxa de floculação é independente da temperatura. Esse aspecto foi enfatizado por Cleasby, porquanto em regiões frias costuma-se calcular a potência necessária ao floculador em função do coeficiente de viscosidade a 5°C. Em relação à temperatura de 20°C, a potência aplicada a 5°C resulta 50% maior. Fato esse que não tem grande significado no Brasil ou outros países tropicais. Pode-se (e deve-se) adotar para cálculo de G, um valor fixo de temperatura, por exemplo, 20°C.

Independentemente se o expoente é 1/3, 1/2 ou 2/3, a potência dissipada por unidade de volume (ou de massa), sem considerar a temperatura, é um parâmetro válido para o dimensionamento de um floculador hidráulico, porquanto neste a função de dissipação de energia é bem definida e função de ponto (perdas de carga localizadas): $W = \gamma\, Q\, h/V$, sendo γ = peso específico, Q = vazão, V = volume da câmara de floculação e h = perda de carga. A dificuldade surge em definir a função dissipação para floculadores mecânicos. A forma da câmara de floculação e a do agitador determinam a distribuição espacial dos gradientes de velocidade.

Odegaard (1984) investigou a influência das paletas e da geometria do tanque de floculação no valor de G. Uma grande variedade de configurações de paletas foi estudada. Como resultado foi proposta a equação geral

$$G = F_{\text{geom}} \cdot n^{3/2}$$

F_{geom} = função da geometria do sistema.

O método mais usado para estimar a função dissipação de energia é baseado no cálculo da força de arrasto atuando nas paletas em movimento. A dificuldade surge na escolha do coeficiente de arrasto C_D e na velocidade da paleta em relação a água a tomar no cálculo. Apesar dessas dificuldades, o parâmetro G, como definido por Camp, é, ainda, a nosso critério, um parâmetro adequado para o dimensionamento e controle do processo de floculação, até que, gradativamente, seja substituído pelo conceito fisicamente mais correto de $\varepsilon^{2/3}$ (ou $\varepsilon^{1/3}$) à medida que se acumulam referências práticas.

95

FLOCULADORES MECÂNICOS

Os floculadores mecânicos mais utilizados são, sem dúvida, os de movimento giratório com paletas paralelas ou perpendiculares ao eixo (Fig. 7.5 e 7.6). O eixo pode ser horizontal ou vertical. Este, normalmente mais vantajoso, porque evita cadeias de transmissão ou poços secos para a instalação dos motores. A manutenção não é difícil e, quando bem dimensionados, duram anos sem maiores problemas. É uma alternativa simples, adotada em dezenas ou centenas de instalações com resultado satisfatório.

O processo usual de cálculo, considera o número total de paletas, somando as que estão à mesma distância do eixo. Isso pode conduzir a erros na estimativa do gradiente, como se verá a seguir. Tem sido usadas as fórmulas como as que seguem:

$$G = 112 \sqrt{\frac{C_D(1-k)^3 n^3 b \cdot \ell (N_1 r_1^3 + N_2 r_2^3 + \ldots)}{\mu V}} \qquad (7.17)$$

Se as paletas são perpendiculares ao eixo:

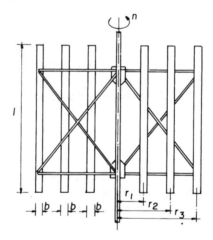

Figura 7.5

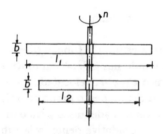

Figura 7.6

$$G = 56 \sqrt{\frac{C_D (1-k)^3 n^3 b (N_1 \ell_1^4 + N_2 \ell_2^4 + \ldots)}{\mu V}} \qquad (7.18)$$

onde

C_D é o coeficiente de arrasto, que depende da relação ℓ/b das paletas; para números de Reynolds maiores que 1000 e paletas planas C_D = 1,16; 1,20; 1,50 e 1,90 para ℓ/b iguais a 1,0; 5,0; 20 e ∞, respectivamente.

k é a relação entre a velocidade da água e das paletas; k = 0,25 é valor normalmente adotado em projetos.

n é a velocidade de rotação das paletas em rps.

r, ℓ e b são os elementos geométricos do agitador, instalado em uma câmara de volume V.

N_1, N_2, ..., número de paletas na posição 1, 2 ... etc.

Os floculadores giratórios são normalmente fornecidos com quatro braços fixados ao eixo, e, portanto, com quatro paletas na posição 1, quatro na posição 2 etc. (Fig. 7.7). Um número muito grande de paletas, como nesse caso, exige do motor uma potência elevada, mas que pode não produzir o gradiente desejado. Ao contrário, um floculador mais simples, dotado de paletas em um só plano, tem o cálculo do gradiente mais confiável, como se mostra a seguir, mediante observações e experiências práticas.

Quando a velocidade de rotação das paletas aumenta, k tende a decrescer. É zero com o uso de estatores. Desse modo, é o movimento das paletas que, praticamente, determina o gradiente de velocidade médio, que segundo Camp é $(P/\mu V)^{1/2}$.

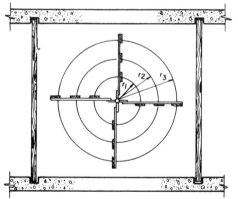

Floculador mecânico de eixo vertical do tipo de paletas.
Figura 7.7

Nessas condições, consideremos na câmara de floculação um agitador mecanizado, dotado de quatro braços, com uma paleta em cada braço e à mesma distância do eixo, conforme a Fig. 7.8. O volume da câmara pode ser considerado como subdividido em quatro partes, cada uma sob a ação de uma paleta por vez, em seu movimento de rotação.

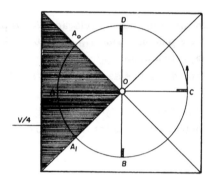

Figura 7.8

A potência dissipada por uma paleta neste quarto de volume é proporcional ao arco $\overset{\frown}{A_0A_1}$. Assim

$$G = \left(\frac{\text{Potência } \overset{\frown}{A_0A_1}}{\mu\, V_{tot}/4}\right)^{1/2}$$

onde V_{tot} é o volume total da câmara de floculação. Como a potência que uma paleta dissipa nesta área é 1/4 da potência que a mesma paleta dissipa ao completar uma volta, o gradiente de velocidade médio ao redor do ponto A será

$$G = \left(\frac{\text{Pot. de 1 paleta}}{\mu\, V_{tot}}\right)^{1/2}$$

e este mesmo gradiente está sendo aplicado simultaneamente pelas demais paletas aos pontos B, C e D. Isso significa que o gradiente de velocidade é independente do número de paletas que ocupam a mesma posição em relação ao eixo.

A única vantagem de um maior número de paletas é a maior homogeneização, algo como um floculador hidráulico com um número muito grande de câmaras ou chicanas.

Na cidade de Foz do Iguaçu (Paraná), a estação de tratamento tem dois sistemas de floculação iguais e independentes, dotados de agitadores mecanizados. A um deles, de cada duas paletas de mesma trajetória, foi removida uma. As demais condições permaneceram idênticas para os dois sistemas, não tendo sido observada nenhuma diferença na eficiência da floculação, que pudesse ser atribuída ao maior ou menor número de paletas. A potência consumida pelos motores, sim. É menor no sistema modificado.

A principal conclusão dessa análise simples é que o gradiente de velocidade calculado a partir da soma das potências dissipadas por diversas paletas que percorrem a mesma trajetória, resulta menor do que o gradiente de velocidade real desejado. Para ser, então, coerente com os valores do gradiente determinados em ensaios de "jar-test" padronizados (com o aparelho Phips e Bird, p.ex.), deve-se projetar floculadores giratórios com paletas em um só plano, isto é, com apenas dois braços, ou duas paletas à mesma posição em relação ao eixo. Com isso, considerando $k = 0$, os gradientes de velocidade são calculados pelas fórmulas seguintes:

- Paletas paralelas ao eixo

$$G = 158\sqrt{\frac{C_D \cdot n^3 \, b \cdot \ell(r_1^3 + r_2^3 + ...)}{\mu \, V}} \qquad (7.19)$$

- Paletas perpendiculares ao eixo

$$G = 79\sqrt{\frac{C_D \cdot n^3 \cdot b \cdot (\ell_1^4 + \ell_2^4 + ...)}{\mu \, V}} \qquad (7.20)$$

Recomendações práticas para o projeto de floculadores mecânicos são:

- Tempo de detenção .... 30 a 40 minutos.
- Número de compartimentos em série .... igual ou superior a 3.
- Gradiente de velocidade .... 75 a $10\,s^{-1}$ (mais comumente 65 a $25\,s^{-1}$ do primeiro ao último compartimento).
- Área das paletas .... menor que 20% da área do plano de rotação das paletas.
- Velocidade na extremidade das paletas ..... menor que 1,20 m/s na primeira câmara (G elevado); menor que 0,60 m/s na última câmara (G baixo).

Um exemplo de floculador mecânico simplificado, que conduziu a resultados excelentes em estações de tratamento de pequeno porte (10 a 60 ℓ/s) foi a alternativa adotada no projeto denominado Sanepar - Cepis (1973), Fig. 7.9. Consta de apenas

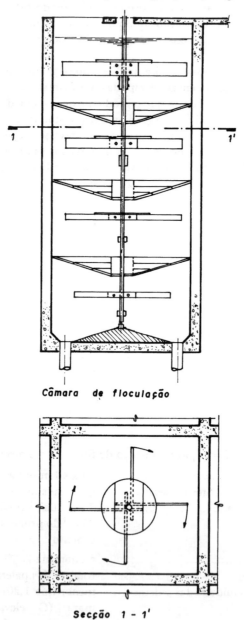

Figura 7.9 - Floculador de eixo vertical e paletas horizontais

Floculadores

um agitador de eixo vertical com paletas horizontais, dividido em quatro câmaras separadas por tabiques de madeira, com uma passagem ao centro. Discos de madeira, colocados entre as paletas, em cada câmara, forçam a água a seguir um trajeto sinuoso, diminuindo desta forma a possibilidade de curtos-circuitos. Ranhuras nas paletas de madeira, na parte onde são fixadas ao eixo, permitem uma variação no raio das mesmas, permitindo deste modo o ajuste do gradiente de velocidade independentemente do câmbio de velocidade. Os gradientes foram dimensionados conforme o critério exposto anteriormente, com paletas efetivas em um só plano, podendo ser ajustados continuamente dentro dos seguintes limites:

Câmara	$G\ (s^{-1})$	
	máx.	mín.
1ª	95	49
2ª	75	35
3ª	50	28
4ª	35	16

Foram construídas dezenas de estações Sanepar - Cepis. Em todas elas parece haver uma boa correspondência entre os valores do gradiente de velocidade determinados em ensaios de "jar-test" e os aplicados ao floculador. Quando otimizados, resulta, com freqüência, água decantada com turbidez inferior a 1,0 UNT. Equipamentos de floculação como estes estão trabalhando há mais de dez anos sem maiores problemas, a não ser a manutenção de rotina, como a substituição de correias etc.

FLOCULADORES HIDRÁULICOS

Qualquer dispositivo que utilize a energia hidráulica dissipada em forma de perda de carga no fluxo da água através de um tanque, canal ou canalização, pode ser utilizado como um floculador hidráulico. Um trecho da canalização de adução de água bruta antes da estação, poderia, em alguns casos particulares, ser utilizado como um floculador. Por exemplo, propõe-se que uma adutora de água bruta, com 600 m de extensão e 250 mm (10") de diâmetro, seja utilizada como floculador hidráulico. Sendo a vazão 20 ℓ/s e o coeficiente da fórmula de Hazen-Williams C − 140 (tubos de ferro fundido novos). A fim de verificar suas possibilidades como floculador, deve-se determinar o gradiente de velocidade e o tempo de floculação.

O gradiente de velocidade em qualquer floculador hidráulico pode ser calculado por uma das expressões seguintes:

101

$$G = \sqrt{\frac{\gamma}{\mu} \ \frac{h}{T}} \qquad\qquad (7.21)$$

$$G = \sqrt{\frac{\gamma}{\mu} \ VJ} \qquad\qquad (7.22)$$

onde

γ e μ são, respectivamente, o peso específico e a viscosidade da água
h é a perda de carga
T é o tempo de floculação
V é a velocidade da água
J é a perda de carga unitária

A determinação do gradiente de velocidade, no exemplo proposto, é feita como segue:

1) *Velocidade na canalização*

$$V = \frac{Q}{A} = 0{,}020/\pi (0{,}25)^2 \div 4 = 0{,}41\,\text{m/s}$$

2) *Perda de carga unitária*

A equação de Hazen-Williams é

$$V = 0{,}355\ C\ D^{0{,}63}\ J^{0{,}54}$$

ou transformando

$$J = 10{,}62\ C^{-\,1{,}85}\ D^{-\,4{,}87}\ Q^{1{,}85}$$

onde

C é um coeficiente função da rugosidade dos tubos
D é o diâmetro da canalização, em m
Q é a vazão m^3/s

Para os dados do exemplo

$$J = 10{,}62\,(140)^{-\,1{,}85} \cdot (0{,}25)^{-\,4{,}87} \cdot (0{,}02)^{-\,1{,}85} = 6{,}8 \times 10^{-\,4}$$

102

Floculadores

3) *Gradiente de velocidade (a 15°C)*

$$G = \sqrt{\frac{\gamma}{\mu} \cdot V \cdot J} = \sqrt{\frac{1000}{1,17 \times 10^{-4}} \times 0,41 \times 6,8 \times 10^{-4}} = 49\,s^{-1}$$

O resultado obtido indica um gradiente de velocidade satisfatório à floculação. O tempo de floculação, vai resultar em

$$t = \frac{L}{V} = \frac{600\,m}{0,41\,m/s^{-1}} = 1463\,s = 24,4\,min$$

com um número de Camp igual a $7,2 \times 10^4$.

No exemplo proposto, a adutora de água bruta poderia, portanto, ser utilizada com sucesso como um floculador hidráulico. No entanto, de maneira geral, isto não será nem possível, nem recomendado, pelas seguintes razões:

a) A velocidade da água nas canalizações de adução é normalmente mais elevada, da ordem de $1,0\,m/s$ ou maior, conduzindo a gradientes de velocidade muito elevados, impróprios à floculação.

b) Há que se deslocar da estação de tratamento parte dos equipamentos de preparação e dosagem de produtos químicos, bem como o pessoal, para a sua operação e controle, a um local mais ou menos distante.

c) O pH de floculação, normalmente baixo, pode acelerar a corrosão da canalização. Por outro lado, não se poderia usar tubos revestidos internamente com cimento, para não alterar o pH ótimo de coagulação.

Uma série de dispositivos tem sido utilizada como floculadores hidráulicos. Constam de um canal com diversos compartimentos em série, interligados por passagens ou tubulações, tais como os floculadores tipo Alabama, ou de um canal sinuoso onde a água é obrigada a passar ao redor de chicanas, dando giros sucessivos de 180° no sentido do fluxo.

Os floculadores de chicanas são os mais utilizados e serão tratados a seguir, com suficientes detalhes. Da mesma forma, será apresentada a metodologia de cálculo dos floculadores em meios porosos, por sua potencialidade de uso em estações de pequeno porte, e a floculação em malhas que, em fase inicial de estudos na América Latina, já desperta bastante interesse.

FLOCULADORES DE CHICANAS

A perda de carga devido à mudança de direção, nos floculadores de chicanas, pode ser calculada pela fórmula a seguir:

$$h = \frac{(n+1) V_1^2 + n V_2^2}{2g}$$

(7.23)

onde

n é o número de canais formados pelas chicanas

V_1 é a velocidade da água nestes canais

V_2 é a velocidade da água nas passagens (nas voltas)

g é a aceleração da gravidade

Nos projetos dos floculadores de chicanas são observadas as seguintes recomendações:

1. A velocidade da água ao longo das chicanas deverá estar compreendida entre 0,30 m/s, no início da floculação e 0,10 m/s, no fim.
2. O espaçamento mínimo entre chicanas fixas, deverá ser de 0,60 m; este espaçamento poderá ser menor, desde que sejam dotadas de dispositivos para sua fácil remoção, tais como ranhuras na parede.
3. O espaçamento entre a extremidade da chicana e a parede do canal, ou seja, a passagem livre entre duas chicanas consecutivas, deve-se fazer igual a 1,5 vezes o espaçamento entre as chicanas. Equivale a dizer que a velocidade V_2 (Fig. 7.10) na passagem deve ser igual a 2/3 da velocidade V_1 no canal entre as chicanas.

As perdas de carga devidas aos giros de 180° ao longo do floculador, predominam sobre as perdas de carga contínuas no canal. Em vista disso, o autor desenvolveu uma equação que permite o cálculo direto e rápido do floculador de chicanas, em função dos gradientes de velocidade desejados, substituindo o processo de aproximações sucessivas, como normalmente tem sido calculados estes floculadores.

• Para floculadores de chicanas de fluxo horizontal

$$n = 0,045 \sqrt[3]{\left(\frac{HLG}{Q}\right)^2 t}$$

(7.24)

onde

n = número de canais entre chicanas

H = profundidade de água no canal, em m

L = comprimento do canal ou trecho considerado, em m

G = gradiente de velocidade, s^{-1}

Q = vazão, m^3/s

t = tempo de floculação, em min

Floculadores

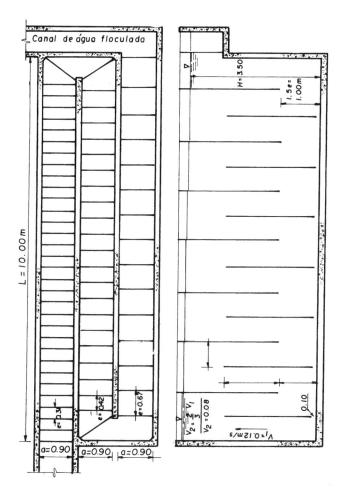

Figura 7.10 - Floculador de chicanas de fluxo vertical

- Para floculadores de chicanas de fluxo vertical

$$n = 0{,}045 \sqrt[3]{\left(\frac{aLG}{Q}\right)^2 t} \qquad (7.25)$$

na qual a = largura do canal, em m
e os demais símbolos com significado igual a equação anterior.

O fluxo nos floculadores de chicanas, aproxima-se do fluxo de pistão, praticamente inexistindo correntes de curtos-circuitos. Adicionalmente, o grande número de canais ou compartimentos entre chicanas, permite esperar uma bem mais elevada eficiência, de acordo com a equação de Harris e Kaufman. Em vista disso, as normas brasileiras permitem reduzir o tempo de detenção nos floculadores hidráulicos a 75% do período correspondente para floculadores mecanizados. Em vista disso, em projetos de ampliação de estações existentes ou mesmo em novas instalações, se está preferindo o uso de floculadores hidráulicos. O tipo depende da capacidade. Para estações de tratamento de pequena capacidade (< 40 ℓ/s) os floculadores de chicanas não são indicados, por resultarem com um espaçamento entre chicanas muito pequeno, o que traz problemas construtivos e operacionais. Nesse caso, soluções simplificadas como os floculadores de fluxo helicoidal, o tipo Alabama e os floculadores em meio poroso são alternativas mais adequadas.

FLOCULADORES HIDRÁULICOS DE AÇÃO DE JATO

São incluídos nesta classificação os floculadores de fluxo helicoidal e os chamados floculadores "Cox" e "Alabama". Nesses floculadores, as passagens entre as câmaras são orifícios submersos. As perdas de carga são calculadas pela fórmula geral

$$h = K \frac{V^2}{2g} \qquad (7.26)$$

com o coeficiente K dependendo da forma e dimensões do orifício, dados nos manuais de hidráulica.

Nos floculadores helicoidais (também chamados de fluxo tangencial ou de fluxo espiral) a energia hidráulica é usada para gerar um movimento helicoidal à água induzido por sua entrada tangencial na câmara de floculação. O tamanho e o número de câmaras é função da capacidade da instalação. É normalmente recomendado um mínimo de cinco câmaras em série. Para instalações muito pequenas, o projeto de Mario Carcedo (Argentina), ilustrado na Fig. 7.11, tem apenas uma câmara de floculação. Na República Dominicana, Carlos Miranda projetou uma instalação com duas

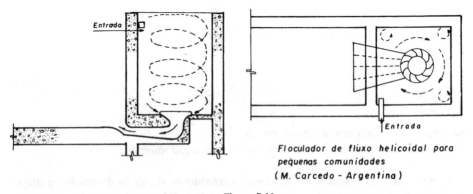

Floculador de fluxo helicoidal para pequenas comunidades
(M. Carcedo - Argentina)

Figura 7.11 -

106

câmaras em série, com resultados satisfatórios. No floculador Cox, Fig. 7.12, há cinco câmaras em série. As aberturas são colocadas em linha no tanque de floculação e a intensidade da agitação é regulada pelas comportas "stoplog" das aberturas. O floculador foi idealizado pelo engenheiro Charles R. Cox para a Fundação Serviços de Saúde Pública, do Brasil, e a primeira unidade foi construída na cidade de Pirapora, Minas Gerais, na década de 1960.

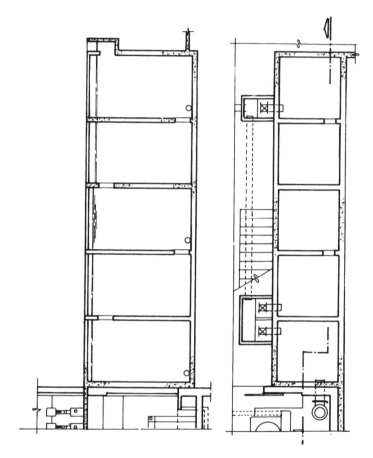

Figura 7.12 - Floculador Cox capacidade 36 l/s

A velocidade nas passagens entre as câmaras varia entre 0,7 a 0,5 m/s na primeira câmara e 0,10 a 0,20 m/s na última câmara, e o tempo total de floculação entre 15 e 25 minutos.

O floculador tipo "Alabama" é constituído por compartimentos interligados pela parte inferior através de curvas 90° voltadas para cima (Fig. 7.13). O fluxo é ascendente e descendente no interior do mesmo compartimento. Bocais removíveis instala-

Tratamento de água

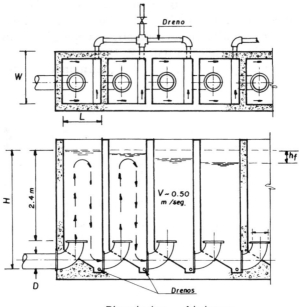

Floculador Alabama
Figura 7.13

dos na saída da curva permitem ajustar a velocidade às condições de cálculo ou de operação. Na cidade de Paraíso do Norte, Paraná, a estação de tratamento projetada para a vazão de 15 ℓ/s trata, atualmente, 24 ℓ/s apesar da sobrecarga de cerca de 50%, os resultados são, ainda, plenamente satisfatórios, como prova a Fig. 7.14, onde se comparam os resultados na floculação em planta com os de "jar-test" em idênticas condições de gradiente e dosagem de coagulante. Para o tempo nominal de detenção, 17 minutos, a turbidez da água decantada na estação resultou em 2,5 UNT, contra

Tabela 7.2 — Estação de Tratamento de Água de Paraíso do Norte. Floculador tipo Alabama — Dados de projeto e operação comparados aos critérios usuais de projeto

Critérios	Uni-dades	Valores de projeto	Valores de operação	usualmente recomendados
Taxa de aplicação por câmara	ℓ/s × m²	20	30	25-50
Velocidade nas curvas	m/s	0,45	0,67	0,4-0,6
Gradiente de velocidade	s⁻¹	45	57	40-50
Tempo de detenção	min	25	17	15-25
Comprimento da câmara	m	0,9	—	0,75-1,50
Largura da câmara	m	0,9	—	1,5-3,0
Profundidade total	m	3,10	—	1,5-3,5
Profundidade da boca de saída	m	2,40	—	≤ 2,40

Floculadores

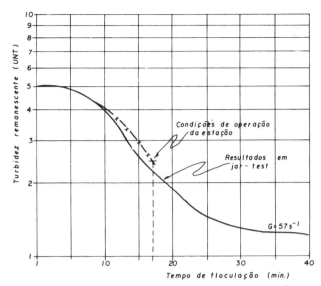

Figura 7.14 - Estação de tratamento de água de Paraíso do norte. Resultados no floculador Alabama comparados com o jar-test.

2,3 UNT no "jar-test". O floculador desta estação tem 10 câmaras em série e suas características na Tab. 7.2, comparadas com os critérios práticos de projeto para unides deste tipo.

O coeficiente K para o cálculo de perda de carga (7.26), resulta, nesta instalação, igual a 1,5. O valor usualmente adotado em projeto é $K = 2$.

FLOCULADORES EM MEIO POROSO

A floculação em meio poroso está despertando muito interesse, por suas possibilidades de aplicação, principalmente em pequenas instalações, devido à sua elevada eficiência e baixo custo. Apresenta, entretanto, alguns problemas operacionais, relacionados principalmente com a obstrução do meio, o que não é um sério inconveniente em instalações de pequeno porte, por exemplo, de capacidade igual ou inferior a 10 ℓ/s. Consiste em se passar a água, logo após ter recebido os coagulantes, através de um meio granular contido em um tanque (fluxo vertical, ver Fig. 7.15) ou canal (fluxo horizontal). O fluxo é laminar e a eficiência é extraordinária, podendo flocular satisfatoriamente em alguns minutos.

Fundamentos teóricos

A equação de Harris e Kaufman (eq. 7.11) mostra que a eficiência de um tanque de floculação é tanto mais elevada quanto maior for o número de câmaras dispostas em série. Explicitando T na equação (7.11) resulta

109

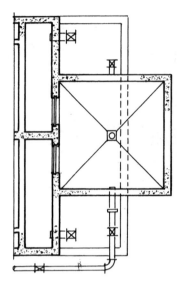
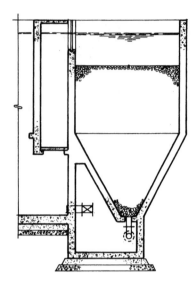

Figura 7.15 - Floculador de meio poroso

$$T = \frac{m}{KG}\left[\left(\frac{N_o}{N_m}\right)^{1/m} - 1\right] \quad (7.27)$$

Um floculador em meio poroso, em pedras, por exemplo, pode ser considerado como um floculador hidráulico com um número muito grande de câmaras e o tempo de floculação necessário a se obter um resultado preestabelecido N_o/N_m tende ao valor limite

$$T = \lim_{m \to \infty} \frac{m}{KG}\left[\left(\frac{N_o}{N_m}\right)^{1/m} - 1\right] \quad (7.28)$$

ou

$$T = \frac{1}{KG} \ln\left(\frac{N_o}{N_m}\right) \quad (7.29)$$

Em projetos importa saber a quanto se poderia ficar o tempo de floculação, para se obter uma dada eficiência $1 - N_m/N_o$. Isto se pode avaliar através de resultados de "jar-test". Sob idênticas condições, sendo T o tempo mínimo teórico na floculação em meio granular e θ o tempo de floculação no ensaio de "jar-test" necessário a se alcançar o mesmo resultado, têm-se

Floculadores

- floculação no meio poroso

$$T = \frac{1}{KG} \, \ell n \left(\frac{N_o}{N_m} \right) \tag{7.30}$$

- ensaio de "jar-test"

$$\theta = \frac{1}{KG} \left(\frac{N_o}{N_m} \right) - 1 \tag{7.31}$$

Dividindo a equação (7.31) pela (7.31), vem

$$\frac{T}{\theta} = \frac{\ell n \dfrac{N_o}{N_m}}{\dfrac{N_o}{N_m} - 1} \tag{7.32}$$

demonstrando-se, assim, que o tempo necessário para flocular em um meio granular será sempre uma fração do tempo de floculação fixado nos ensaios de coagulação, porquanto sendo $N_o/N_m > 1$ resulta sempre $\ell n \, N_o/N_m < N_o/N_m - 1$.

Por exemplo, em uma série de ensaios de coagulação ("jar-tests") realizados a um tempo constante de $\theta = 15$ minutos, obtiveram-se os seguintes resultados

- turbidez média da água bruta $N_o = 44\,\text{UNT}$
- turbidez média remanescente na água floculada $N_m = 3,5\,\text{UNT}$

O tempo necessário em um floculador granular para obter a mesma eficiência que os ensaios de coagulação seria

$$\frac{T}{15} = \frac{\ell n \dfrac{44}{3,5}}{\dfrac{44}{3,5} - 1} = \frac{2,53}{12,57} = 0,22$$

ou

$$T = 0,22 \times 15 = 3,3 \text{ minutos}$$

111

Resulta, portanto, um tempo bastante curto, confirmado em algumas experiências realizadas na América Latina em cooperação com o CEPIS. As vantagens técnicas e econômicas para projetos destinados a pequenas comunidades são evidentes. No caso do exemplo, utilizando-se pedras com uma porosidade de 0,40 o tanque de floculação seria dimensionado para um tempo de detenção de somente $3,3 \div 0,4 = 8,25$ minutos. Apesar de todas as experiências até o momento terem sido bem sucedidas, ainda não se chegou à otimização do processo e assim, recomenda-se a realização de ensaios em instalações piloto, antes dos projetos definitivos.

Os gradientes de velocidade em um floculador em meio granular podem ser calculados pela equação 22:

$$G = \sqrt{\frac{\gamma}{\mu} \cdot \frac{V \cdot J}{\varepsilon}} \qquad (7.32a)$$

sendo:

V = velocidade frontal ("face velocity" $V = \dfrac{Q}{A}$), em m/s

J = perda de carga unitária no meio poroso

ε = porosidade do meio

A perda de carga unitária J é função do número de Reynolds, definido para o fluxo em meio poroso como

$$Re = \frac{V K^{1/2}}{\nu} \qquad (7.33)$$

onde

V = velocidade frontal = Q/A; cm/s

K = permeabilidade; cm^2

ν = coeficiente de viscosidade cinemática; cm^2/s

O cálculo da permeabilidade pode ser efetuado pela fórmula de Carman—Kozeny

$$K = \frac{\varepsilon^3 d^2}{180 \, \phi^2 (1 - \varepsilon)^2} \qquad (7.34)$$

onde

d = diâmetro ou tamanho das partículas, em cm

ϕ = fator de forma

Floculadores

Diversos autores distinguem três regiões de fluxo através do meio poroso:

1. A baixas velocidades, predominam as forças de viscosidade e é válida a lei de Darcy. O limite superior desta faixa está caracterizado por um número de Reynolds entre 1 e 10.

2. À medida que a velocidade aumenta, as forças de inércia tornam-se mais importantes e, ao limite superior desta zona de transição, o fluxo torna-se turbulento; isto ocorre para $Re \geqslant 400$.

3. O fluxo torna-se completamente turbulento a $Re = 2000$.

Se o fluxo é laminar seguindo a lei de Darcy

$$J = \frac{5\mu \, V \, (1 - \varepsilon)^2}{g \, \varepsilon^3} \, (\frac{6}{D})^2 \tag{7.35}$$

onde

D é o tamanho representativo do grão. Substituindo em (7.32a), resulta

$$G = 13,4 \cdot \frac{1 - \varepsilon}{\varepsilon^2} \cdot \frac{V}{D} \tag{7.36}$$

equação que mostra que, se o fluxo é laminar, os gradientes de velocidade independem da temperatura do fluído.

Na zona de transição, com $Re > 1$, a perda de carga pode ser calculada pela fórmula de Forchheimer:

$$J = aV + bV^2 \tag{7.37}$$

Os coeficientes a e b podem ser estimados em função das características granulométricas do material através das seguintes expressões:

$$a = \frac{0,162 \, (1 - \varepsilon)^2}{\phi^2 \, D^2 \, \varepsilon^3} \tag{7.38}$$

$$b = \frac{0,081 \, (1 - \varepsilon)}{\phi \, D \, \varepsilon^3} \tag{7.39}$$

nas quais ϕ é o fator de forma, cujos valores característicos são apresentados como guia com os valores característicos da porosidade, na Tab. 7.3. O diâmetro dos grãos deve ser dado em mm e a velocidade na equação (7.37) em cm/s.

113

Tabela 7.3 — Fatores de forma e porosidade de materiais granulares típicos

Descrição	Fator de forma (ϕ)	Porosidade (ε)
esféricos	1,00	0,38
arredondados	0,98	0,38
desgastados	0,94	0,39
agudos	0,81	0,40
angulares	0,78	0,43
triturados	0,70	0,48

Resultados práticos da floculação em meio granular

As primeiras pesquisas na América Latina sobre floculação em pedras foram realizadas em 1979, pela Sanepar, em colaboração com o IDRC (Internacional Development Research Centre, do Canadá).

Nestas pesquisas, o tempo de floculação variou entre 1,4 a 8,5 minutos, mais freqüentemente ao redor de 3 minutos, com um número de Camp (GT) praticamente constante e ao redor de 14.500. Os resultados obtidos demonstraram não haver influência sensível do tempo de floculação, mas ressaltaram a influência do número de Camp GT na eficiência do floculador. Na Fig. 7.16, estão representadas as curvas de

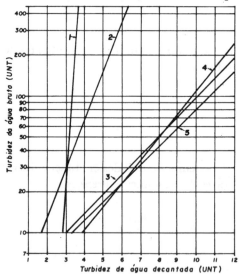

Curvas:-
1- E.T.A. Araucária :- $GT=16.000$, $V_{cs}=0.036$ cm/s, $T=5$ min., $G=56$ s-1
2- E.T.A. Iguaçu (floc. piloto):- $GT=14.500$, $T=2.8$ min., $G=85$ s-1
3- E.T.A. Três Barras :- $GT=9.000$, $V_{cs}=0.028$ cm/s
4- E.T.A. Nova Prata do Iguaçu :- $GT=9.000$, $V_{cs}=0.028$ cm/s
5- E.T.A. Imbituva :- $GT=9.000$, $V_{cs}=0.028$ cm/s, $T=5$ min., $G=30$ s-1

Figura 7.16 - Floculadores de pedras - influência do número de Camp. G.T. na floculação remoção de turbidez no floculador piloto e em algumas estações construídas com floculadores em pedras. Valores de GT na faixa de 14.000 a 16.000 produzem a melhor floculação, com um gradiente de velocidade entre 50 e $80s^{-1}$. À menor GT, os resultados são mais pobres, como os das três curvas à direita, características de um projeto onde $G \cong 30s^{-1}$ e GT = 9.000. Pesquisas realizadas por uma outra entidade no Brasil, conduziram ainda a piores resultados, com GT entre 3.000 e 5.000.

No floculador piloto (ver capítulo 8), foi utilizado um meio granular com diâmetro ao redor de 6,7mm (aprox. 1/4"). Nas estações que foram construídas (anexo 1), adotou-se material granular entre 1/2" e 3/4". A velocidade, tanto nos estudos piloto, como nos projetos posteriores, é bastante baixa, entre 0,2 e 0,8cm/s. Em consequência, há deposição de flocos e, em alguns casos, silte e areia, causando problemas com a limpeza do meio. A experiência tem demonstrado que, definitivamente, o floculador em pedra não pode tolerar água que contenha silte e areia e o meio granular tem de ser removido para limpeza, nestes casos. Há necessidade de se pesquisar velocidades que promovam a autolimpeza do meio, possivelmente ao redor de 5 a 10cm/s, ou superiores. Mesmo a essas velocidades, o número de Reynolds será inferior a 100, ainda válido para a teoria exposta anteriormente. Uma recomendação importante é fazer o floculador separado do decantador, caso contrário os inconvenientes com a deposição de sólidos são agravados.

CRITÉRIOS DE SELEÇÃO

A seleção do tipo ou do equipamento de floculação é influenciada por uma série de fatores, entre eles:

a) tamanho da instalação
b) regularidade na vazão e período de operação
c) segurança operacional
d) capacidade operativa e de manutenção local
e) características construtivas
f) custo
g) disponibilidade de energia

Além desses, um aspecto importante a ser considerado no projeto de estações de tratamento para abastecimento público é a dependência de tecnologia, por assim dizer, comercial, defendida por marcas e patentes de alguns fabricantes. Caracterizam-se por uma diversidade de dispositivos para realizar a floculação segundo um mesmo princípio: a floculação por contato de sólidos ou em manto de lodos. Essas unidades geralmente fazem parte de tanques de sedimentação de fluxo vertical, constituindo unidades relativamente compactas. Encontram bastante aplicação no setor industrial para diversas finalidades, inclusive fornecimento de água potável. São unidades de controle e operação mais difícil, desaconselháveis quando não é satisfeita a condição de um padrão ideal de capacidade técnica de seus operadores.

Tratamento de água

Apesar disso, se ainda forem consideradas como uma alternativa de projeto, além do custo devem ser considerados os seguintes critérios:

1. Tamanho da instalação. Não são aconselhadas para pequenas comunidades, carentes de pessoal qualificado.

2. O regime de operação deve ser contínuo ou pelo menos por um período diário bastante longo e não deve estar sujeito a variações de vazão, pelas dificuldades em formar e manter a concentração ótima de sólidos em suspensão no manto de lodos.

3. É recomendado para águas que mantêm as suas características físico-químicas mais ou menos constantes, com variações de qualidade lentas, pelo mesmo motivo anterior.

O critério de simplicidade deve sempre estar presente no projeto de um floculador. Um tanque retangular, dotado de alguns equipamentos de agitação, é uma alternativa mais simples de construir do que um canal sinuoso com dezenas de paredes defletoras muito próximas, como é o caso de um floculador hidráulico de chicanas de pequena capacidade. Além disso, sua operação fica dificultada nas operações de limpeza.

Os floculadores hidráulicos de chicanas de fluxo horizontal demandam uma grande área e, por este motivo, a não ser em algum projeto de estação de pequeno porte, são sempre mais caros do que os de fluxo vertical. Devem ser considerados sempre como uma alternativa excepcional.

Os floculadores hidráulicos de chicanas de fluxo vertical podem ser utilizados desde capacidades tão pequenas como 25 ℓ/s a até 1.000 ℓ/s ou maiores. Os floculadores mecânicos de eixo vertical acompanham a mesma faixa. A limitação para o uso de floculadores de eixo vertical é o número de unidades. O volume máximo de influência de um agitador de eixo vertical para floculador está ao redor de 80 a 100 m^3. Desse modo, estações de tratamento com capacidade superior a 1.000 ℓ/s seriam forçosamente dotadas de um número de equipamentos de floculação superior a doze unidades.

Capacidades superiores a 1.000 ℓ/s geralmente conduzem à utilização de floculadores de eixo horizontal ou de turbinas.

Os agitadores alternativos ("walking-beam") podem ser utilizados com sucesso em projetos de ampliação e/ou quando não se tem muita flexibilidade para alterar ou adaptar a forma dos tanques a outros tipos de equipamentos.

Os projetos de pequenas estações de tratamento devem merecer um cuidado especial na escolha do tipo de floculador. A poucas exceções e em condições especiais, poder-se-á recomendar floculadores mecânicos. Os floculadores hidráulicos de chicanas, por resultarem com um espaçamento muito próximo, trazem problemas construtivos e operacionais. Uma solução recente que está conduzindo a bons resultados é a floculação em meio poroso, floculadores de pedras, por exemplo. Outra alternativa muito utilizada é o chamado floculador "Alabama", difundido no Brasil pela Fundação Serviços de Saúde Pública, em dezenas de estações de pequeno porte, nas décadas de 50 e 60.

Os floculadores hidráulicos têm pouca flexibilidade a variações de vazão, ao passo que o parâmetro gradiente de velocidade não muda nos floculadores mecânicos. Havendo a possibilidade de se ajustar o gradiente, pode-se manter um número de Camp GT mais adequado a determinadas condições de operação nos floculadores mecânicos.

A relação entre os gradientes de velocidade em função da vazão ou do tempo de floculação em um floculador hidráulico é

$$\frac{G}{G_o} = (\frac{Q}{Q_o})^{3/2} = (\frac{T_o}{T})^{3/2}$$

Por outro lado, a variação do número de Camp com a vazão é bem menor

Número de Camp $\alpha \sqrt{Q}$

Um aumento da vazão em 50% altera o número de Camp em apenas cerca de 20%. Em vista disso e como dentro de certos limites é possível realizar-se uma boa floculação a tempos mais curtos com gradientes mais elevados e, inversamente, com gradientes mais baixos a tempos mais prolongados, o floculador hidráulico se auto-ajusta a pequenas variações de vazão.

Com uma seleção adequada dos gradientes de velocidade, pode-se, portanto, tornar os floculadores hidráulicos mais flexíveis a variações de vazão. Considerando os limites máximos de $75 s^{-1}$ na entrada e $10 s^{-1}$ na saída do floculador, pode-se ter uma variação de ± 50% na vazão nominal, se para esta forem fixados gradientes entre 40 e $20 s^{-1}$.

Os custos de construção podem ser um pouco mais elevados nos floculadores hidráulicos de maior capacidade, porém há que se considerar o custo de manutenção nos floculadores mecânicos. Para efeito de comparação, deve-se considerar neste o consumo de energia ou o seu equivalente em perda de carga nos floculadores hidráulicos. Nestes, toda a energia é aproveitada na agitação da água, ao passo que nos floculadores mecânicos as perdas por atrito e por indução podem ser até superiores a 100% da energia útil aplicada à água.

REFERÊNCIAS BIBLIOGRÁFICAS

ARGAMAN, Y. e KAUFMAN, W.J. — 1970. Turbulence and Flocculation. Journal Sanitary Eng. Div., ASCE 96, SA 2, April.

ARGAMAN, Y. — 1971. Pilot Studies of Flocculation. Journal AWWA, 63, 12, Dec. 1971.

BRATBY, J.R., MILLER, M.W. e MARAIS, G.V.R. — 1977. Design of Flocculation Systems from Batch Test Data. Water SA, 3.4

CAMP, T.R., STEIN, P.C. — 1943. Velocity Gradients and Internal Work in Fluid Motion. Journal Boston Society Civil Engineers, 30, 4.

CAMP, T.R. — 1955. Flocculation and Flocculation Basins. Transactions ASCE, 120,1.

CARMAN, P.C. — 1973. Fluid Flow Through a Granular Bed. Transactions of the Institution of Chemical Engineers, London.

CLEASBY, J.L. — 1984. Is Velocity Gradient a Valid Turbulent Flocculation Parameter? Journal of Environmental Engineering, 110, 5.

FORCHHEIMER — 1901. Wasserbewegung durch Boden. Zeischrift des Verrines Deutscher Ingenieure, Dez.

HAHN, H.H. — 1984. Physical and Chemical Aspects of Coagulation in Water Tecnology. Chemical Water and Wastewater Treatment, Grohman, A., Hahn, H.H. and Klute, R. (Ed.), Section I, Schriftenreihe des Vereins für Wasser —, Boden —, and Lufthygiene n.º 62/Karlsruhe 40.

HARRIS, H.S., KAUFMAN, W.J. e KRONE, R.B. — 1966. Orthokineter Flocculation in Water Purification. Journal Sanitary Engineering Division, ASCE, 95, SA 6, Dec.

HUDSON, H.E. — 1965. Physycal Aspects of Flocculation. Journal AWWA, 57,7, July.

HUDSON, H.E. 1981. Water Clarification Processes. Practical Design and Evaluation. Van Nostrand Reinhold Company, NY.

IVES, K.J. — 1978. The Scientific Basis of Flocculation. Sijthoff and Noordhoff. The Netherlands.

MELLO MOURÃO, F. de. — 1977. Mistura Rápida e Floculação. Aspectos Construtivos. 9.º Congr. Brasileiro de Eng. Sanitária, ABES, Belo Horizonte, Julho.

MIRANDA, C. — 1974, Diseño de Plantas de Tratamiento en la República Dominicana, Comunicação pessoal.

ODEGAARD. H. — 1979. Orthokinetic Flocculation of Phosphate Precipitates in a Multicompartment Reactor with non-ideal Flow. Prog. Water Techn. Suppl. 1.

PARKER D.S., KAUFMAN, W.J., JENKINS, D — 1972. Floc Breakup in Turbulent Flocculation Processes. Journal Sanitary Engineering Division, ASCE, 98, SA 1, Feb.

RIDDICK, T.M. — 1969. "Advanced Technologies on Water Clarification". Universidade Central de Venezuela/OPS.

RICHTER, C.A. — 1981. "Fundamentos Teóricos da Floculação em Meio Granular". Revista ENGENHARIA, São Paulo.

RICHTER, C.A. e MOREIRA, R.B. — 1982. "Floculadores de Pedras: Experiências em Filtro Piloto". Revista ENGENHARIA 435. S. Paulo.

RICHTER, C.A. — 1985 "Uso de Telas em Estações de Tratamento". Revista DAE, São Paulo, n.º 143/45. Dez.

RICHTER, C.A., WIEGERT, W., BALKOWISKI, C., LARA, A.P. de — 1981. "Estação de Tratamento para Pequenas Comunidades: Avaliação da Estação Araucária II". 11.º Congresso Brasileiro de Engenharia Sanitária e Ambiental. ABES. Fortaleza.

RICHTER, C.A. — 1981. "Método Simplificado para o Cálculo de Floculadores Hidráulicos de Chicanas". XVIII Congresso Interamericano de Ingenieria Sanitária. AIDIS. Panamá.

SNEL, H. e ARBOLEDA VALENCIA, J. — 1982. "Influencia de la Escala de Turbulencia en el Processo de Floçulacion del Agua". Separata da Revista ACODAL, Bogotá, Colômbia.

SCHULZ, Ch.R. e OKUN, D.A. — 1984. "Surface Water Treatment for Communities in Developing Countries". John Wiley & Sons, N.Y.

TAMBO, N. e WATANABE, Y. — 1979. "Physical Aspects of Flocculation". Water Research, 13.

WAGNER, G.E. — 1983. "The Latin American Approach to Improving Water Supplies". Journal AWWA, 75,4.

WARD-SMITH, J.A. — 1980. "Internal Fluid Flow". Clarendon Press, Oxford.

8

Floculadores de pedras: experiências em filtro piloto

ANTECEDENTES

Ensaios realizados na estação de tratamento do Iguaçu, em Curitiba, tiveram lugar em uma instalação piloto, cuja finalidade não era somente verificar a eficiência de um floculador de pedras, mas estudar também o comportamento, em escala piloto, de uma estação de tratamento simplificada e de baixo custo para pequenas comunidades.

A instalação piloto consta, essencialmente, de dois tubos cilíndricos transparentes (Figs. 8.1 e 8.2), com 200 mm (8") de diâmetro, o primeiro dos quais utilizado como floculador em meio granular e o segundo como um filtro de lavagem automática.

No floculador foi colocada uma coluna de 2,10 m de altura, constituída por pedregulhos de 6,7 mm de diâmetro médio e 0,33 de porosidade, com fluxo vertical ascendente.

Como mostra a Fig. 8.1, a água bruta era tomada da câmara de mistura rápida da ETA Iguaçu e, deste modo, a sua operação identifica-se com a operação de uma estação em escala real e permite uma apreciação mais fiel dos resultados obtidos. Fica, igualmente, sujeita às imperfeições decorrentes da operação ou de características físicas do misturador rápido da outra.

Numa primeira série de testes realizados no período de julho a agosto de 1979, quando o interesse primordial era provar a hidráulica de lavagem do filtro automático, foram obtidos resultados que permitiram uma avaliação preliminar da eficiência dos floculadores de pedras da ETA piloto, através da comparação com os resultados obtidos no floculador da ETA Iguaçu e os correspondentes ensaios de coagulação, não obstante a floculação não ter sido, nesta fase, controlada de modo satisfatório.

Seguiu-se uma segunda série de ensaios, onde se fez variar o binômio gradiente × tempo de floculação, com a finalidade de verificar a sua proporcionalidade com $\ln N_o/N$ e, assim, testar a fórmula

$$\ln \frac{N_o}{N_f} = \eta \, KGT \tag{8.1}$$

deduzida em um trabalho anterior[1].

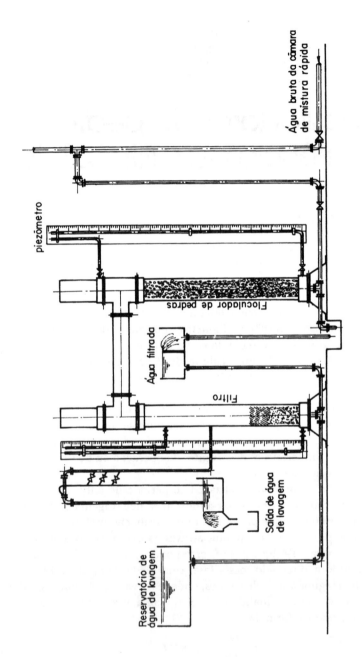

Figura 8.1 - Esquema da instalação piloto

Figura 8.2 - Instalação piloto

Para isso, foram determinados os parâmetros K e G, o primeiro através de ensaios de coagulação ("jar-tests") e o segundo avaliado através da perda de carga medida; e a relação entre a turbidez inicial N_o e a turbidez N_f da água decantada após flocular por um tempo T, que se fez variar de 1,5 a 8 minutos.

CARACTERÍSTICAS DA ÁGUA BRUTA

A bacia hidrográfica do rio Iguaçu, de onde se tomou a água para os ensaios realizados em Curitiba, acha-se situada em uma região de rochas cristalinas. As águas que passam em solos desse tipo são geralmente ácidas e de baixa alcalinidade. A turbidez é geralmente baixa, a não ser quando passam por áreas cultivadas. Nesse caso, há picos súbitos de turbidez nas chuvas, fato que ocorre com certa freqüência na estação de tratamento do Iguaçu.

Turbidez

A turbidez da água "in-natura" do rio Iguaçu varia entre um valor mínimo de cerca de 10 UNT e raramente atinge valores da ordem de 300 UNT, com um valor médio de 30 UNT. O valor da turbidez de maior freqüência (turbidez modal) encontra-se ao redor de 20 UNT. Somente em cerca de 5% do tempo a turbidez é superior a 90 UNT. Em 90% do tempo a turbidez é inferior a 60 UNT.

Cor

A cor da água "in-natura" do rio Iguaçu varia normalmente entre os limites de 17,5 a 600 unidades de cor. A média aritmética encontra-se ao redor de 100 e a valor de maior freqüência 70.

Ensaios de coagulação

A Fig. 8.3 representa as doses de sulfato de alumínio necessárias a coagular as águas do rio Iguaçu a diversos valores e turbidez. Essa curva, ajustada aos resultados de mais de 300 ensaios de coagulação, resultou na equação:

$$D = 13,5 \ln N_o - 23,0$$

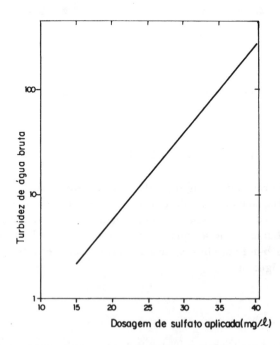

Figura 8.3 - Dosagem de sulfato em função da turbidez na ETA do Iguaçu (Curitiba)

Floculadores de pedras: experiências em filtro piloto

onde D é a dosagem ótima de sulfato de alumínio e N_o é a turbidez da água bruta. O coeficiente de correlação resultou em $r = 0,7$, indicando uma razoável correlação direta para a curva ajustada.

Relação entre G e T dos ensaios de coagulação

Andreu-Villegas e Letterman, em um estudo recente[2], demonstraram, com base em ensaios de coagulação ("jar-tests"), que entre um dado gradiente de velocidade G e um tempo de floculação T, os melhores resultados são obtidos quando:

$$G^n T = K \tag{8.3}$$

resultando em suas experiências:

$$n = 2,8$$

$K = 4,9 \times 10^5$, $1,9 \times 10^5$ e $0,7 \times 10^5$ para dosagens de sulfato de alumínio de $10 \, mg/\ell$, $25 \, mg/\ell$ e $50 \, mg/\ell$, respectivamente

Numa série de ensaios de coagulação na ETA do Iguaçu, com a turbidez da água bruta 44 UJ e uma dosagem de sulfato de alumínio $28 \, mg/\ell$, obteve os seguintes resultados:

gradiente fixado (s^{-1})	tempo ótimo	
	min	s
80	10	600
60	12	720
20	60	3 600
70	15	900
50	30	1 800
30	45	2 700

A curva ajustada a esses pontos resulta:

$$G^{1,3} T = 2,1 \times 10^5 \quad \text{ou} \tag{8.4}$$

$$G^{1,3} T = \frac{58,8 \times 10^5}{D} \tag{8.5}$$

onde D é a dosagem de sulfato de alumínio em mg/ℓ.

123

Tratamento de água

Constante de floculação

Partindo da equação de Von Smoluchowski, Hudson demonstrou que[3]:

$$\frac{N_o}{N_f} = \exp. \eta \phi GT/\pi \qquad (8.6)$$

ou fazendo, $\qquad \eta \phi/\pi = K$

$$\frac{N_o}{N_f} = \exp. KGT \qquad (8.7)$$

onde:

η = fator de eficiência na colisão entre as partículas
ϕ = proporção de volume de flocos
N_f = partículas que não flocularam depois de um tempo T
N_o = concentração inicial de partículas
T = tempo de floculação

A equação (8.1), proposta para representar a floculação em meio granular, é idêntica à fórmula de Hudson, apesar de que a sua dedução original por Hudson era para floculadores convencionais. A sua comprovação prática envolve o conhecimento do fator K, aqui denominado constante de floculação.

Na prática, é perfeitamente válido admitir a proporcionalidade entre N_f e N_o e os correspondentes valores de turbidez, porque no projeto ou operação de uma estação serão considerados valores de turbidez medidos por métodos tradicionais e não pela contagem de partículas.

Assim, sendo fixados o gradiente de velocidade e o tempo de floculação em um ensaio de coagulação, pode-se facilmente avaliar o coeficiente K, pela fórmula:

$$K = \frac{1 - \dfrac{N_f}{N_o}}{\dfrac{N_f}{N_o} GT}$$

com:

N_o = turbidez da água bruta
N_f = turbidez remanescente na água sedimentada, depois de um tempo T de floculação, em segundos
G = gradiente de velocidade do "jar-tests", s^{-1}

124

Isso pode ser verificado por um ensaio de coagulação sob condições controladas, como na Fig. 8.4, onde o tempo de floculação foi variável. Se os resultados obtidos forem coerentes, o parâmetro K pode ser avaliado por outros ensaios de coagulação já realizados ou por fazer.

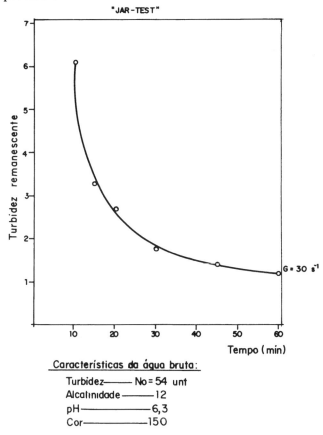

Figura 8.4 - Resultado de ensaio de "jar-test". ETA Iguaçú

Da Fig. 8.4:

a) Tempo de floculação: 10 min (600 s)

$$G = 30\,s^{-1}$$
$$N_o = 52$$
$$N = 6,1$$

$$K = \frac{1 - \dfrac{6,1}{52}}{\dfrac{6,1}{52} \times 30 \times 600} = 4,2 \times 10^{-4}$$

b) $t = 15\,min$, $N = 3,3$
   $K = 5,5 \times 10^{-4}$

c) $t = 20\,min$, $N = 2,7$
   $K = 5,1 \times 10^{-4}$

d) $t = 30\,min$, $N = 1,8$
   $K = 5,2 \times 10^{-4}$

e) $t = 45\,min$, $N = 1,8$
   $K = 5,2 \times 10^{-4}$

f) $t = 60\,min$, $N = 1,25$
   $K = 3,8 \times 10^{-4}$

Com exceção dos valores (a) e (f), os resultados são suficientemente consistentes. O primeiro pode ser explicado porque não havia ainda um tempo de floculação suficiente e o último porque ocorreu erosão e quebra de flocos devido a um tempo de floculação demasiado longo.

Assim, com os resultados de ensaios de floculação de rotina da estação de tratamento de água do Iguaçu, em Curitiba, os valores de K foram calculados e ajustadas algumas curvas a cerca de 300 pares de valores (K, N_o).

A curva que mostrou o maior coeficiente de correlação foi a potencial, tendo sido obtida a seguinte correlação (Fig. 8.5):

$$K = 1,92 \times 10^{-5} N_o^{0,8}$$

onde:

K = constante de floculação

N_o = turbidez da água bruta (NTU)

resultando um coeficiente de correlação igual a 0,8.

CARACTERÍSTICAS DOS MEIOS POROSOS UTILIZADOS

Na escolha dos meios porosos para floculação, foram considerados os seguintes critérios:

a) que as características do fluxo permanecessem ainda sob condições de fluxo laminar;

Floculadores de pedras: experiências em filtro piloto

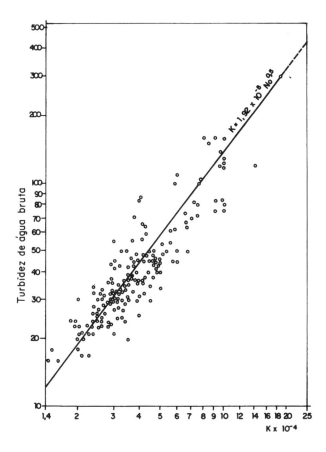

Figura 8.5 - Correlação entre a constante de floculação e a turbidez de água bruta. "Jar-tests" : Tempo de floculação: 15 min; Gradiente de velocidade $G = 30$ s^{-1} (30 rpm)

b) que o volume dos poros fossem suficientemente grandes a fim de evitar uma pré-filtração e facilitar a limpeza;
c) facilidade de obtenção.

Como meio poroso, foi utilizado no floculador piloto, em Curitiba, pedregulho com tamanho efetivo 6mm e coeficiente de uniformidade 1,36, determinados em uma análise granulométrica com a série padrão de peneiras.

Esse material apresenta uma forma característica desuniforme, angulosa, tendendo para um elipsólide oblato. Com a finalidade de determinar suas principais características geométricas e físicas, foram medidos um a um a maior e a menor dimensão de cada grão da amostra, com a qual se determinou anteriormente o tamanho efetivo e o coeficiente de uniformidade, num montante de mais de 1.400 medidas diretas. Foram verificados os seguintes resultados:

127

Valores extremos

— dimensão máxima: 32mm, em um grão com 32mm × 7mm (*L*)

— dimensão mínima: 2mm, em um grão com 3mm × 2mm (*l*)

Diâmetro nominal

O diâmetro nominal, calculado para cada grão pela fórmula:

$$D = 1,24 / \left[\frac{1,19}{L} + \frac{0,35}{l} \right]$$

teve um valor médio geométrico $6,7 \pm 0,7$mm.

Elongação e excentricidade

A elongação, definida por $E = L/D$, sendo L a maior dimensão de cada grão, teve um valor médio de $1,50 \pm 0,07$.

Com a elongação média, calcula-se a excentricidade:

$$e = \sqrt{1 - E^{-4}} = \sqrt{1 - (1,5)^{-4}} = 0,895$$

Fator de forma

O fator de forma ϕ_s pode ser calculado pela fórmula

$$\phi_s = 4 / \left[2 E^2 + \frac{ln\left[(1 + e) / (1 - e) \right]}{e \, E^4} \right]$$

resultando:

$$\phi_s = 4 / \left[2 (1,5)^2 + \frac{ln\left[(1 + 0,895) / (1 - 0,895) \right]}{0,895 (1,5)^4} \right] = 0,78$$

Floculadores de pedras: experiências em filtro piloto

Permeabilidade

A permeabilidade pode ser calculada a partir dos parâmetros anteriores, aplicando-se a seguinte fórmula:

$$K = \frac{\varepsilon^2 \, \phi_s^2 \, D^2}{36 \, KT \, (1 - \sigma)^2 \, {}_\sigma\ln\sigma}$$

onde:

ε = porosidade ($= 0,33$)

ϕ_s $= 0,78$

D $= 0,67\,mm$ (média.geométrica)

σ $= 0,7\,mm$ (desvio padrão)

K = constante adimensional, que depende da forma da seção transversal ao fluxo. Varia entre 2 e 3. Para meio poroso não consolidado $K \cong 2,36$

T = tortuosidade, aproximadamente igual a 2, para meio poroso não consolidado.

Resulta:

$$K = \frac{(0,33)^3 \times (0,78)^2 \times (0,67)^2}{36 \times 2,36 \times 2 \times (0,67)^2 \times 0,7^{\ln} \times 0,7} = 113 \times 10^{-6}$$

GRADIENTES DE VELOCIDADE

A determinação dos gradientes de velocidade em um floculador hidráulico, e nesta classe se inclui o floculador de pedras, implica no conhecimento das perdas de carga. Por outro lado, essas perdas dependem das condições de fluxo serem laminar, turbulento ou de transição. Além disso, importa conhecer a "priori", a partir das características do material a ser utilizado, uma equação geral do fluxo, que seja aplicável a qualquer tipo de meio poroso, para efeito de projetos futuros.

Já é perfeitamente conhecido que a lei de Darcy tem validade somente para condições de fluxo relativamente restritas, a valores baixos do número de Reynolds, devendo ser substituída por uma outra, da forma

$$J = aV + b\,V^2$$

devida a Forchheimer, para valores do número de Reynolds mais elevados mas ainda em condições de fluxo laminar.

A transição entre o regime laminar da lei de Darcy $J = \alpha V$ e o regime de completa turbulência corresponde a uma lei da forma $J = \beta V^2$, é gradual, obedecendo à

129

equação de Forchheimer, com as forças de viscosidade e de inércia atuando simultaneamente.

Os coeficientes a e b da equação de Forchheimer podem ser estimados em função das características granulométricas do material pelas expressões seguintes:

$$a = \frac{0,162 \, (1 - \varepsilon)^2}{\phi^2 D^2 \varepsilon^3}$$

$$b = \frac{0,018 \, (1 - \varepsilon)}{\phi \, D \, \varepsilon^3}$$

A seguir, avaliam-se as diversas fórmulas usualmente empregadas no cálculo da perda de carga no fluxo através de meios porosos com os resultados medidos, determinando-se os gradientes de velocidade a partir de uma curva interpolada aos valores medidos.

Resultados obtidos

A velocidade aparente $V = Q/A$ variou entre 0,19 a 0,83 cm/s; correspondendo tempos de floculação, na coluna de pedras com 2,10 m de altura e 0,20 m de diâmetro, respectivamente de 6,0 a 1,4 minutos.

Nesse intervalo, o número de Reynolds, definido para meios porosos como

$$R = \frac{V \, K^{1/2}}{\nu},$$

onde K é a permeabilidade, varia entre 0,18 e 0,80, aproximadamente.

Na Fig. 8.6 são reproduzidos os diversos pontos representativos dos pares de valores velocidade e perda de carga medidas, aos quais foi interpolada uma curva pelo método dos mínimos quadrados, tendo resultado

$$\dot{J} = 0,045 \, V + 0,224 \, V^2,$$

onde J é a perda de carga unitária e V é a velocidade aparente em cm/s.

Os valores medidos da perda de carga em função da velocidade aparente foram comparados com as diversas equações usualmente empregadas no cálculo do fluxo em meios porosos. A equação de Rose, muito utilizada no cálculo de perda de carga em filtros, conduz a resultados muito elevados. A equação de Kozeny é bastante precisa até velocidades da ordem de 0,3 cm/s, dando valores cada vez mais inferiores aos observados, à medida que a velocidade sobrepassa aquele valor.

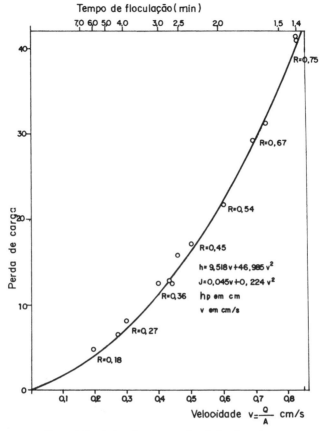

Figura 8.6 - Pedra de carga no floculador de pedras

Material: Diâmetro de pedras 4,76 a 12,7 mm; tamanho efetivo = 6,0 mm, tamanho médio (50% = 6,7mm; coeficiente de uniformidade = 1,36; porosidade = P_o = 0,33.

A equação que mais se aproxima dos valores obtidos dentro do intervalo estudado é a de Forchheimer, porém, tomando-se, no cálculo dos coeficientes a e b, como diâmetro o tamanho ou diâmetro efetivo em lugar do diâmetro médio. A razão para considerar o tamanho efetivo fundamenta-se no fato confirmado por Hazen, que no fluxo em um meio granular não uniforme tem muito maior influência os grãos pequenos que se interpõem entre os grossos, definindo então o tamanho efetivo como aquele que, em um meio uniforme, produzisse a mesma perda de carga da amostra.

Acima de 0,5m/s, a equação de Forchheimer começa a se distanciar dos valores reais, resultando cada vez menores. Entretanto, dentro dos tempos de floculação e velocidades que poderão ser utilizadas em projetos, a equação de Forchheimer com os coeficientes a e b, determinados a partir apenas das características geométricas dos grãos do meio poroso e do tamanho efetivo da amostra, conduz a valores bastante próximos aos observados, podendo, portanto, ser utilizada em projetos, dentro destas limitações.

Os gradientes de velocidade, calculados, então, pela fórmula

$$G = \sqrt{\frac{\gamma}{\mu} \cdot \frac{VJ}{\varepsilon}}$$

resultam nos valores representados na Fig. 8.7.

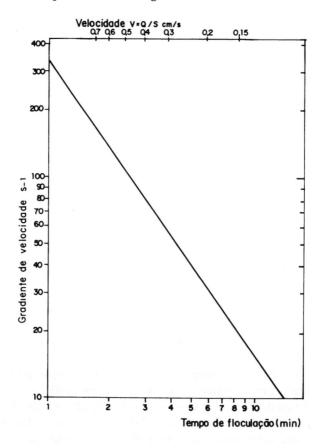

Figura 8.7 - Floculador de meio poroso na ETA Iguaçú; gradiente de velocidade versus tempo de floculação

RESULTADOS OBTIDOS

As experiências realizadas produziram resultados que confirmam o modelo teórico proposto, podendo ser resumidos em uma extraordinária eficiência num tempo extremamente reduzido.

A Fig. 8.8 representa os resultados obtidos no floculador piloto, em termos de remoção de turbidez, comparados aos resultados obtidos no floculador da estação do

Floculadores de pedras: experiências em filtro piloto

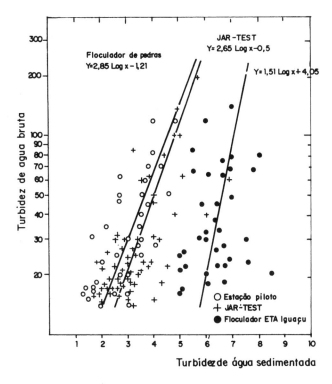

Figura 8.8 - Comparação entre os resultados do floculador de pedras da estação piloto com os resultados de "jar-tests" e do floculador da ETA Iguaçú.

Iguaçu e os correspondentes ensaios de coagulação. Nessa série de testes, o tempo de floculação no floculador piloto variou de 1,5 a cerca de 8,0 minutos, com um valor médio ao redor de 2,8 minutos (170s) e um gradiente de velocidade médio de $85 \, s^{-1}$ resultou um número de Camp $GT = 14.500$.

Os ensaios de coagulação foram realizados em um aparelho comercial, com as paletas adaptadas para produzir gradientes em função da velocidade de rotação, segundo curva de calibração de Camp, e os procedimentos normais (15 minutos de floculação a 30-40 rpm).

A estação de tratamento do Iguaçu tem floculadores mecânicos oscilatórios, do tipo "Ribbon floculator", não compartimentados em série, com um tempo de floculação variável, em função da vazão, de 20 a 30 minutos, e um gradiente de velocidade de $15 \, s^{-1}$, aproximadamente.

A eficiência de um floculador em meio granular fica evidenciada com esses resultados, sendo superior tanto os floculadores mecânicos como aos ensaios de "jar-tests". Por exemplo, com apenas 2 minutos e 50 segundos de tempo médio de floculação, o floculador de pedras consegue uma remoção de turbidez como as indicadas no quadro seguinte, comparadas com o floculador mecânico a 25 minutos de tempo médio de floculação e os ensaios de "jar-tests" a 15 minutos de floculação.

Turbidez de água bruta (UNT)	Remoção de turbidez (%)		
	floculador de pedras	"jar-tests"	floculador mecânico
20	88	85	70
50	93	92	72
100	96	95	93
200	97	97	96

Numa segunda série de testes, procurou-se relacionar a eficiência com o tempo de floculação, obtendo-se os resultados do quadro 8.1.

Parece não ter havido influência do tempo de floculação na eficiência, fato não aparente talvez devido à relativamente pequena variabilidade dos tempos empregados nos testes, entre 1,4 e 8,5 minutos.

De qualquer forma, ressalta-se a importância do número de Camp GT, como determinante na eficiência da floculação, como transparece das experiências realizadas. De fato, com GT praticamente constante obtém-se resultados semelhantes, sempre satisfatórios.

REFERÊNCIAS BIBLIOGRÁFICAS

[1] RICHTER, C.A. — "Fundamentos Teóricos da Floculação em Meio Granular" - Sanepar, 1977.
[2] ANDREU-VILLEGAS, R, e R.D. LETTERMAN — "Optimizing Floculator Power Input". J. Environ. Eng. Div. ASCE 102:251-264 (1976).
[3] HUDSON, H.E. — "Physical Aspects of Flocculation". J.Am. Water Works Ass. 57:885-892 (1965).

Quadro 8.1 — Fator de eficiência na floculação em meio granular água bruta do rio Iguaçu - Curitiba

Tempo de floculação		Perda de carga	G (s⁻¹)	Turbidez (UJT)		K (× 10⁻⁴)	KGT	$\left(\dfrac{N_o}{N_f}\right)$	$L_n\left(\dfrac{N_o}{N_f}\right)$	$\eta = \dfrac{L_n\left(\dfrac{N_o}{N_f}\right)}{K\ G\ T}$
min	s			In-Natura N_o	Decantada N_f					
1,37	82	43	230	45	6,0	4,0	7,54	7,5	2,015	0,27
1,39	83	40	220	45	3,0	4,0	7,54	1,5	2,708	0,36
1,40	84	39	215	23	3,0	2,4	4,33	7,7	2,037	0,47
1,43	86	38	210	26	4,2	2,6	4,70	6,19	1,823	0,39
1,45	87	35	200	24	4,0	2,4	4,17	6,9	1,792	0,43
1,50	90	34	195	25	7,0	2,5	4,39	3,57	1,273	0,29
1,50	90	33	195	30	4,8	3,0	5,27	6,25	1,833	0,35
1,50	90	37	195	24	4,0	2,4	4,21	6,0	1,79	0,43
1,5	90	34	195	22	5,0	2,3	4,04	4,4	1,482	0,37
1,52	91	35	195	28	6,1	2,4	4,26	4,59	1,524	0,36
1,55	93	33	185	37	6,5	3,5	6,02	5,69	1,74	0,29
1,6	96	31	180	24	3,5	2,4	4,15	6,86	1,925	0,46
1,6	96	31	180	28	6,0	2,8	4,32	4,7	1,540	0,36
1,6	96	31	180	23	5,0	2,4	4,15	4,6	1,526	0,32
1,65	99	30	175	38	8,0	2,9	5,02	4,75	1,558	0,31
1,68	101	29	170	71	5,6	5,8	9,96	12,7	2,540	0,26
1,7	102	30	170	24	4,5	2,4	4,16	5,33	1,674	0,40
1,7	102	30	170	30	5,0	3,0	5,20	6,0	1,792	0,34
1,7	102	29	170	34	6,0	3,3	5,61	5,7	1,735	0,31

9

Floculação em malhas

INTRODUÇÃO

O uso de telas tem sido geralmente restrito à função de filtração grossa na remoção de corpos flutuantes ou em suspensão de dimensões relativamente grandes em tomadas de água e na entrada de estações de tratamento de esgotos. Com tal finalidade, geralmente são empregadas malhas com aberturas que variam entre 2 a 20 mm, de arame de aço galvanizado ou aço inoxidável, ou de fios de náilon.

Uma aplicação particularmente interessante, foi usada pela primeira vez em 1960, pelo Eng? Thomas M. Riddick[1], na floculação da água. Ele projetou um floculador mecânico, no qual as paletas foram substituídas por uma tela de arame com um espaçamento da malha de aproximadametne 5 cm. Sua idéia era aumentar a taxa de colisões entre flocos e entre colóides e flocos, através de um aumento extraordinário na superfície de cisalhamento. Esse tipo de aparelho gera uma distribuição de gradientes de velocidade mais uniforme e de maior intensidade na massa líquida, possibilitando uma redução substancial no tempo de floculação.

Entretanto, por falta de métodos e critérios simples e bem definidos de dimensionamento, esse eficiente dispositivo de floculação foi esquecido por quase duas décadas, não tendo sido utilizado em outros projetos, a não ser os do próprio Riddick, e, recentemente, em 1979, pela Sanepar, no projeto de ampliação da estação de tratamento do Rio Iguaçu, em Curitiba[2].

A passagem da água por uma tela pode ocorrer a número de Reynolds bastante baixos, portanto em condições incipientes de regime laminar. Em conseqüência, se for colocada uma tela em um canal a um ângulo qualquer, obliquamente à direção do fluxo, a corrente líquida tenderá a se defletir em uma direção perpendicular à superfície da tela, propriedade que poderá ter uma série de aplicações nas estações de tratamento, como por exemplo na entrada de tanques de decantação etc.

Para isso é necessário que se desenvolva um método de cálculo dos gradientes de velocidade nas telas, sem o que não se teria como avaliar a influência de tais dispositivos na formação e/ou na conservação dos flocos. Esse é o objetivo deste capítulo, do

136

Floculação em malhas

qual se espera uma real contribuição para a otimização de estações de tratamento, eventualmente com problemas nos sistemas de floculação e/ou decantação, e na realização de projetos mais eficientes e econômicos.

HIDRÁULICA DO FLUXO ATRAVÉS DAS TELAS

Parâmetros geométricos

Em uma tela de malha quadrada, a porosidade é calculada por

$$\varepsilon = (1 - nd)^2 \qquad (9.1)$$

onde n é o número de fios de diâmetro d por unidade de comprimento da tela.

Perda de carga

A Fig. 9.1 representa o comportamento da linha piezométrica em um canal ou canalização onde se interpôs uma tela perpendicularmente às linhas de fluxo. Há uma perda de carga súbita no plano da tela, indicando uma resistência ao fluxo bem mais elevada que a devida às paredes do canal (perda de carga contínua).

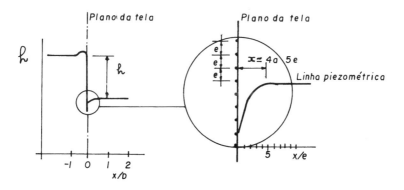

Figura 9.1 - Perda de carga nas telas

A perda de carga através da tela é dada por

$$h = K \frac{V^2}{2g} \qquad (9.2)$$

137

onde V é a velocidade média de aproximação no canal e K é o coeficiente de perda de carga, cujo valor é função das características geométricas da tela e do número de Reynolds referido ao diâmetro da malha

$$(Re)_d = \frac{Vd}{\nu} \tag{9.3}$$

A Fig. 9.2, representa configurações típicas da variação do coeficiente K em função do número de Reynolds em telas de diferentes porosidades.

Verifica-se que, para valores elevados da porosidade e para números de Reynolds $(Re)_d$ superiores a 500, o coeficiente de perda de carga pode ser calculado pela expressão:

$$K = 0{,}55 \, \frac{1-\varepsilon^2}{\varepsilon^2} \tag{9.4}$$

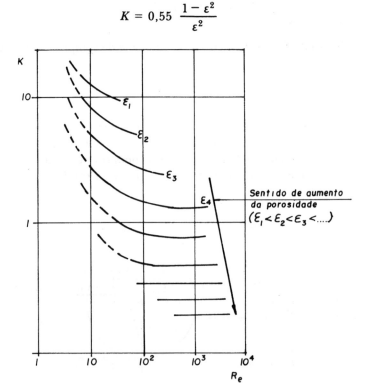

Figura 9.2 - Variação de K com R_e

Gradiente de velocidade nas telas

A equação de Camp e Stein,

$$G = \sqrt{\frac{p}{\mu}} \tag{9.5}$$

Floculação em malhas

deduzida para condições de fluxo laminar e que expressa a relação entre o gradiente de velocidade G e a energia dissipada por unidade de volume p, é ainda a ferramenta mais útil no cálculo dos floculadores e dos sistemas de veiculação de água floculada, apesar de que o autor[4] e Arboleda[5], demonstraram que o parâmetro G, como definido acima, perde muito de seu sentido físico para os floculadores reais, que, geralmente, têm um fluxo turbulento.

Contudo, a experiência adquirida desde há muitos anos na operação de centenas de estações de tratamento de água existentes, permite, na prática, manejar o parâmetro gradiente de velocidade, com suficiente segurança, na obtenção de um resultado desejado.

Em vista disso, a partir da equação (9.5), será aqui deduzida uma fórmula para o cálculo dos gradientes de velocidade nas telas, visando a obtenção de valores na mesma escala já consagrada na prática.

A equação (9.5) pode ser escrita

$$G = \sqrt{\frac{\gamma\, Q\, h}{\mu\, Vol}} \qquad (9.6)$$

onde:

γ = peso específico da água

Q = vazão

h = perda de carga na passagem através da tela

Vol = volume de líquido onde é dissipada a energia hidráulica.

Pode-se admitir, de um modo simplificado, que a energia hidráulica necessária a vencer a passagem da água pela tela é quase integralmente dissipada entre o plano da tela e uma distância a jusante aproximadamente igual a quatro ou cinco vezes o espaçamento "e" entre os fios, distância essa correspondente à recuperação da linha de energia. Assim, o volume de líquido onde é dissipada a energia hidráulica, seria de aproximadamente

$$Vol = 4\, A \cdot e \qquad (9.7)$$

sendo A a área da secção transversal do canal ou canalização onde é colocada a tela.

Substituindo (9.7) em (9.6) e, sendo $Q = A \cdot V$ e $h = K\, \dfrac{V^2}{2\, g}$, resulta

$$G = \sqrt{\frac{\gamma}{8\, g\mu} \cdot \frac{K}{e} \cdot V^3} \qquad (9.8)$$

139

ou

$$G = \sqrt{\frac{1}{8\nu} \cdot \frac{K}{e}} \cdot V^{1,5} \qquad (9.9)$$

À temperatura de 20°C, será

$$G = 350 \sqrt{\frac{K}{e}} \cdot V^{1,5} \qquad (9.10)$$

nas unidades dos sistema técnico.

EMPREGO DAS TELAS COMO DISPOSITIVOS DE FLOCULAÇÃO

Trabalhos prévios

Riddick, quando propôs pela primeira vez o uso de telas em equipamentos de floculação, pretendeu aumentar a taxa de colisões entre flocos e partículas, através de um aumento considerável das superfícies de cisalhamento hidrodinâmico, acelerando, assim, o processo de floculação. É evidente que, com isso, pode-se reduzir consideravelmente o tempo de residência necessário à floculação, como atestam experiências preliminares realizadas recentemente na Colômbia por Arboleda e Snel[5].

O floculador de Riddick consistia de quatro câmaras em série, como mostra a Fig. 9.3, dotadas de agitadores rotativos do eixo horizontal. Riddick encontrou que as

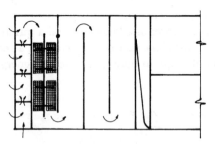

Figura 9.3 - Floculador de T. Riddick

velocidades tangenciais ótimas eram de 24, 18, 12 e 6 cm/s, bem menores que a maioria dos equipamentos convencionais. Esse floculador aparenta ter sido construído com arames de 1/4" (0,6 cm) formando malhas de 2" (5 cm).

Calculando os gradientes de velocidade pela fórmula (9.10), em função desses elementos geométricos e tomando para a velocidade efetiva a resultante do vetor veloci-

Floculação em malhas

dade tangencial ao longo de um dos braços do floculador, chega-se aos seguintes valores aproximados que, supostamente, teriam sido aplicados ao floculador de Riddick:

$$1^{\text{a}}\text{ câmara}\quad G \cong 100\,\text{s}^{-1}$$
$$2^{\text{a}}\text{ câmara}\quad G \cong \ 70\,\text{s}^{-1}$$
$$3^{\text{a}}\text{ câmara}\quad G \cong \ 40\,\text{s}^{-1}$$
$$4^{\text{a}}\text{ câmara}\quad G \cong \ 15\,\text{s}^{-1}$$

Visando obter informações preliminares sobre a floculação em telas, Arboleda e Snel[5] realizaram experiências intercalando telas nos canais de um floculador de chicanas, tendo demonstrado claramente que ocorre a floculação na esteira turbulenta das malhas, e que esta floculação depende essencialmente das características geométricas da tela e da velocidade do fluxo. Verificaram, além disso, que:

a) malhas pequenas ($e \cong 1\,\text{mm}$) tendem a romper o floco muito rapidamente;

b) a velocidade ótima de floculação parece estar entre 2 e 5 cm/s;

c) o tempo de residência necessário para a floculação parece reduzir-se apreciavelmente com uma boa geometria de malhas ($e = 1$ a $2\,\text{cm}$).

Os resultados dessas experiências podem, também, ser explicados pela fórmula (9.10). Uma tela de 1 mm de malha com fios de 0,2 mm de diâmetro, por exemplo, vai produzir um gradiente de velocidade superior a $300\,\text{s}^{-1}$ a uma velocidade de 10 cm/s, o que explica a ruptura dos flocos em malhas desta ordem de grandeza. Por outro lado, em uma tela de 1 cm de malha, com fios de 1,5 mm, o gradiente será da ordem de $30\,\text{s}^{-1}$, à velocidade de 5 cm/s, e $10\,\text{s}^{-1}$ à velocidade de 2 cm/s.

Efeito da compartimentação

As telas intercaladas em um canal opõem uma resistência localizada ao fluxo, tendendo a uniformizá-lo, reduzindo a incidência de curtos-circuitos e, assim, atuando como elementos de compartimentação. Há, dessa forma, uma possibilidade real de redução do tempo de residência necessário à floculação.

Sem considerar a erosão e a quebra de flocos, um modelo simplificado da floculação em um tanque com m câmaras em série pode ser representado por (9.6):

$$\frac{N_1}{N_m} = (1 + K\,G\,\frac{T}{m})^m \tag{9.11}$$

onde N_1 e N_m são, respectivamente, as concentrações das partículas na 1ª câmara e, na câmara de ordem m, G é o gradiente de velocidade, T o tempo total de floculação e K é uma constante do sistema, com um valor usual ao redor de 10^{-4}. Águas que floculam com facilidade apresentam valores mais elevados da constante K. O contrário, com águas de coagulação difícil.

141

Tratamento de água

A Fig. 9.4 foi traçada aplicando-se a equação (9.11) para duas condições extremas de coagulação. Uma resposta fácil à coagulação, como as águas do rio Iguaçu, e uma difícil resposta à coagulação, como as águas do rio Iraí, ambas em Curitiba. Verifica-se que, na pior das hipóteses, haveria a possibilidade de reduzir o tempo de floculação a cerca da metade do tempo de residência necessário a um tanque ou canal sem compartimentação, intercalando-se umas dez telas em série.

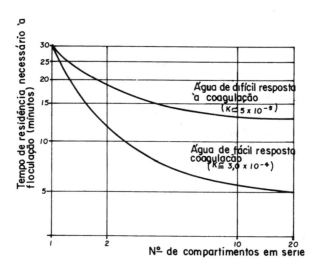

Figura 9.4 - Influência da compartimentação no tempo de residência necessária à floculação

Aplicações

As telas podem ser utilizadas em qualquer elemento da estação de tratamento, para produzir um gradiente de velocidade desejado. Se intercaladas no canal ou canalização de chegada de água bruta, vão produzir a turbulência necessária à mistura rápida dos produtos químicos. Podem substituir as paletas de um floculador mecânico, que, além de otimizar a floculação, podem passar a operar em menor velocidade, prolongando a sua vida útil.

Instaladas em trechos retos de canais de floculação hidráulica, onde o gradiente é geralmente muito baixo, vão gerar gradientes mais adequados, melhorando a floculação e permitindo um menor tempo de residência, seja por uma taxa mais elevada de colisões entre as partículas, devido ao aumento da superfície de cisalhamento (efeito da viscosidade), seja pelo efeito da compartimentação.

EXEMPLO 1: Uso como misturador rápido.

Uma tela com malha de 2 cm, com arames de 1/8" (3 mm), inserida em uma canalização onde a velocidade é de 1,30 m/s, irá produzir um gradiente de velocidade da ordem de $2.300 \, s^{-1}$, calculado como segue:

Floculação em malhas

Número de malhas por unidade de comprimento:

$$n = \frac{100}{2} = 50$$

Porosidade:

$$\varepsilon = (1 - nd)^2 = (1 - 50 \times 3 \times 10^{-3}) = 0,72$$

Coeficiente de perda de carga:

$$K = 0,55 \ \frac{1 - \varepsilon^2}{\varepsilon^2} = 0,55 \ \frac{1 - (0,72)^2}{(0,72)^2} = 0,50$$

Gradiente de velocidade (a 20°C):

$$G = 350 \sqrt{\frac{K}{e}} \ V^{1,5} = \sqrt{\frac{0,50}{0,02}} \ (1,30)^{1,5} = 2.594 s^{-1}$$

EXEMPLO 2: O esquema da Fig. 9.5 representa o canal de floculação da estação Tarumã. Essa estação tem uma floculação deficiente, devida principalmente ao curto tempo de residência (aproximadamente 10 minutos à vazão atual de 750 ℓ/s) e à má distribuição de gradientes de velocidade nos canais de floculação. Os gradientes são extremamente baixos (da ordem $5 s^{-1}$) nos longos trechos retos e elevados demais (60 a $180 s^{-1}$) nas mudanças de direção. A colocação de telas nos trechos retos vai gerar um campo de gradientes de velocidade mais adequado, além de aumentar a eficiência na floculação através do efeito de compartimentação.

No último trecho do canal de floculação poderão ser inseridas 15 telas espaçadas a cada dois metros.

O gradiente no canal é de apenas cerca de $5 s^{-1}$. As telas para maior eficiência na floculação, foram dimensionadas para gerar um gradiente de $40 s^{-1}$, conforme os cálculos que seguem.

Da equação (9.10), tira-se

$$\frac{K}{e} = (\ \frac{G}{350 \ V^{1,5}} \ )^2$$

$$V = \frac{0,750/2}{1,30 \times 1,50} = 0,192 m/s$$

143

$$\frac{K}{e} = \left(\frac{40}{350 \, (0{,}192)^{1,5}} \right)^2 = 1{,}845$$

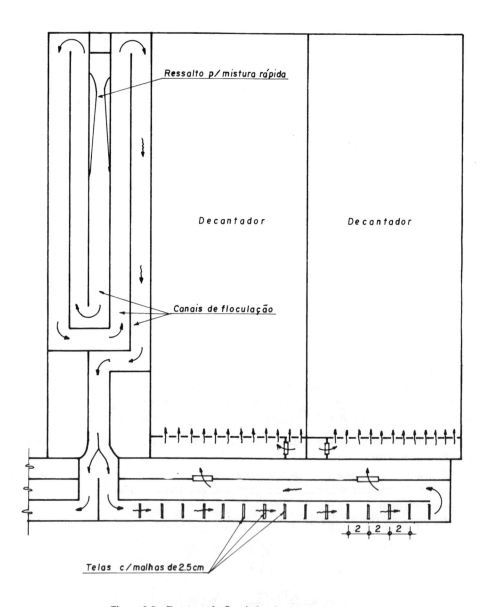

Figura 9.5 - Esquema do floculador da estação do Tarumã

Fazendo-se $e = 2,5\,cm$, resulta $K = 0,046$

$$K = 0,55\,\frac{1 - \varepsilon^2}{\varepsilon^2}$$

$$\varepsilon = \sqrt{\frac{0,55}{K + 0,55}} = \sqrt{\frac{0,55}{0,046 + 0,55}} = 0,96$$

Determinação do diâmetro dos fios

$$n = \frac{100}{2,5} = 40$$

$$\varepsilon = (1 - nd)^2$$

$$d = \frac{1 - \sqrt{\varepsilon}}{n} = \frac{1 - \sqrt{0,96}}{40} \cong 5,0 \times 10^{-4}\,m$$

ou seja, fios com $0,5\,mm$ de diâmetro.

OUTRAS PROPRIEDADES DAS TELAS

Uniformização de fluxo

Se V_1 e V_3 são pequenas variações longitudinais da velocidade média V, respectivamente à montante e à jusante de uma tela, então

$$\frac{V_3}{V_1} = \frac{2 - K}{2 + K} \tag{9.12}$$

A equação (9.12) demonstra, então, que uma tela com um coeficiente de perda de carga $K = 2$ tende a eliminar as variações de velocidade. Isso é válido para qualquer tela com porosidade igual a 0,464; por exemplo, uma tela de malha igual a 1 cm com fios de arame de aproximadamente 3 mm de diâmetro, satisfaz aquela condição.

Com essa finalidade, as telas podem ser usadas na entrada e/ou na saída de tanques de sedimentação, em filtros ou em qualquer lugar onde for necessária uma uniformização do fluxo.

Orientação de fluxo

Colocando uma tela a um ângulo de incidência diferente de 90° sobre uma corrente líquida, o fluxo pode ser desviado como ilustra a Fig. 9.6. Essa propriedade pode permitir a solução em alguns casos de curtos-circuitos em tanques de decantação, como sugere a Fig. 9.7.

CONCLUSÕES

Está demonstrado que as telas são dispositivos econômicos e eficientes de floculação, com inumeráveis e promissoras possibilidades de emprego em novos projetos e principalmente na ampliação e otimização de estações existentes.
Foi demonstrado que o gradiente de velocidade numa tela é função da velocidade do fluxo e das características geométricas da tela, tais sejam o espaçamento e o diâmetro dos fios da malha. Lidando com os elementos geométricos da tela, poder-se-á obter

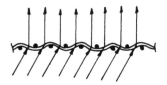

Figura 9.6

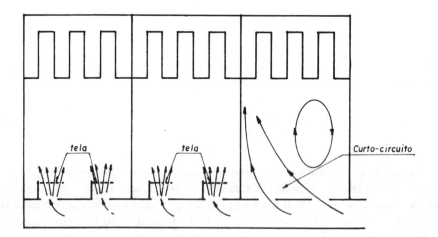

Figura 9.7

valores adequados do gradiente de velocidade para uma dada velocidade no canal, podendo-se adotar velocidades mais elevadas, como 10 a 30 cm/s, por exemplo, a fim de prevenir uma sedimentação excessiva no floculador.

Os estudos já realizados, permitem uma previsão qualitativa de que é possível uma redução considerável no tempo de floculação, podendo resultar em substancial economia na realização de obras de ampliação ou de novas instalações. Por outro lado, em unidades deficientes, poder-se-á melhorar sensivelmente a qualidade da água tratada.

Do ponto de vista prático, é fácil instalar telas em qualquer elemento de um canal ou tanque de floculação, seja como dispositivo hidráulico ou mecânico de floculação.

Além disso, as telas podem ser usadas como dispositivos uniformizadores e/ou direcionadores de fluxo, abrindo ainda mais seu campo de aplicação em estações de tratamento, onde são freqüentes os casos indesejáveis de curtos-circuitos.

Os trabalhos até então realizados, não permitem chegar a conclusões definitivas sobre o emprego das telas em estações de tratamento, porém são suficientes para permitir a aplicação prática desses dispositivos, com relativa segurança quanto aos resultados esperados. A continuação dos estudos em andamento e o recolhimento de informações em instalações onde forem instalados tais dispositivos, permitirão, em breve tempo, a consolidação e a generalização de seu uso, certamente com excelentes vantagens econômicas e operacionais.

REFERÊNCIAS BIBLIOGRÁFICAS

[1] RIDDICK, T.M. — Apostila do curso "Advanced Technologies on Water Clarification". Universidade Central da Venezuela/OPS - setembro de 1969.
[2] COMPANHIA DE SANEAMENTO DO PARANÁ - SANEPAR — "Projeto de Ampliação da Estação de Tratamento do Iguaçu". Eng.os Carlos Alfredo Richter e Clodoaldo dos Santos Balkowiski - Curitiba - Nov. 1979.
[3] WARD-SMITH, J.A. — "Internal Fluid Flow". Clarendon Press, Oxford 1980.
[4] RICHTER, C.A. — "Fundamentos Teóricos da Floculação em Meio Granular — Revista ENGENHARIA, São Paulo, 1981.
[5] SNEL, H. e ARBOLEDA VALENCIA, J. — "Influencia de la Escala dè Turbulencia en el Processo de Floculacion del Água". Separata da Revista ACODAL n.º   . Bogotá, Colombia, Dez, 1982.
[6] HARRIS H.S., W.J. KAUFMAN e R.B. KRONE — "Orthokinetic Flocculation in Water Purification" - J. Envirom. Eng.º Div. ASCE n.º 92 - 1968.

10

Projeto racional de decantadores

INTRODUÇÃO

O projeto de estações de tratamento tradicionalmente tem sido baseado em critérios empíricos, muitos dos quais, efetivamente, são conseqüência de critérios racionais aplicados a algumas instalações que deram bons resultados e, então, erroneamente tomados como critérios de projeto de uso geral.

É o caso, por exemplo, do dimensionamento de decantadores, que, até recentemente, era baseado no tempo de detenção, fixado geralmente entre 2 e 4 horas. De fato, o tempo de detenção é uma conseqüência da aplicação do conceito de taxa de escoamento superficial, com a fixação de uma velocidade longitudinal máxima admissível e, por si próprio, não se constitui em um critério racional.

Atualmente, o falso critério mais usado nos decantadores de alta taxa tem sido o número de Reynolds, acreditando-se que, quanto mais baixo seu valor, melhores seriam os resultados. Tem-se recomendado um "mínimo de 500, ou, de preferência, menor que 250". O número de Reynolds é, na realidade, o resultado da aplicação de outros critérios que, bem aplicados, dão origem a instalações eficientes, mesmo a números de Reynolds da ordem de 1700, como é o caso da estação de tratamento de água da cidade de Toledo (PR).

Neste capítulo, procura-se, através da revisão dos conceitos básicos da sedimentação, rever os critérios de dimensionamento e demonstrar aplicações práticas, de forma didática e crítica, com o objetivo de estimular a aplicação de critérios racionais no projeto de decantadores.

O processo de sedimentação para a remoção de partículas sólidas em suspensão é um dos mais comuns no tratamento da água. Consiste na utilização das forças gravitacionais para separar partículas de densidade superior a da água, depositando-as em uma superfície ou zona de armazenamento. As partículas que não são removidas na sedimentação, seja por seu pequeno tamanho ou por serem de densidade muito próxima a da água, deverão ser removidas na filtração.

Normalmente a água contém materiais finamente divididos, no estado coloidal

Projeto racional de decantadores

ou em solução, que não podem ser removidos por sedimentação simples, sendo necessária a adição de coagulante para formar aglomerados ou flocos que sedimentam com facilidade. A sedimentação, com coagulação prévia, é um processo de clarificação usado na maioria das estações de tratamento, visando reduzir a carga de sólidos aplicada aos filtros.

A sedimentação de partículas floculentas é usualmente chamada de decantação e, as unidades onde se realiza este processo, de tanques de decantação ou, simplesmente, decantadores.

Os primeiros decantadores foram tanques de fluxo horizontal. Suas principais vantagens residem em sua inerente simplicidade, alta eficiência e baixa sensibilidade a condições de sobrecarga. Por esses motivos, sua utilização é ainda defendida por diversos engenheiros.

Seu mais recente e forte concorrente é o chamado decantador tubular ou de alta taxa, o qual, se resultante de um projeto hidráulico adequado, tem uma eficiência pelo menos igual aos daqueles.

Entre o clássico decantador de fluxo horizontal e os modernos decantadores tubulares, encontram aplicação, notadamente no tratamento de água para a indústria, os decantadores de fluxo vertical, como os clarificadores de manto de lodos com ou sem recirculação, e uma série de sistemas patenteados semelhantes, originados dos "precipitadores" usados no processo de abrandamento da água com cal-soda.

TEORIA DOS DECANTADORES

O comportamento hidráulico dos decantadores, ao proporcionar as condições adequadas à sedimentação, pode ser analisado a partir da teoria de Hazen (1904), que admite:

a) Regime de fluxo laminar na zona de sedimentação;
b) Fluxo perfeitamente uniforme na zona de sedimentação;
c) A concentração de partículas é uniforme;
d) Não há resuspensão de sólidos já sedimentados.

Com base nessa teoria, uma partícula que está sedimentando com uma velocidade V_{CS}, e sendo arrastada pela água que escoa a uma velocidade V_O em um elemento tubular inclinado θ graus em relação à horizontal (Fig. 10.1), irá descrever a trajetória AB, por semelhança de triângulos:

$$\frac{V_O - V_{CS} \cdot \text{sen } \theta}{V_{CS} \cdot \cos \theta} = \frac{1}{d}$$

Fazendo $1/d = L$, a equação acima pode ser escrita

149

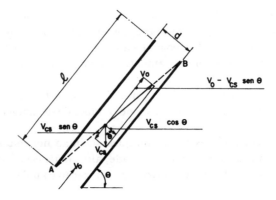

Figura 10.1 - Modelo simplificado da sedimentação em um elemento tubular

$$V_{CS} = \frac{V_O}{\text{sen } \theta + L \cos \theta} \qquad (10.1)$$

V_{CS} é chamada velocidade crítica de sedimentação, porque todas as partículas com velocidade de sedimentação V_S igual ou superior a V_{CS} serão, teoricamente, removidas no decantador.

A equação acima, devida a Weijman-Hane (1966), é válida para fluxo uniforme através de placas planas paralelas. Yao (1970) generalizou essa equação, para movimento laminar, tendo encontrado que a eficiência de um sistema de decantação tubular varia com a sua configuração segundo um fator S, igual a 1 para placas planas, 4/3 para tubos circulares e 11/8 para condutos quadrados, valores estes deduzidos considerando a distribuição de velocidade em regime de fluxo laminar no interior dos elementos tubulares. Na entrada desses elementos há uma zona de transição entre regime turbulento e laminar, cujo comprimento relativo em tubos circulares pode ser determinado através da expressão seguinte:

$$L_t = 0{,}058 \; \frac{V_o \, d}{\nu} \qquad (10.2)$$

Esse valor pode ser deduzido do comprimento relativo total para efeito de segurança no cálculo de decantadores tubulares, resultando a equação seguinte:

$$V_{CS} = \frac{S V_o}{\text{sen } \theta + L \, (1 - 0{,}058 \, V_o \cdot d) \cos \theta} \qquad (10.3)$$

forma modificada da equação (10.1).

INFLUÊNCIA DO COMPRIMENTO RELATIVO E DA INCLINAÇÃO NA DECANTAÇÃO TUBULAR

A Fig. 10.2 mostra que a eficiência do decantador cresce proporcionalmente ao comprimento relativo $L = 1/d$, mantido o ângulo θ constante. Se $\theta = 60°$, e $L = 20$, o decantador removerá partículas com velocidade de sedimentação igual a metade do valor correspondente a $L = 10$. Nos módulos patenteados são utilizados valores de L entre 10 e 12. Excelentes resultados têm sido obtidos em projetos que utilizam placas planas paralelas com valores de L entre 20 e 24.

A eficiência dos decantadores tubulares decresce, à medida que se aumenta a inclinação. Pode-se observar (Fig. 10.3) uma diminuição lenta e gradual do rendimento, o qual diminui rapidamente para valores de θ superiores a 60°.

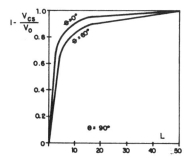

Figura 10.2 - Influência de L na eficiência do decantador

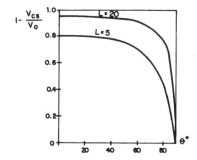

Figura 10.3 - Influência da inclinação na eficiência do decantador

VELOCIDADE LONGITUDINAL MÁXIMA, CONDIÇÕES PARA EVITAR ARRASTE DE FLOCOS

Uma partícula depositada no fundo do decantador será arrastada a uma velocidade igual ou superior a

$$V_o = \left(\frac{8}{f} \right)^{1/2} V_{CS} \qquad (10.4)$$

onde:

V_o = velocidade longitudinal
V_{CS} = velocidade crítica de sedimentação
f = coeficiente de atrito de Fanning

Tratamento de água

Se o fluxo é laminar com $N_R < 2000$, $f = 64/N_R$; se o fluxo é turbulento, com $N_R \geqslant 15000$, pode-se tomar f constante e igual a 0,025. Nesse caso, válido para a maioria dos decantadores horizontais, resulta

$$V_o = 18\,V_{CS} \tag{10.5}$$

EXEMPLO 1: Determinar a velocidade de arrasto para flocos de sulfato de alumínio que sedimentam à velocidade de 0,0208 cm/s (18 m/dia) e 0,0832 cm/s (72 m/dia).

·SOLUÇÃO:

Aplicando a equação 5, obtém-se

$$V_o = 18 \times 0,0208 = 0,4\,\text{cm/s e}$$

$$V_o = 18 \times 0,0832 = 1,5\,\text{cm/s, respectivamente.}$$

A secção transversal do decantador deve, assim, ter área tal que resulte velocidade inferior a 18 V_{CS}. Em decantadores de fluxo horizontal, recomenda-se que a velocidade de escoamento longitudinal seja sempre inferior a 1,5 cm/s. Nos decantadores de limpeza manual, esta velocidade deve ser inferior a 0,75 cm/s (preferencialmente $\leqslant$ 0,5 cm/s).

Nos decantadores tubulares, onde resultam condições de fluxo laminar, a velocidade longitudinal é limitada a valores bem mais restritos. Por exemplo, se $N_R = 500$, $f = 0,13$ e $V_o = 8\,V_{CS}$. Para um floco que sedimenta a uma velocidade de 0,035 cm/s (30 m/dia) a velocidade longitudinal máxima seria limitada a 0,28 cm/s (240 m/dia). Isso está de acordo com diversas experiências cujos resultados levaram Yao (1972) a recomendar velocidades médias nos elementos tubulares não superiores a 0,30 cm/s (260 m/dia). Um baixo número de Reynolds é uma conseqüência da geometria dos elementos tubulares e da velocidade do fluxo no seu interior, e não uma condição de projeto, como ocorre supor. De fato, dispositivos como o indicado na Fig. 10.4, onde as barras transversais prejudicam a formação de um fluxo laminar puro, são comparativamente mais eficientes.

Quando o regime é laminar, a equação 10.6 toma a forma $V_o = \left(\dfrac{N_R}{8}\right)^{0,5} V_{CS}$, demonstrando que, para um resultado desejado, ou seja, fixado V_{CS}, quanto maior o número de Reynolds maior pode ser a velocidade longitudinal máxima V_o, o que significa maior eficiência. Isso foi comprovado no projeto da cidade de Toledo (PR), onde os decantadores trabalham a um número de Reynolds ao redor de 1700, com 100% de rendimento, fato que se vai demonstrar na secção final deste trabalho.

O oposto, infelizmente, também é verdadeiro. Algumas instalações em que o número de Reynolds é bastante baixo, mas com velocidade longitudinal suficientemente pequena, verifica-se geralmente um resultado pobre, com arrasto de flocos, aparentemente sem explicação.

152

Figura 10.4

DECANTADORES DE FLUXO HORIZONTAL

Se o decantador é de fluxo horizontal, $\theta = 0°$, e a equação (10.3) fica igual a

$$V_{CS} = \frac{V_o}{L} \qquad (10.6)$$

Sendo um decantador retangular simples (sem dispositivos tubulares), como esquematizado na Fig. 10.5. $L = h/l$ e

$$V_{CS} = \frac{h}{l} V_o$$

multiplicando e dividindo a equação acima por b, vem:

$$V_{CS} = \frac{b\,h\,V_o}{b\,l} \;,$$

ou, como $bh \cdot V_o = Q$ e $b\,l = A$ (área horizontal do decantador).

$$V_{CS} = \frac{Q}{A} \qquad (10.7)$$

TAXA DE ESCOAMENTO SUPERFICIAL

A relação Q/A é conhecida como taxa de escoamento superficial e é, usualmente, dada em m³/m² × dia (m/dia). A taxa de escoamento superficial é numericamente

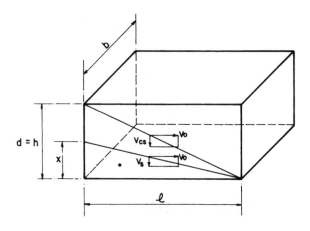

Figura 10.5

igual à velocidade crítica de sedimentação. Todas as partículas com velocidade de sedimentação igual ou superior a V_{CS} serão integralmente removidas no decantador. Partículas com velocidade de sedimentação menores que V_{CS} só serão removidas se entrarem no decantador (Fig. 10.5) a uma profundidade do fundo não superior a $x = V_S . t_o$, sendo t_o tempo nominal de detenção. Como

$$t_o = \frac{V}{Q} = \frac{b \cdot 1 \cdot h}{A \cdot V_{CS}} = \frac{b 1 h}{b 1 V_{CS}} = \frac{h}{V_{CS}}$$

A proporção de partículas com $V_{CS} < V_{CS}$ removidas será

$$\frac{x}{h} = \frac{V_S}{V_{CS}} \tag{10.8}$$

Os flocos de sulfato de alumínio geralmente sedimentam a uma velocidade compreendida entre 0,02 e 0,08 cm/s, ou seja, entre 18 e 70 m³/m² × dia (ex. 1). Em primeira análise, poder-se-ia concluir, pois, que a taxa de escoamento superficial deve ficar entre esses valores.

Com os recursos modernos, compreendendo a dispersão de reagentes, a coagulação com agentes auxiliares e a floculação mais eficiente, consegue-se obter flocos com melhores condições de sedimentação. Por outro lado, o aperfeiçoamento no projeto dos decantadores possibilita a redução de espaços perdidos e de correntes prejudiciais. Em conjunto, essas condições mais favoráveis asseguram a possibilidade de adoção de taxas mais elevadas, muito superiores às que prevaleciam em anos passados.

A limitação da velocidade longitudinal máxima a um valor adequado para evitar

Projeto racional de decantadores

o arrasto e a resuspensão de flocos já depositados, irá impor uma condição de profundidade mínima nos decantadores. A partir da equação 10.5, demonstra-se que

$$\frac{1}{h} = \frac{A}{a} \leqslant 18 \qquad (10.9)$$

onde: 1, h são respectivamente o comprimento e a profundidade do decantador; A, a, áreas da superfície e da secção transversal.

A profundidade dos decantadores convencionais tem sido adotada geralmente entre 3,5 a 4,5 m. Pode-se adotar profundidades menores quando se faz a remoção contínua de lodos.

Com a fixação de uma profundidade mínima resulta um tempo de detenção, parâmetro indevidamente usado como critério básico de projeto há algum tempo.

Com essas considerações, o Quadro 10.1, em anexo, resume os critérios básicos de dimensionamento usualmente adotados.

RELAÇÃO ENTRE O COMPRIMENTO E A LARGURA

Nos decantadores de fluxo horizontal, deve-se ter uma relação conveniente entre o comprimento e a largura. Comprimento relativamente pequenos dificultam a boa distribuição da água. Comprimentos relativamente grandes podem resultar em velocidades longitudinais elevadas que causam o arrasto de flocos.

Geralmente são aceitos os limites seguintes:

$$2,25 \leqslant \frac{1}{b} < 10$$

Mais comumente: $1/b = 3$ a 4

DECANTADORES TUBULARES OU DE ALTA TAXA

Os decantadores tubulares resultam de um aperfeiçoamento recente nos decantadores com fundo múltiplos, surgidos a partir de 1915 como aplicação da teoria da decantação estabelecida em 1904 por Hazen que havia concluído: "A ação de um tanque de sedimentação depende de sua área e não de sua profundidade, uma subdivisão horizontal produziria uma superfície dupla para receber sedimentos, em lugar de uma única, e duplicaria a capacidade de trabalho. Três subdivisões a triplicariam e, assim, sucessivamente. Se o tanque pudesse ser cortado por uma série de bandejas horizontais, em um grande número de células de pouca profundidade, o incremento de efi-

155

Quadro 10.1 — Critérios básicos para o dimensionamento de decantadores de fluxo horizontal convencionais

Características da instalação	Taxa de Escoamento superficial ($m^3/m^2 \times dia$)	Velocidade longitudinal máxima (cm/s)	Tempo de detenção (horas)
— Instalações pequenas, controle operacional precário	20 – 30	0,4 – 0,6	3 – 4
— Instalações projetadas com nova tecnologia, controle operacional razoável	30 – 40	0,6 – 0,8 (*)	2,5 – 3,5
— Idem, controle operacional bom	35 – 45	0,7 – 0,9 (*)	2 – 3
— Grandes instalações, uso de auxiliares de coagulação e controle operacional excelente	40 – 60	0,6 – 1,25 (*)	1,5 – 2,5

(*) A adoção de valores superiores a 0,75 cm/s implicará necessariamente, na remoção contínua dos lodos depositados, por sistemas mecânicos (raspadores de lodo) ou hidráulicos.

Projeto racional de decantadores

ciência seria muito grande". A seguir, reconhecia: "O problema prático mais difícil de resolver é o método de limpeza...". Somam-se a esse, dificuldades com equipamentos, com distribuição desigual de fluxo e com a falta de materiais adequados.

Em face desses problemas, os projetistas abandonaram a idéia de executar decantadores com fundos ou bandejas em grande número. Continuaram a ser construídos, entretanto, decantadores de dois ou três "andares", com lajes ou fundos intermediários, espaçados de 1,5 a 2,5m, como o exemplificado na Fig. 10.6.

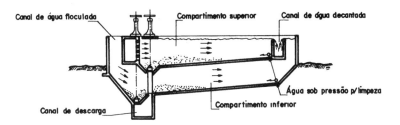

Figura 10.6 - Decantador de fundo múltiplo

Como esse, são exemplos típicos de decantadores das estações de tratamento de Estocolmo (2 andares), de Paris (3 andares) e de Tóquio (também com 3 andares).

Sendo resolvidos adequadamente os problemas apontados, a solução baseada em um número grande de bandejas ou superfícies de decantação, teoricamente iria conduzir a resultados plenamente satisfatórios.

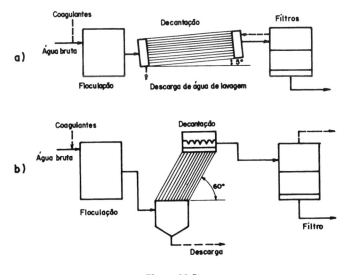

Figura 10.7

157

Tratamento de água

Finalmente, nos anos setenta, esses problemas passam a encontrar soluções adequadas. As primeiras aplicações práticas de Culp e colaboradores (1967-1968) e os trabalhos teóricos de Yao (1970) promovem uma verdadeira renovação dessa técnica.

Uma série de elementos tubulares, como o da Fig. 10.7, de pequeno diâmetro ($\sim$ 5 cm), são agrupados de forma a atuar como uma unidade ou módulo. Quando a inclinação é nula ou pequena, o tubo gradualmente se enche de sólidos sedimentares e, periodicamente, torna-se necessária a sua limpeza através da reversão do fluxo. A autolimpeza se realiza dando-se uma inclinação adequada, usualmente entre 50° e 60°, para que o lodo se escoe continuamente. A ângulos maiores que 60° a eficiência dessas unidades decresce rapidamente, enquanto que a ângulos menores que 50° o lodo não escorre facilmente para o fundo do decantador.

Os elementos tubulares podem ser módulos tubulares de plástico, como os sistemas patenteados da Fig. 10.8a, tubos de secção quadrada ou retangular (Fig. 10.8b), placas planas de madeira ou de cimento-amianto. A utilização de lonas plásticas esticadas é uma solução bastante econômica, principalmente, tratando-se do aumento de capacidade de um decantador de fluxo horizontal existente (Fig. 10.9).

No Brasil, os primeiros dispositivos de decantação tubular foram empregados na estação de Barra Mansa (RJ) e bandejas de madeira na estação de Itajaí, pelo Eng° Renato Giraux Pinheiro, no final da década de sessenta, realizando, assim, um trabalho pioneiro e valioso para o País. Seguiram-se os projetos de Araucária (PR) e Botucatu (SP) no início da década de setenta e, desde então, não só no Brasil, mas em toda a América Latina, foram utilizados decantadores tubulares em diversos projetos, aceitos agora sem restrições em novas estações ou em ampliações de existentes.

DIMENSIONAMENTO

Em um elemento tubular inclinado a θ (Fig. 10.1), é válida a relação (equação 10.1):

$$V_S = \frac{S\,V_0}{\text{sen } \theta + L \cos \theta}$$

Nessa equação, V_0, é a velocidade longitudinal

$$V_0 = \frac{Q}{A_0} \qquad (10.10)$$

e A_0 é a área normal ao fluxo. Sendo A a área superficial do decantador

$$A_0 = A \text{ sen } \theta \qquad (10.11)$$

158

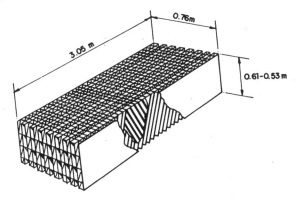

a) Módulos de tubos quadrados (Neptune – Microfloc)

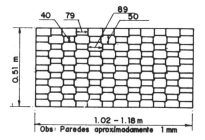

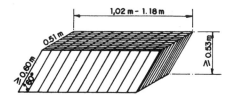

b) Módulos de tubos retangulares "Tigre"

Figura 10.8 - Módulos tubulares para decantadores

Tratamento de água

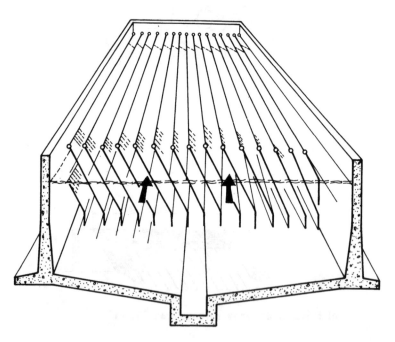

Figura 10.9 - Decantador tubular de fluxo horizontal com lonas plásticas.

Projeto racional de decantadores

resultando

$$V_{CS} = \frac{SQ}{A \; sen \; \theta \; (sen \; \theta + L \; cos \; \theta)} \qquad (10.12)$$

fazendo

$$\frac{sen \; \theta \; (sen \; \theta + L \; cos \; \theta)}{S} = F \qquad (10.13)$$

onde F pode ser chamado de fator de forma, a equação (10.12) se reduz a

$$V_{CS} = \frac{Q}{FA} \qquad (10.14)$$

No dimensionamento há que se adicionar a área devida à espessura dos elementos tubulares, principalmente quando são de cimento-amianto ou de madeira.

NOTA: Ao se tomar valores de L suficientemente grandes ou baixas taxas de aplicação, como no exemplo que segue, não é necessário ser rigoroso nos cálculos ao ponto de considerar a extensão de transição de movimento turbulento a laminar.

EXEMPLO 2: Um decantador deverá ser dimensionado para remover 100% de partículas com velocidade de sedimentação igual ou superior a 2,0 cm/min (28,8 m³/m² × dia). A vazão de projeto será 100 l/s e o decantador será dividido em duas secções separadas por um sistema de canais como indicado na Fig. 10.10. Serão utilizadas placas planas de cimento-amianto medindo 1,20 m × 2,40 m com 8 mm de espessura. As placas serão inclinadas a 60° e separadas entre si de 10 cm em uma linha horizontal (Fig. 10.11). Calcular as dimensões em planta desse decantador e verificar se a velocidade longitudinal é suficientemente baixa para evitar o arrasto de flocos para o efluente.

SOLUÇÃO:

A distância d entre as placas, normal ao fluxo, é (Fig. 10.11):

$$d = 10 \; sen \; 60° - 0,8 = 7,9 \; cm$$

onde:

$$N_R = \frac{2 \, V_o \, d}{\nu} \qquad (10.15)$$

161

Tratamento de água

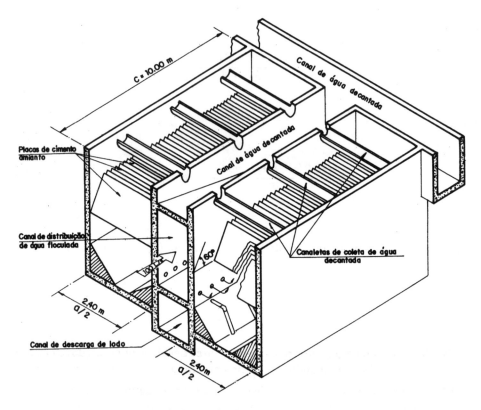

Figura 10.10 - Esquema do decantador de placas paralelas inclinadas a 60° (exemplo 3)

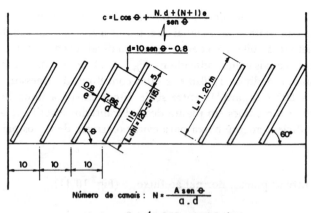

A= Área superficial útil
d = Distância entre as placas
a = Largura total do decantador

Figura 10.11

Projeto racional de decantadores

Como sen θ é pequeno em relação a $L \cos \theta$ ($L \geqslant 12$, por critério de projeto), a equação 10.1 pode ser simplificada.

$$V_o = V_{CS} \cdot L \cos \qquad (10.16)$$

Substituindo V_o da equação 4 na equação 10.16, vem

$$V_{CS} \, L \cos \theta = \frac{(N_R)^{0,5}}{8} \, V_{CS}$$

ou

$$N_R = 8 \, L^2 \cos^2 \theta$$

Substituindo o valor do número de Reynolds dado na equação 10.15 e fazendo $\theta = 60°$, vem

$$V_{CS} = \frac{2 \, \nu \, L}{d} \qquad (10.17)$$

ou

$$V_{CS} = \frac{2 \, \nu \, l}{d^2} \qquad (10.17a)$$

o que demonstra ser a velocidade crítica de sedimentação, V_{CS}, independente do número de Reynolds, função apenas das características geométricas l e d (Fig. 10.1) e da temperatura da água. Deduz-se, também, as seguintes relações

$$N_R = 2 \, L^2 \qquad (10.18)$$

$$V_o = \frac{L}{2} \, V_{CS} \qquad (10.19)$$

ROTEIRO DE CÁLCULO

1) Pela equação 10.17 (ou 10.17a), calcula-se o comprimento relativo mínimo

$$L = \frac{V_{CS} \cdot d}{2 \, \nu}$$

O comprimento útil do elemento tubular (compreendido entre dois planos perpendiculares ao fluxo nas extremidades de duas placas consecutivas, Fig. 10.11) é

$$\ell_u = \ell - 10 \cos \theta = 120 - 5 = 115 \, cm$$

O comprimento relativo será

$$L = \frac{\ell_u}{d} = \frac{115}{7,9} = 14,6$$

2) Da equação 10.14 tira-se

$$A = \frac{Q}{F \cdot V_S}$$

$$V_S = 2,0 \, cm/min \cong 3,3 \times 10^{-4} m/s$$

$$F = \frac{sen \, \theta \, (sen \, \theta + L \, cos \, \theta)}{S}$$

Para placas planas paralelas, $S = 1$, assim

$$F = 0,866 \, (0,866 + 14,6 \times 0,5) = 7,07$$

A área superficial útil resulta

$$A = \frac{0,100}{7,07 \times 3,33 \times 10^{-4}} = 42,5 \, m^2$$

3) O número de canais formados entre as placas será (Fig. 10.11):

$$N = \frac{A \, sen \, \theta}{a \times d}$$

onde a = largura total do decantador. Como são duas secções, com placas de 2,4m de largura cada uma, $a = 2 \times 2,40 = 4,80 \, m$, e

Projeto racional de decantadores

$$N = \frac{42,5 \times 0,866}{4,80 \times 0,079} = 97$$

4) O comprimento total do decantador será, então

$$C = \ell \cos \theta + \frac{N \cdot d + (N + 1) \cdot e}{\text{sen } \theta}$$

sendo $e = 0,008\,m$ a espessura das placas

$$C = 1,20 \times 0,5 + \frac{97 \times 0,079 + 98 \times 0,008}{0,866} = 10,0\,m$$

5) A velocidade longitudinal no interior dos elementos tubulares é

$$V_o = \frac{Q}{A \text{ sen } \theta} = \frac{0,100}{42,5 \times 0,866} = 0,0027\,m/s = 0,27\,cm/s$$

O número de Reynolds resultante a 20°C é

$$N_R = \frac{4\,R_H \times V_o}{\nu}$$

onde: $R_H = \dfrac{a \times d}{2\,(a + d)} = \dfrac{2,20 \times 0,079}{2\,(2,20 + 0,079)} = 0,038 = 3,8\,cm$

$$N_R = \frac{4 \times 3,8 \times 0,27}{0,01} = 412$$

A velocidade longitudinal máxima deverá ser (da equação 10.6, para movimento laminar):

$$V_o = (\frac{N_R}{8})^{0,5}\,V_{CS} = (\frac{412}{8})^{0,5}\,V_{CS} = 7,2\,V_{CS}$$

$$V_o = 7,3 \times 0,033\,cm/s = 0,24\,cm/s$$

165

Tratamento de água

Portanto, valores bem próximos entre si, podendo-se concluir que o decantador está bem dimensionado.

MÉTODO SIMPLIFICADO PARA O DIMENSIONAMENTO DE DECANTADORES DE PLACAS PARALELAS

No exemplo anterior, a velocidade longitudinal resultou em valores próximos, mas não iguais, calculados respectivamente pelo critério da taxa equivalente (velocidade crítica de sedimentação) e pela máxima velocidade de arrasto. Impondo a condição de que estes dois critérios conduzam ao mesmo resultado, chega-se a um método de cálculo direto.

É suficiente resolver o sistema de equações a duas incógnitas, V_o e L, sendo dado V_{CS}

$$V_o = (\text{sen } \theta + L \ cos \ \theta) \ V_{CS} \tag{10.1}$$

$$V_o = (\frac{N_R}{8})^{0,5} \ V_{CS} \tag{10.4}$$

1) Com os dados do exemplo anterior seria

$$L = \frac{0,33 \times 7,9}{0,01} = 13$$

2) Com L calcula-se V_o, pela equação 19

$$V_o = \frac{13}{2} \times 0,033 = 0,22 \, cm/s$$

3) Como segurança adicional, recomenda-se acrescentar 10 a 20% no comprimento calculado para as placas. Assim, adicionando-se 10% ao valor anteriormente calculado, deve-se adotar

$$L = 1,10 \times 13 = 14,3$$

> ADVERTÊNCIA: A eficiência de um decantador, adicionalmente ao cálculo correto de sua área superficial, é dependente de sistemas de entrada e de saída bem projetados. Caso contrário, todo o projeto irá falhar.

DECANTADORES TUBULARES DE FLUXO HORIZONTAL

Se o decantador tubular tem fluxo horizontal, a área superficial será conseqüência da relação $L = \ell/d$ e da velocidade longitudinal. Fazendo $\theta = 0°$, e não considerando o comprimento de transição entre o regime turbulento e laminar, a equação 10.5 reduz-se a

$$V_{CS} = \frac{SV_o}{L} \qquad (10.20)$$

O dimensionamento resume-se, assim, fixado L, a encontrar uma velocidade longitudinal, V_o, que satisfaça simultaneamente a equação acima e a equação 10.4:

$$V_o = \left(\frac{8}{f}\right)^{1/2} V_{CS}$$

O decantador tubular de fluxo horizontal pode ter placas paralelas inclinadas a um ângulo superior a 50°, para que o lodo sedimentado escoe continuadamente para o fundo do decantador, como a instalação da Fig. 10.9.

Da Fig. 10.12, deduz-se que a distância vertical de queda do floco com a velocidade crítica de sedimentação, V_{CS}, é

$$h = d\, tg\, \alpha \qquad (10.21)$$

sendo d a separação, e α o ângulo de inclinação das lâminas paralelas.
Portanto,

$$L = \frac{\ell}{d\, tg\, \alpha} \qquad (10.22)$$

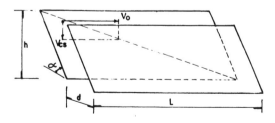

Figura 10.12

Tratamento de água

EXEMPLO 3: O decantador da Fig. 10.9, na cidade de Toledo (PR), foi, originalmente, um decantador convencional de fluxo horizontal com as dimensões em planta: comprimento = 15,0m, largura = 6,0m. Duplicou-se a súa capacidade inicial de 30ℓ/s, transformando-o em decantador tubular através de lonas plásticas esticadas e inclinadas a 60°, mantendo a mesma eficiência. Demonstrar os cálculos.

SOLUÇÃO:

1) Nas condições primitivas, o decantador teoricamente devia remover 100% das partículas com velocidade de sedimentação igual ou superior a (equação 10.9):

$$V_{CS} = \frac{Q}{A} = \frac{0,030 \, m^3/s}{6,0m \times 15,0m} = 3,33 \times 10^{-4} \, m/s$$

$$= 0,0033 \, cm/s \, (28,8 \, m^3/m^2 \times dia)$$

2) Da equação 10.20 tira-se ($S = 1$)

$$L = \frac{V_o}{V_{CS}}$$

e, fixando inicialmente $V_o = 0,5 \, cm/s$, resulta

$$L = \frac{0,5}{0,033} = 15$$

Por segurança, podemos fazer $L = 30$

3) Da equação 10.22

$$\ell = L \cdot d \cdot tg \, \alpha$$

$$\ell = 30 \times d \times 1,736 = 50d$$

Fazendo um espaçamento $d = 0,20m \, (20cm)$

$$\ell = 50 \times 0,20 = 10m$$

168

Projeto racional de decantadores

4) Verificação da velocidade longitudinal

$$N_R = \frac{2\,V_o\,d\cdot \text{sen}\,\alpha}{\nu} = \frac{2\times 0,5\times 20\times 0,866}{0,01} = 1730$$

$$V_o = (\frac{N_R}{8})^{0,5}.\,V_{CS} = (\frac{1730}{8})^{0,5}\times 0,033 =$$

$$= 0,49\,\text{cm/s} \cong 0,5\,\text{cm/s},$$

portanto, está satisfeita a condição de velocidade longitudinal máxima.

5) A secção transversal deverá ter uma área

$$A = \frac{Q}{V_o} = \frac{0,060\,\text{m}^3/\text{s}}{0,5\times 10^{-2}} = 12\,\text{m}^2$$

resultando uma profundidade dos elementos tubulares

$$h = \frac{12,0}{6,0} = 2,0\,\text{m},$$

conforme o corte indicado na Fig. 10.13.

APLICAÇÃO PRÁTICA — A ESTAÇÃO DE TRATAMENTO DE TOLEDO (PR)

Em sua concepção original, a Estação de Tratamento de Água de Toledo (sudoeste do Paraná) dispõe de calha Parshall, para medida de vazão e dispersão do coagulante; floculadores mecânicos, para aglutinação das partículas coaguladas; decantadores, para deposição dos flocos e filtros rápidos, para remoção de flocos de pequenas dimensões e microorganismos que não tenham sido removidos nos decantadores. É de concepção clássica e parâmetros de dimensionamento conservadores; daí a possibilidade de ampliar-lhe a capacidade — sem a construção de novas unidades a não ser um filtro — mediante o projeto de decantadores de alta taxa, dimensionados segundo as orientações propostas neste trabalho.

Inicialmente, a ETA tratava 60 ℓ/s e, com as modificações introduzidas, passou a tratar 130 ℓ/s, mantendo-se e até melhorando levemente a qualidade do efluente, que sempre foi satisfatória.

O prazo para execução das obras era muito curto — dois a três meses — por isso optou-se pelo emprego de lonas plásticas esticadas, para formar o decantador tubular.

169

Como este ocupa apenas uma função do decantador existente (Fig. 10.13), o restante deste foi utilizado para completar o tempo de floculação necessário, construindo-se canais de chicanas, de fluxo horizontal, com telas, para proporcionar os gradientes necessários.

O trajeto da água no dispositivo de decantação, incluindo zonas de entrada e de saída, é da ordem de 12 m. Foram previstas telas na entrada e na saída, com porosidade tal a assegurar a uniformidade de distribuição de fluxo, porém ainda não instaladas, com o que, certamente, os resultados teriam sido ainda melhores.

Os cálculos seguiram a mesma seqüência do exemplo 3, com os seguintes resultados finais: número de Reynolds, à temperatura de 20°C, 1700; carga superficial equivalente a um decantador convencional de fluxo horizontal (V_{CS}), $16 m^3/m^2 \times dia$.

A reforma manteve o sistema original de limpeza, com descargas periódicas,

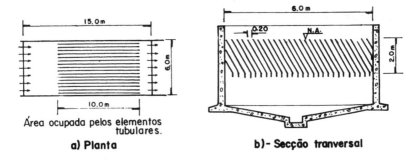

Figura 10.13 - Esquema do decantador do exemplo 3

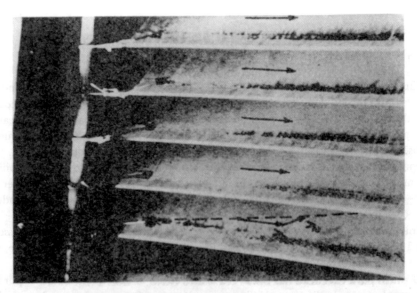

Figura 10.14 - Detalhe do decantador com lâminas plásticas esticadas (Toledo - PR)

Projeto racional de decantadores

Figura 10.15 - Detalhe de fixação das lonas. ETA de Toledo - PR

Figura 10.16 - Vista da saída da água decantada. ETA de Toledo - PR

171

aproximadamente aos mesmos intervalos anteriores, porquanto há, agora, volume adicional disponível para acúmulo de lodos, praticamente toda a altura abaixo das lonas.

A turbidez da água bruta varia de um mínimo de 30 UNT a um máximo de 6000 UNT, com um valor médio ao redor de 250 UNT.

A água decantada teve uma turbidez média de 7,1 UNT no período de um ano antes de reforma. Após a reforma, a turbidez média tem resultado ao redor de 5,6 UNT. Valores de turbidez dessa ordem são facilmente absorvidos pelos filtros, que têm produzido uma água filtrada com turbidez média de 0,19 UNT, mínima de 0,08 UNT e máxima de 4,8 UNT, observados em um período de um ano de operação contínua.

As curvas de turbidez da água decantada em função da turbidez da água bruta, antes e depois da reforma, encontram-se representadas na Fig. 10.17, onde se verifica resultados um pouco melhores para o decantador de alta taxa.

Os resultados só não são melhores, porque existem problemas sendo analisados, relacionados com a coagulação, aos quais não cabe aqui a sua discussão.

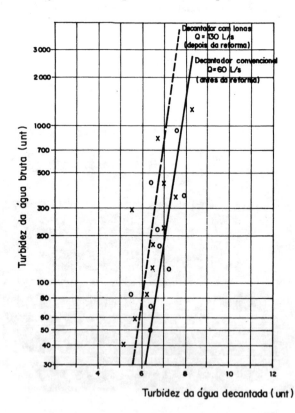

Figura 10.17 - Turbidez da água decantada em função da água bruta. Estação de tratamento de água de Toledo - PR

Projeto racional de decantadores

A avaliação do desempenho dos decantadores foi determinada traçando-se as curvas de velocidade de sedimentação-turbidez remanescente, traçadas na Fig. 10.18, a partir dos dados fornecidos no Quadro 10.2 anexo.

A remoção teórica na amostra de referência do decantador 1 é

$$R_r = 1 - \frac{T}{T_E} + \frac{A}{V_{CS}},$$

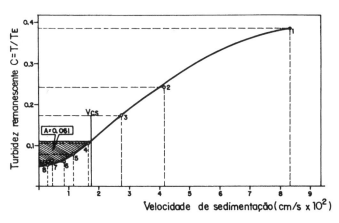

a) Decantador 1

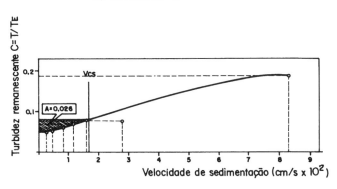

b) Decantador 2

Figura 10.18 - Curvas de velocidade de sedimentação. Turbidez remanescente, estação de tratamento de água de Toledo - PR

onde:

V_{CS} = velocidade crítica de sedimentação (taxa de escoamento, superficial)

$\dfrac{T}{T_E}$ = remoção à velocidade crítica

A = área hachurada da Fig. 10.18

R_r = $1 - 0{,}11 + 0{,}061 \times 10^{-2}/1{,}736 \times 10^{-2} = 0{,}925$

173

Quadro 10.2 — Velocidade de sedimentação/remoção de turbidez. Amostra de referência para o decantador 1.

Amostra n.º	Tempo de decantação		Turbidez decantada (UNT)	$C = \dfrac{T_t}{T_e}$	Velocidade de sedimentação $cm/s \times 10^2$
	min	s			
1	1	60	88	0,383	8,833
2	2	120	58	0,243	4,167
3	3	180	40	0,174	2,778
4	5	300	25	0,109	1,667
5	7	420	18	0,078	1,190
6	10	600	14	0,061	0,833
7	20	1200	15	0,065	0,417
8	30	1800	13	0,057	0,278

NOTA: Turbidez da água bruta: $T_E = 230 UNT$

A remoção obtida na estação é

$$R_p = \frac{T_E - T_S}{T_E} = \frac{230 - 10}{230} = 0,957$$

sendo T_E e T_S a turbidez tomada à entrada e à saída do decantador, a um intervalo correspondente ao tempo nominal de detenção.

O índice de eficiência do decantador é a relação entre a remoção na estação e na amostra de referência.

$$\mu_D = \frac{R_p}{R_r} = 1,034 = 103\%$$

A mesma metodologia aplicada ao decantador 2, resultou em

$$\mu_D = 1,008 = 100\%$$

indicando, portanto, um desempenho muito bom para os decantadores, atestando a sua eficiência e comprovando os aspectos teóricos demonstrados neste trabalho.

REFERÊNCIAS BIBLIOGRÁFICAS

[1] AZEVEDO NETTO, J.M. — "Experiência Brasileira no Projeto de Sedimentadores". Simpósio sobre Nuevos Metodos de Tratamento de água - CEPIS-OPS - Assunção, Paraguai, ago/72.

[2] AZEVEDO NETTO, J.M. — Decantação, in "Técnica de Abastecimento e Tratamento de Água". CETESB, 1977.

[3] YAO, K.M. — "Theoretical Study of high-rate Sedimentation". Journal of the Water Pollution Control Federation, 42 (2 Part I) : 218-228, feb 1970.

[4] PEREZ, V.M. — "Sedimentadores Laminares". Curso sobre Tecnologia de Tratamiento de água para Países em Desarrolo. Lima, CEPIS e CIFCA, 1978.

[5] GEYNOMAT, W.D. — "Evaluation of the Use of Inclined Settling Devices in Water Clarification Processes". Master Degree Thesis, Imperial College of Science and Technology, London, 1985.

11

Dispositivos de entrada e saída de decantadores

INTRODUÇÃO

Posta em prática há pouco mais de uma década, a decantação em fluxo laminar trouxe uma grande expectativa não somente em termos de resultados econômicos na construção dos decantadores, mas também na eficiência esperada na clarificação da água.

No Brasil, os primeiros dispositivos de decantação laminar utilizados foram módulos tubulares na estação de Barra Mansa (RJ) e bandejas de madeira na estação de Itajaí (SC), com a finalidade de aumentar suas capacidades. Na Sanepar, o primeiro projeto data de 1972, para a estação de tratamento da cidade de Araucária, concluída e posta em operação em 1973. Desde então, não só no Brasil, mas em toda a América Latina, foram utilizados decantadores laminares em diversos projetos, de um modo geral com resultados satisfatórios. Alguns projetos, entretanto, apresentaram resultados bastante inferiores ao esperado, e, por este motivo, desencorajando a muitos a realização de novos projetos com essa nova tecnologia.

De um modo geral, os projetos que falharam, o foram por deficiências nos sistemas de entrada e/ou saída e tinham características de projeto semelhantes aos dos projetos convencionais, apesar de que um dos primeiros projetos elaborados com essa nova tecnologia[*] apresentar um sistema adequado de entrada de água floculada aos decantadores, sob os módulos tubulares, exemplo que só recentemente e por poucas entidades vem sendo imitado e aperfeiçoado[**].

---

[*] Projeto da estação de tratamento de água de Botucatu (SP), de autoria de Azevedo Netto e Álvaro Cunha.

[**] São exemplos diversos projetos da Sanepar bem sucedidos: Foz do Iguaçu, Ivaiporã, Cascavel, Arapongas, etc., e o projeto conhecido por Sanepar-CEPIS, utilizado em dezenas de cidades.

Dispositivos de entrada e saída de decantadores

Este trabalho tem por finalidade apresentar e discutir aspectos pouco tratados na literatura técnica, visando proporcionar elementos à realização de projetos adequados dos sistemas de entrada e saída dos decantadores, evitando ou corrigindo tais deficiências, relacionadas com uma imperfeita distribuição de fluxo.

DISPOSITIVOS DE ENTRADA

A entrada de água nos decantadores é geralmente feita através de canais ou canalizações com passagens ou comportas laterais, distribuindo o fluxo no interior de uma dada unidade ou diversas unidades paralelas.

Em uma estação de tratamento, os canais com laterais são usados também em alguns tipos de dispositivos de remoção de lodo de decantadores, fundos falsos com distribuidores para água de lavagem nos filtros, difusores de produtos químicos etc.

Como conseqüência do não dimensionamento ou do dimensionamento imperfeito desses dispositivos de equalização de fluxo, tem surgido uma série de problemas na operação das estações de tratamento, tais como curtos-circuitos e/ou sobrecarga nos decantadores, lavagem imperfeita dos filtros, mistura não homogênea de produtos químicos à água etc.

Hidráulica dos canais de distribuição de fluxo (múltiplo distribuidor)

A vazão de um orifício lateral é dada pela equação geral

$$q_0 = C_D \, A \sqrt{2g \, (\Delta E)} \qquad (11.1)$$

na qual q_0 = vazão que passa pelo lateral; C_D coeficiente de descarga; A = área do lateral e ΔE = dissipação de energia através do orifício. De um modo geral, o valor de C_D depende não somente das características geométricas do orifício, mas também da relação entre a carga de velocidade do canal de distribuição e a energia total $E = V^2/2g + h + z$. Conclui-se que a distribuição de fluxo é função da perda de carga e da variação de velocidade ao longo do canal, das características geométricas do canal e da perda de carga nos orifícios, conseqüentemente de sua forma, número e dimensões.

Em cada canal ou canalização de secção constante e com orifícios igualmente espaçados e de mesmas dimensões, a distribuição de vazão pode tomar diversas configurações, segundo a ação daquelas variáveis. Na Fig. 11.1, apresentam-se duas situações extremas em relação à extensão do canal, com suas configurações típicas de distribuição de fluxo. Em um canal curto, o efeito da perda de carga contínua é desprezível, elevando a linha piezométrica a partir do primeiro orifício e, em conseqüência, resultando uma distribuição de vazão crescente de montante para jusante. Em canais longos, a perda de carga contínua torna-se um fator de influência, mudando a configura-

177

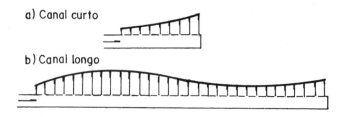

Figura 11.1 — Distribuições típicas de fluxo

ção da distribuição que, inicialmente sendo crescente, passa a decrescer a partir de cerca de um terço de sua extensão, voltando a tomar uma forma crescente na extremidade de jusante.

Os canais de distribuição nas estações de tratamento de água são geralmente curtos e, assim, é válido admitir nula a perda de carga contínua e uma recuperação integral da carga cinética ao longo do canal.

Considere-se um canal de secção constante com orifícios de iguais dimensões e que o nível de água no tanque ou nos tanques receptores, após o lateral, é o mesmo, embora possa não ser no canal de distribuição.

A Fig. 11.2 mostra a situação hidráulica nos laterais e no canal imediatamente antes e depois das comportas ou orifícios de descarga. Através da análise de dados experimentais obtidos por diversos pesquisadores, Hudson[2] encontrou a seguinte expressão

$$\alpha = \frac{h'_f}{\frac{V_L^2}{2g}} = \theta + \phi \left(\frac{V}{V_L}\right)^2 \qquad (11.2)$$

em que θ é o coeficiente de perda de carga na entrada do orifício, $\phi (V/V_L)^2$ é o coeficiente de perda de carga devido à mudança da direção do fluxo, V é a velocidade no canal imediatamente à jusante do lateral e V_L é a velocidade média no lateral. Para laterais longos, isto é, cujo comprimento é maior que três diâmetros,

$$\theta = 0{,}4 \quad \text{e} \quad \phi = 0{,}9$$

para laterais curtos, de comprimento menor que três diâmetros

$$\theta = 0{,}7 \quad \text{e} \quad \phi = 1{,}67$$

Na maior parte das instalações, os laterais são curtos. Por exemplo, em um canal

Dispositivos de entrada e saída de decantadores

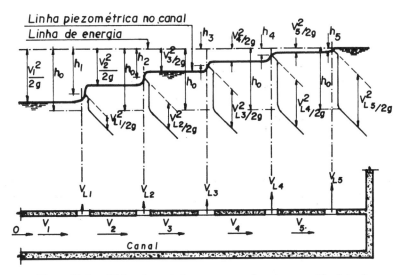

Figura 11.2 — Linha piezométrica em um canal curto com saídas laterais

de secção constante, contendo 5 comportas, o desvio de descarga entre as comportas 1 e 5 deverá ser inferior a 10% (Fig. 11.2). Qual deverá ser a relação de áreas entre as comportas e o canal para satisfazer essa condição? Tome-se

$$\theta = 0{,}7 \quad \text{e} \quad \phi = 1{,}67.$$

Quando a velocidade no canal aproxima-se de zero, o coeficiente da perda de carga na entrada tende à constante $\theta = 0{,}7$. Esse valor ocorre na última comporta à jusante de um canal, no caso a comporta 5. Adicionalmente a essa parcela, há perda de carga devida à dissipação de energia na saída do lateral igual a $V_L^2/2g$, de modo que a perda de carga total na comporta 5 será

$$h_o = (1{,}0 + 0{,}7)\,\frac{V_{L5}^2}{2g} = 1{,}7\,\frac{V_{L5}^2}{2g}$$

ou

$$V_{L5} = \frac{1}{\sqrt{1{,}7}}\,\sqrt{2gh_o} = 0{,}767\,\sqrt{2gh_o}$$

A uma variação de descarga de 10% entre as comportas 1 e 5 (de iguais dimensões), corresponde

$$V_{L5} = 1{,}10\,V_{L1}$$

179

Assim,

$$V_{L1} = \frac{V_{L5}}{1,10} = \frac{0,767}{1,10} \sqrt{2gh_o} = 0,697 \sqrt{2gh_o}$$

e portanto, a perda de carga na comporta 1 será

$$h_o = (\frac{1}{0,697})^2 \frac{V_{L1}^2}{2g} = 2,057 \frac{V_{L1}^2}{2g} = \frac{V_{L1}^2}{2g} + 1,057 \frac{V_{L1}^2}{2g}$$

A primeira parcela corresponde à perda na saída do lateral, enquanto que a segunda parcela representa a perda de carga devida ao desvio do fluxo e entrada na comporta. Assim, o coeficiente α definido pela equação (11.2) vale 1,057, podendo-se escrever

$$1,057 = 0,7 + 1,67 (\frac{V_1}{V_{L1}})^2$$

ou

$$\frac{V_1}{V_{L1}} = 0,462$$

Sendo n o número de comportas a A_L, a área de cada comporta deveria ser

$$V_{L1} = \frac{Q}{nA_L}$$

e, sendo A a área do canal,

$$V_1 = \frac{Q}{A}$$

resulta $\qquad \dfrac{V_1}{V_{L1}} = \dfrac{nA_L}{A} = 0,462$

significando que a relação entre a área total dos laterais e a área do canal deverá ser igual ou inferior a 0,46, para que o desvio máximo da descarga entre as comportas extremas seja inferior a 10%.

Generalizando, a perda de carga total na comporta é

Dispositivos de entrada e saída de decantadores

$$h = \beta \; \frac{V_L^2}{2g} \tag{11.3}$$

$$\beta = 1,0 + \theta + \phi \; (\frac{V}{V_L})^2 \tag{11.4}$$

no qual $1,0$ = coeficiente da perda devida à dissipação de energia na saída lateral; θ = coeficiente correspondente à perda na entrada e ϕ refere-se à energia necessária à mudança de direção do fluxo.

A perda de carga no canal sendo desprezível, havendo a recuperação da carga cinética, e como o nível de água à saída deve ser o mesmo, as perdas de carga nos diversos laterais deverão ser iguais (Fig. 11.2), isto é,

$$\beta_1 \; \frac{V_{L1}^2}{2g} = \beta_2 \; \frac{V_{L2}^2}{2g} \; ... = \beta_i \; \frac{V_{Li}^2}{2g} \tag{11.5}$$

Da equação (11.4) deduz-se que

$$\beta_1 > \beta_2 > \; ..... > \beta_i,$$

em conseqüência, será

$$V_{L1} < V_{L2} < \; ..... < V_{Li},$$

demonstrando-se que a distribuição de fluxo apresenta uma configuração crescente de montante para jusante. A equação (11.4), por outro lado, mostra que uma distribuição uniforme só é possível quando V/V_1 é constante ao longo do canal. Isso pode ser obtido reduzindo-se a sua secção imediatamente após cada lateral.

Sendo q_i a vazão que passa por um lateral, a vazão total que entra no canal é

$$Q = q_1 + q_2 + \; ..... + q_n$$

Da equação 11.5

$$\frac{q_i}{q_1} = \frac{V_{Li}}{V_{L1}} = \frac{\sqrt{\dfrac{1}{\beta_i}}}{\sqrt{\dfrac{1}{\beta_1}}} \tag{11.6}$$

portanto,

$$Q = q_1 + q_1 \frac{\sqrt{\frac{1}{\beta_2}}}{\sqrt{\frac{1}{\beta_1}}} + q_1 \frac{\sqrt{\frac{1}{\beta_3}}}{\sqrt{\frac{1}{\beta_1}}} + \ldots q_1 \frac{\sqrt{\frac{1}{\beta_n}}}{\sqrt{\frac{1}{\beta_1}}}$$

$$q_1 = Q \frac{\sqrt{\frac{1}{\beta_1}}}{\Sigma \sqrt{\frac{1}{\beta_i}}}$$

ou, para o lateral i,

$$q_i = Q \frac{\sqrt{\frac{1}{\beta_i}}}{\Sigma \sqrt{\frac{1}{\beta_i}}} \qquad (11.7)$$

Dimensionamento dos canais de distribuição de fluxo

A equação (11.7) pode ser utilizada através de cálculos iterativos para o dimensionamento de canais com distribuição de fluxo. O número de iterações é indefinido, porque a cada iteração β_1, com exceção para a comporta da extremidade de jusante, é sempre crescente, não se chegando a uma solução melhor que uma certa aproximação.

Esse problema pode ser resolvido como no exemplo anterior e admitindo, por exemplo, uma variação linear da vazão entre as diversas comportas (Fig. 11.3). Essa é uma aproximação que pode ser feita em diversos casos práticos, facilitando os cálculos.

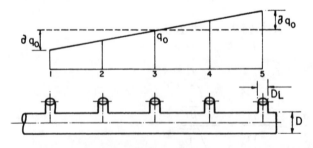

Figura 11.3

Sendo

$$q_o = \frac{Q}{n} \,, \tag{11.8}$$

onde n é o número de laterais, a vazão na primeira comporta seria

$$q_1 = q_o - \delta q_o \tag{11.9}$$

onde δ é o desvio da descarga entre q_1 e q_o. Para a última comporta

$$q_n = q_o + \delta q_o \tag{11.10}$$

As velocidades na primeira e última comportas são, respectivamente

$$V_{L1} = V_{Lo} (1 - \delta)$$

$$V_{Ln} = L_{Lo} (1 + \delta)$$

A perda de carga na comporta de jusante é

$$h = (1 + \theta) \; \frac{V_{Ln}^2}{2\,g} = (1 + \theta)(1 + \delta)^2 \; \frac{V_{Lo}^2}{2\,g}$$

Na primeira comporta a perda de carga é

$$h = [1 + \theta + \phi \, (\frac{V}{V_{L1}})^2] \; \frac{V_{L1}^2}{2\,g} = \{1 + \theta + \phi \; \frac{V}{(1 - \delta)\, V_{Lo}} \;]^2 \}$$

$$\frac{(1 - \delta)^2 \, V_{Lo}^2}{2\,g}$$

Igualando as expressões anteriores e, como $\dfrac{V}{V_{Lo}} = \dfrac{nA_L}{A}$, sendo A_L a área do lateral, n o número de laterais e A a área do canal, vem

$$(1 + \theta)(1 + \delta)^2 = (1 + \theta)(1 - \delta)^2 + \phi \, (\frac{nA_L}{A})^2$$

183

Tratamento de água

$$\frac{nA_L}{A} = 2\sqrt{\frac{1+\theta}{\phi}}\,\delta \qquad \text{ou} \qquad \delta = \frac{\phi}{1+\theta}\cdot\left(\frac{nA_L}{2A}\right)^2 \qquad \begin{array}{c}(11.11)\\[1em](11.12)\end{array}$$

Para canais com laterais curtos, segundo Hudson (2), $\theta = 0,7$ e $\phi = 1,67$. Assim $\frac{1+\theta}{\phi} \cong 1$ e as equações acima podem ser simplificadas a

$$\frac{nA_L}{A} = 2\sqrt{\delta} \qquad (11.13)$$

e

$$\delta = \left(\frac{nA_L}{2A}\right)^2 \qquad (11.14)$$

EXEMPLO: Uma canalização de $0,40\,$m de diâmetro divide a vazão de $0,500\,\mathrm{m}^3$/s em cinco laterais curtos de $0,20\,$m de diâmetro (Fig. 11.3). O desvio de descarga em relação à vazão média $q = 0,5/5 = 0,100\,\mathrm{m}^3$/s, é

$$\delta = \left(\frac{5\times \pi\,(0,2)^2/4}{2\times \pi\,(0,4)^2/4}\right)^2 = 0,39$$

A vazão no primeiro lateral resulta

$$q_1 = (1 - 0,39)\times 0,100 = 0,067\,\mathrm{m}^3/s$$

e no último $\quad 5 = (1 + 0,39)\times 0,100 = 0,139\mathrm{m}^3/s$.

Interpolando os valores das comportas intermediárias

lateral	$q\;(\mathrm{m}^3/s)$
1	0,061
2	0,081
3	0,100
4	0,119
5	0,139
total	0,500

Considerações sobre o número de Froude

Orientações para o projeto

O número de Froude expressa a relação entre as forças de inércia e a ação da gravidade em um elemento de corrente.

Dispositivos de entrada e saída de decantadores

Em um canal ou canalização com saídas laterais, a inércia do fluido faz com que este tenda a manter o seu fluxo no canal, dificultando o seu desvio nas saídas de montante e facilitando-o nas de jusante.

Para que haja passagem de água por uma comporta, é intuitivo que o número de Froude imediatamente antes da comporta não deva ser superior ao número de Froude na passagem. Se as profundidades correspondentes são iguais

$$\frac{V}{\sqrt{gh}} = \frac{V_L}{\sqrt{gh}}$$

Conseqüentemente, como

$$\frac{V}{V_L} = \frac{nA_L}{A} \quad , \quad \text{deve-se ter}$$

$$\frac{nA_L}{A} \leqslant 1,$$

ou em outras palavras, a área do canal à montante de um grupo de saídas laterais não deve ser inferior à soma das áreas das passagens.

Uma condição extrema que deve ser evitada, é aquela em que a vazão na primeira comporta resulta nula, ou seja, $\delta = 1,0$. Nessas condições, pela equação (11.13).

$$\frac{nA_L}{A} = 2$$

seria um valor que, ultrapassado, poderia induzir um fluxo instável, com possível retorno de água pelas comportas ou orifícios de montante.

Uma distribuição de fluxo praticamente uniforme pode ser obtida a relativamente baixos números de Froude no canal, por exemplo, a um número de Froude no canal igual à metade do número de Froude no lateral. A iguais profundidades corresponde

$$\frac{nA_L}{A} \leqslant 0,5$$

Para se lograr uma distribuição uniforme de fluxo, uma solução é reduzir a secção do canal de montante para jusante, de modo a manter um número de Froude praticamente constante. Isso implica em $V/V_L = $ constante ao longo de todo o canal. Assim, pode-se idealizar um canal que realize uma distribuição contínua e uniforme, como esquematizado na Fig. 11.4. Fixado V/V_L, as dimensões desse canal e de seu vertedor devem guardar a seguinte relação:

185

Tratamento de água

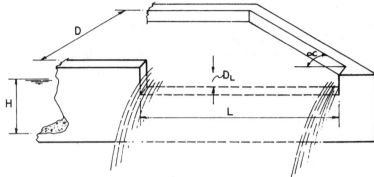

Figura 11.4

$$\frac{D_L L}{D H} = \frac{V}{V_L} \qquad (11.15)$$

Para $V/V_L = 1$ $\quad \dfrac{D_L}{D} = \dfrac{H}{L}$ ou

$$\frac{D_L}{H} = \text{tg } \alpha \qquad (11.16)$$

DISPOSITIVOS DE SAÍDA

Os dispositivos de saída dos decantadores, juntamente com os dispositivos de entrada, podem determinar o sucesso ou o fracasso do projeto de um decantador e, por isso, devem também ser objeto de cuidadoso estudo. Serão tratados aqui não somente os sistemas coletores de água decantada, mas também os sistemas hidráulicos de remoção de lodo.

Com freqüência, tem-se constatado que projetos inadequados de dispositivos de saída dos decantadores, por exemplo: vertedores de pequena extensão com vazões elevadas por unidade de comprimento ou o mau dimensionamento de canalizações coletoras com orifícios laterais, induzem correntes capazes de arrastar flocos, reduzindo a eficiência dos decantadores e sobrecarregando os filtros.

Hidráulica dos canais coletores (múltiplo coletor)

Canais ou canalizações coletoras podem ser utilizadas nos decantadores, tanto para coleta de água decantada, como para remoção de lodo. Esses dispositivos apresentam um comportamento hidráulico diferente dos canais distribuidores. Como mostra a Fig. 11.5, enquanto que nos canais distribuidores há uma elevação da linha pie-

Dispositivos de entrada e saída de decantadores

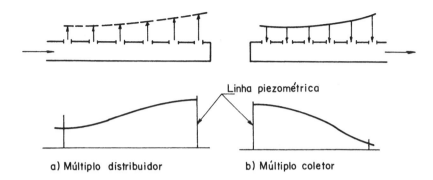

a) Múltiplo distribuidor   b) Múltiplo coletor

Figura 11.5 — Comportamento hidráulico da divisão de fluxo nos múltiplos

zométrica no sentido do fluxo, ou seja, de montante para jusante, nos canais coletores ocorre o contrário.

De acordo com Hudson[4], o coeficiente de perda de carga referido à carga de velocidade no lateral é dado por

$$\alpha = \frac{h'_f}{\frac{V_L^2}{2g}} = 1 - \phi \sqrt{\frac{V_m}{V_L}} \tag{11.17}$$

na situação esquematizada na Fig. 11.6, sendo ϕ um coeficiente, cujo valor determinado por Hudson[4], baseado em dados experimentais de McNown, é igual a 0,7.

A equação anterior mostra que há uma recuperação da carga de velocidade no canal coletor no sentido de montante para jusante.

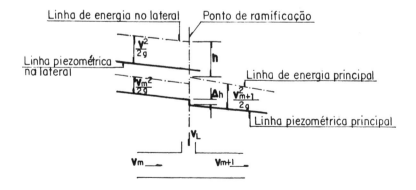

Figura 11.6 — Condições hidráulicas em um cànal coletor

187

Os cálculos são realizados de forma semelhante aos do canal distribuidor e, admitindo as mesmas hipóteses simplificadoras anteriores, resulta

$$\frac{nA_L}{A} = [\frac{4(1+\theta)}{\phi}]^2 \frac{\delta^2}{(1+\delta)^3} \tag{11.18}$$

sendo θ a perda de carga na entrada.

Para $\theta = 0{,}4$ e $\phi = 0{,}7$, resulta

$$\boxed{\frac{nA_L}{A} = 64 \frac{\delta}{(1+\delta)^3}} \tag{11.19}$$

A Fig. 11.7 resume os cálculos efetuados com a aplicação dessa equação para o cálculo da relação de áreas nA_L/A em função do desvio da vazão δ, em um sistema de múltiplo coletor. Na mesma figura acha-se representada também a curva de um canal distribuidor de fluxo, onde se pode observar as diferentes influências da relação de áreas no desvio da vazão.

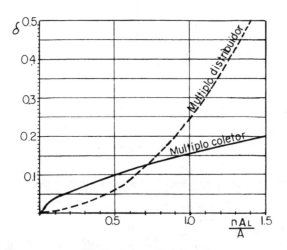

Figura 11.7 — Canalizações com múltiplos laterais.

Desvio da vazão nos laterais, em função da relação entre a área total dos orifícios laterais e a área da canalização principal.

δ = desvio da vazão em relação à vazão média $q = Q/n$
n = número de orifícios laterais de área A_L
A = área da canalização principal.

Coletores de água decantada

A experiência tem mostrado que, cargas sobre o coletor de saída, da ordem de 5 l/s × m ou maiores, geram velocidades de aproximação de intensidade tal que arrastam para os vertedores os flocos que não tenham ainda sedimentado.

Em um decantador de fluxo horizontal, as linhas de fluxo são convergentes nas proximidades do coletor, de modo que as superfícies de igual velocidade têm a forma aproximadamente cilíndrica (Fig. 11.8). Em uma situação limite, a superfície que passasse pelo fundo teria uma área igual a $\pi H l/2$, sendo H a profundidade do tanque e l o comprimento do vertedor e, nesta superfície, a velocidade de aproximação seria

$$V = \frac{2Q}{\pi H l} \qquad (11.20)$$

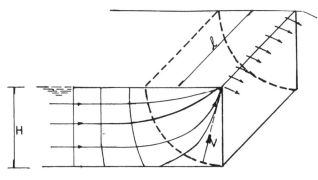

Figura 11.8

Para não haver arrasto de flocos, a velocidade de aproximação deve ser inferior à velocidade crítica de sedimentação, numericamente igual à taxa de escoamento superficial V_s. Assim sendo, a vazão por unidade de comprimento de vertedor $q = Q/l$ deve ser

$$q \leq \frac{\pi H V_S}{2} \qquad (11.21)$$

Sendo dados H em metros e V_S em m³/m² × dia, resulta

$$q \leq 0{,}018\ H\ V_s.$$

A profundidade geralmente está compreendida entre 2,5 e 4,5 m e a taxa de escoamento superficial entre 25 e 30 m³/m²/dia. Entre esses números, a carga sobre os vertedores deverá estar compreendida entre 1,1 e 3,3 l/s por metro. Um valor médio de 2,0 ℓ/s por metro é aplicado à maioria das instalações, com uma carga ao redor de 30 m³/m² por dia e a uma profundidade de aproximadamente 3,8 m.

A equação (11.21) mostra que, quanto menor a profundidade e a taxa de escoamento superficial do tanque, menor deve ser a vazão por unidade de comprimento de coletor a ser adotada no projeto. Resultam valores tão baixos, que requerem uma nivelação perfeita dos vertedores, de modo a assegurar uma perfeita distribuição de fluxo por toda a sua extensão. A equalização de fluxo é facilitada, usando nos bordos das calhas vertedores ajustáveis em lâminas metálicas ou de plástico, como na Fig. 11.9, tomada da referência 3.

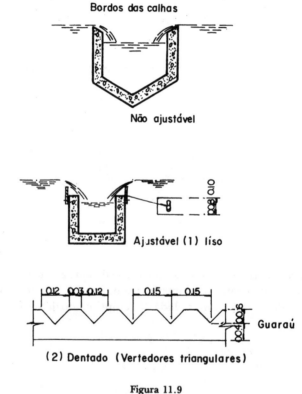

Figura 11.9

Na prática, raramente seria possível a instalação de apenas um vertedor de saída localizado na extremidade do tanque transversalmente ao fluxo. Sendo B a largura do tanque de decantação e L o seu comprimento total, da equação (11.20) tira-se

$$\ell = \frac{2BL}{\pi H} \tag{11.22}$$

190

Dispositivos de entrada e saída de decantadores

Para a maioria das instalações, a relação L/H está compreendida entre 4:1 e 25:1 (3), resultando então

para $\dfrac{L}{H} = 4$ $l = 2,5\ B$

e para $\dfrac{L}{H} = 25$ $l = 16,0\ B$.

Diversos coletores, qualquer que seja sua forma ou disposição, são, portanto, inevitáveis. Apesar de que, teoricamente podem ser dispostos de qualquer forma, paralelos ou perpendiculares à direção do fluxo, devem ficar o mais próximo possível da extremidade de saída do tanque e permitir a passagem de raspadores mecânicos de lodo ou do tipo de sifão flutuante, se for o caso de sua instalação.

Hudson[4] sugere que o espaçamento entre coletores não deve ser superior a duas vezes a profundidade do tanque.

Em decantadores de fluxo vertical, as considerações são algo diferentes. Em se tratando de clarificadores de manto de lodos, a distância entre as calhas coletoras de água decantada não deve ser superior a duas vezes a altura da zona de água clarificada.

Nos decantadores laminares, de placas paralelas ou em módulos tubulares, é evidente que a distância máxima entre os vertedores de coleta (Fig. 11.10) é função da profundidade h de instalação dos módulos ou placas e inversamente proporcional à taxa de escoamento superficial. Admitindo razoável uma vazão por unidade de vertedor igual a $2,5\ l$/s por metro, resulta

$$\frac{d}{h} = \frac{432}{V} \, ,$$

onde V é a velocidade ascensional da água, ou seja, a taxa de escoamento superficial em $m^3/m^2 \times$ dia. Na Fig. 11.10 acha-se representada a variação da relação d/h com V.

Sistemas hidráulicos de remoção de lodo

Consistem em apenas uma válvula nos projetos mais simples, ou um múltiplo coletor nos projetos mais complexos. A descarga pela canalização coletora pode ser proporcionada por pressão hidráulica direta ou pela ação de um sifão (Fig. 11.11). Este é utilizado com evidentes vantagens quando se deseja automatizar as descargas ou por conveniências construtivas, como seja, evitar abrir uma parede estrutural etc. O uso de tolvas acumuladoras e concentradoras de lodo é sempre recomendado, porém

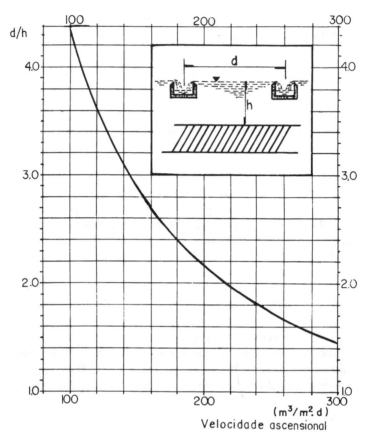

Figura 11.10 — Relação entre a distância máxima entre as canaletas de água decantada e a profundidade da água, em função da taxa de escoamento superficial

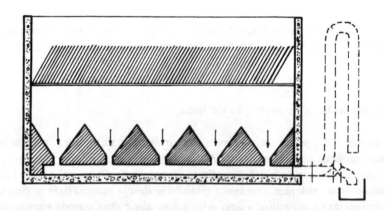

Figura 11.11 — Secção longitudinal de um decantador, com remoção de lodo através de um múltiplo coletor

Dispositivos de entrada e saída de decantadores

nem sempre se pode utilizar tais dispositivos. Nesse caso, a distância entre orifícios de drenagem deve ser a mais próxima possível, nunca inferior a 0,90 m.

O cálculo de um múltiplo coletor se faz como indicado anteriormente (item 11.1). Recomenda-se que a área total dos laterais não seja superior à área da canalização principal, para que o desvio da vazão não seja exagerado. Mesmo assim, sempre há a possibilidade de acumulação de lodo não drenado na extremidade de montante. Por esse motivo, foi desenvolvido na Sanepar um sistema de remoção hidráulica através de um canal de descarga de lodo com superfície livre (à pressão atmosférica), como esquematizado na Fig. 11.12. Todos os tubos laterais de descarga de lodos proporcionam a mesma vazão, porque estão sob a mesma carga hidráulica h. Esse sistema foi adotado com sucesso em diversos projetos da Sanepar. São feitas as seguintes recomendações, com base na experiência já adquirida:

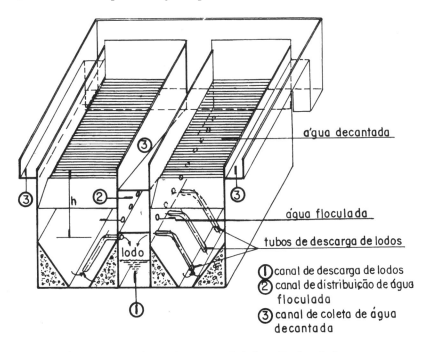

Figura 11.12 — Sistema de remoção de lodos utilizado pela Sanepar.

a) Distância máxima entre tubos laterais: 0,90 m
b) Diâmetro mínimo dos laterais: 38 mm (1,5")
c) Vazão mínima no lateral: 5 ℓ/s
d) Velocidade mínima no lateral: 5 m/s

Para manter o regime de descarga livre no canal central, deve ser previsto um duto de entrada de ar, com seção suficiente para compensar o volume de ar arrastado com a água.

Uma recomendação, ainda de natureza operacional, refere-se a que, quando se dá a descarga de lodos, deve-se fechar a entrada de água floculada ao decantador; caso contrário, pode-se formar um curto-circuito diretamente para o sistema de drenagem de lodo, dificultando a remoção deste.

O sistema idealizado pela Sanepar, como mostra a Fig. 11.12, tem ainda a vantagem de sobrepor os três canais, respectivamente de baixo para cima: drenagem de lodos, distribuição de água floculada e coleta de água decantada. Esses dois últimos, enquanto um tem sua secção reduzida, o outro a tem aumentada, de montante para jusante, contribuindo para a equalização do fluxo.

REFERÊNCIAS BIBLIOGRÁFICAS

[1] CHAO, J. e TRUSSEL, R.R. — "Hydraulic Design of Flow Distribution Channels" Journal Env. Eng. Div. ASCE, vol 106, n.º EE2, april, 1980.

[2] HUDSON Jr, H.E., UHLER, R.B. e BAILEY, R. — "Dividing — Flow Manifolds with Square — Edged Laterals", Journal Env. Eng. Div. ASCE, vol. 105, n.º EE4, August, 1979.

[3] AZEVEDO NETTO, J.M. — "Experiência Brasileira no Projeto de Sedimentadores" — Simpósio sobre Nuevos Metodos de Tratamiento de Agua - CEPIS - OPS. Assunção, Paraguai, ago/72.

[4] HUDSON Jr., H.E. — "Water Clarification Processes. Practical Design and Evaluation". Van Nostrand Reinhold, 1981.

12

Filtros rápidos de gravidade

A filtração é um processo de separação sólido—líquido, envolvendo fenômenos físicos, químicos e, às vezes, biológicos. Visa a remoção das impurezas da água por sua passagem através de um meio poroso.

Quando a velocidade com que a água atravessa o leito filtrante é baixa, o filtro é denominado filtro lento. Quando é elevada, é denominado filtro rápido.

Um filtro rápido consiste de uma camada de areia, ou, em alguns casos, de uma camada de um meio poroso mais grosso e menos denso (p. ex. o antracito) colocado sobre a camada de areia, o que vai permitir a filtração a taxas ainda mais elevadas.

ANÁLISE GRANULOMÉTRICA DE MATERIAIS GRANULARES

O material granular usado em filtros de água deve apresentar grãos com tamanhos e variação de tamanhos dentro de determinados padrões.

A determinação dos tamanhos dos grãos (análise granulométrica) é feita pela passagem de uma amostra seca e representativa do material granular através de uma série de peneiras com aberturas conhecidas. A ABNT - Associação Brasileira de Normas Técnicas — dispõe de normas tipo especificação e métodos de ensaio para areia, antracito e pedregulho.

As quantidades retidas em cada peneira são pesadas e relacionadas como percentagens de massas retidas. Esses valores permitirão determinar as percentagens acumuladas de grãos menores ou iguais a cada abertura de peneira.

Denomina-se tamanho efetivo d_{10} ao tamanho dos grãos abaixo do qual ficam 10% da massa total do material granular. Este valor, relacionado com o tamanho d_{60}, abaixo do qual ficam 60% da massa total da amostra, define o coeficiente de uniformidade

$$U = \frac{d_{60}}{d_{10}}$$

Tratamento de água

A determinação do tamanho efetivo e do coeficiente de uniformidade, é feita marcando-se em um papel logarítmico de probabilidade as percentagens acumuladas que passam em cada peneira.

EXEMPLO: A Tab. 12.1 resume os resultados de uma análise granulométrica de uma amostra com aproximadamente 180 g de areia destinada a filtros ascendentes (filtros russos). Determinar seu tamanho efetivo e coeficiente de uniformidade.

Tabela 12.1 — Valores granulométricos obtidos

Abertura da peneira		Massa retida	Massa retida acumulada	% retida acumulada	% que passa
US	mm	(g)	(g)		
12	1,68			0,66	99,33
14	1,41	87,480	88,683	49,03	50,96
18	1,00	69,083	157,766	87,23	12,76
25	0,71	14,537	172,303	95,27	4,72
35	0,50	4,185	176,488	97,58	2,41
45	0,35	1,835	178,323	98,59	1,40
60	0,25	1,796	180,119	99,58	0,42
Fundo		0,744	180,863	100,00	0,00

A partir dos dados da última coluna obtemos o gráfico da Fig. 12.1, resultando:

- tamanho efetivo $d_{10} = 0,76$ mm

- coeficiente de uniformidade $U = \dfrac{d_{60}}{d_{10}} = \dfrac{1,21}{0,76} = 1,59$

TAXA DE FILTRAÇÃO

A taxa de filtração deve ser cuidadosamente fixada pelo projetista, tendo em vista as condições locais (qualidade de água, habilidade de operação etc.); as características do meio filtrante (materiais e granulometria) e a carga hidráulica. De modo geral, a taxa nominal de filtração, com todos os filtros em funcionamento, fica compreendida entre os seguintes limites:

- filtros de uma camada: 120 a 360 m³/m² · dia
- filtros de camada dupla: 240 a 600 m³/m² · dia

A taxa de filtração a ser adotada, bem como as características granulométricas ideais do material ou materais filtrantes, devem ser, sempre que possível, determinadas por meio de filtro piloto.

Não sendo possível proceder a experiências em filtro piloto, a norma da ABNT

Filtros rápidos de gravidade

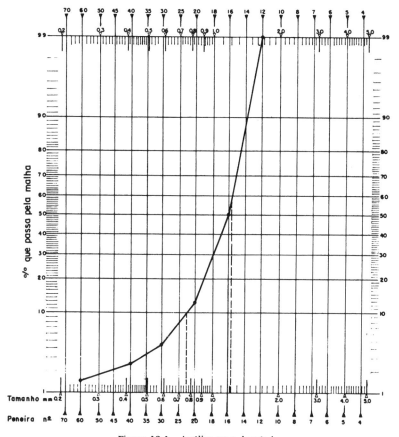

Figura 12.1 - Análise granulométrica

Tamanho efetivo $d_{10} = 0,76$ mm

Coeficiente de uniformidade — $U. = \dfrac{d_{60}}{d_{10}} = \dfrac{1,21}{0,76} = 1,59$

"Projeto de Estação de Tratamento de Água para Abastecimento Público" estabelece os seguintes limites para a taxa de filtração:
a) filtros de camada simples, $180 \, m^3/m^2 \cdot dia$
b) filtros de camada dupla, $360 \, m^3/m^2 \cdot dia$

NÚMERO DE FILTROS E TAMANHO MÁXIMO

O número de filtros depende:
- do tamanho da ETA e das taxas de filtração;
- do número de etapas — na primeira etapa deve-se ter pelo menos 3;

- de fatores econômicos que levam em conta o volume de concreto, a bitola das canalizações, comportas e válvulas etc.;
- do arranjo geral e disposição das unidades;
- das condições para lavagem (disponibilidade e destino da água de lavagem).

Além de 3 filtros, geralmente, adota-se um número par. Quando se considera a autolavagem, o número mínimo é dado pela expressão: $N \geqslant \left| \dfrac{T_L}{T_F} \right|$ onde T_L e T_F são as taxas de lavagem e de filtração.

A Tab. 12.2 mostra o número e o tamanho de unidades filtrantes em algumas estações brasileiras.

Tabela 12.2 — Dimensões de filtros

Estação	Capacidade da ETA m³/s	N.º de filtros	Tipo de filtro	Área de cada câmara m²	Dimensões de cada câmara m
Botucatu	0,3	4	Simples	21	3,00 x 7,05
Araras	0,4	6	Simples	19	3,00 x 6,40
Poços de Caldas	0,5	4	Simples	39	4,05 x 9,60
São José dos Campos	0,7	8	Simples	50	4,00 x 12,60
Contagem	1,4	10	Simples	67	4,00 x 16,80
Salvador (Ipitanga)	2,0	14	Simples	62	4,40 x 14,20
Campinas	2,1	16	Simples	62	4,40 x 14,20
ABC	2,5	20	Simples	72	4,80 x 15,00
Goiânia	4,6	16	Duplos	2 x 69	2(4,00 x 17,20)
Brasília	6,0	14	Duplos	2 x 49	2(4,05 x 12,15)
Belo Horizonte	9,0	20	Duplos	2 x 59	2(4,40 x 13,40)
Guandu (RJ) 1.ª etapa	15,0	72	Duplos	2 x 70	2(4,20 x 16,70)
Guaraú (SP)	35,0	48	Duplos	2 x 88	2(4,00 x 22,00)

Nas instalações muito grandes, o tamanho dos filtros e, portanto, o seu número, devem ser estabelecidos, considerando-se:

- as dimensões convenientes para as tubulações e comportas;
- as condições econômicas mais vantajosas, levando em conta o custo de válvulas e aparelhos.

Os maiores filtros geralmente não excedem, em área, $170\,m^2$.

Nas duas maiores estações do País, as áreas são as seguintes: Guandu (RJ), $141\,m^2$; Guaraú (SP), $172\,m^2$.

Filtros rápidos de gravidade

FILTROS SIMPLES E FILTROS DUPLOS

Com o objetivo de economia (redução da vazão de água para lavagem e conseqüente redução do diâmetro de tubulações e válvulas e, ainda, redução do número de válvulas e aparelhos de controle), os filtros de grande área podem ser subdivididos em duas câmaras, ou bacias, lavadas em série.

Geralmente, os filtros simples têm uma área inferior a $70\,m^2$ e os filtros duplos, uma área superior a $40\,m^2$.

FORMA E DIMENSÕES DOS FILTROS

Os filtros normalmente são de seção quadrada ou retangular. As dimensões finais em planta (largura e comprimento), são estabelecidas, considerando-se:

- o tipo de fundo de filtro e as dimensões resultantes de espaçamentos requeridos ou de limites vantajosos. Se for adotado, por exemplo, o sistema de fundo falso com bocais espaçados de 20 cm, as dimensões finais deverão ser múltiplas de 20 cm. No caso de se adotar o sistema de canalizações, procura-se obter uma disposição vantajosa para o conjunto de canalizações;
- o tipo de lavagem auxiliar. Quando se tem a lavagem superficial do tipo rotativo, os dispositivos de lavagem condicionam as dimenões dos filtros;
- o espaçamento e as dimensões das calhas que recebem a água de lavagem;
- a economia de paredes, isto é, as condições de custo mínimo. Quando se têm vários filtros contíguos, o custo mínimo corresponde à seguinte relação:

$$\frac{B}{L} = \frac{n+1}{2n}$$

em que:

B = largura de uma câmara.
L = comprimento de uma câmara.
n = número de câmaras.

ESPESSURA DAS CAMADAS E ALTURA DA CAIXA DO FILTRO

Nos filtros prevalecem as seguintes dimensões usuais:

- altura livre adicional:

  0,25 a 0,40 m; (mais comum 0,30 m; maior quanto menor o número de filtros).
- altura de água sobre o leito filtrante:

199

- filtros de areia 1,40 a 1,80m (mais comum, 1,60m)
- filtros de antracito e areia 1,80 a 2,40 (mais comum, 2,20m).

- carga disponível, definida como a diferença entre o N.A. mínimo no filtro e o N.A. no ponto de saída livre;

- flutuação do N.A. no filtro — depende do número de filtros, devendo ser tanto maior a previsão, quanto menor o número de unidades.

- altura do leito filtrante:
  - *camada única de areia*
    0,60 a 0,80m (mais comum 0,70)
  - *dupla camada:*
    antracito 0,45 a 0,70m (mais comum 0,55)
    areia 0,15 a 0,30m (mais comum 0,25)

Atualmente, há projetos com camadas filtrantes maiores.

- *camada de pedregulho*: 0,30 a 0,55m (mais comum 0,50m)

- altura do fundo falso
  - *Mínima* $\geqslant$ D + 0,25 (D = diâmetro da tubulação de água para lavagem) ou $\geqslant$ 0,50m

Área de câmara do filtro (m²)	D (mm) (pol)		Altura mínima do fundo falso (m)
2,5	125	5	0,50
7,5	200	8	0,50
10,0	250	10	0,50
15,0	300	12	0,55
20,0	350	14	0,60
30,0	400	16	0,65
45,0	500	20	0,75
65,0	600	24	0,85
80,0	700	28	0,95

Observações:

- A camada de pedregulho pode ser eliminada em filtros com fundo falso dotados de distribuidores especiais;

- A altura mínima do fundo falso independe do diâmetro da tubulação de água para lavagem no caso de filtros simples com a entrada de água para lavagem sob a câmara de descarga das calhas;

- A profundidade total do filtro é denominada altura da caixa do filtro e resulta da soma dos valores adotados.

Filtros rápidos de gravidade

MEIO FILTRANTE

Filtros de areia

Prevalecendo a atual tendência, os filtros de camada única de areia desaparecerão dando lugar aos filtros de duas ou mais camadas filtrantes.

Para os filtros de uma única camada, as características predominantes no País para o material filtrante eram as seguintes:

- espessura da camada   0,55 m
- tamanho efetivo   0,4 a 0,6 mm
- coeficiente de uniformidade $< 1,6$
- tamanho mínimo   0,35 mm
- tamanho máximo   1,2 mm
- peneiras de preparação (usuais)   14 e 42 (Tyler)

Sob a camada filtrante de areia, era usual a adoção de uma camada intermediária, de areia mais grossa, denominada *camada torpedo*, com a seguinte granulometria:

- espessura da camada   0,08 a 0,125 m
- tamanho efetivo   0,8 mm
- coeficiente de uniformidade $< 1,7$
- areia usualmente preparada entre as peneiras   6 e 24 (Tyler)

Filtros de duas camadas (antracito e areia)

A granulometria do antracito depende da granulometria a ser adotada para a areia, a fim de evitar a mescla extensiva e indesejável das duas camadas. Relações usuais:

$$T_{ef.antracito} \geqslant 1,8 \, T_{ef.areia}$$

$$T_{ef.antracito} \leqslant 2,1 \, T_{ef.areia}$$

A perda anual de antracito em St. Louis tem sido de 2,5 cm/ano.

O antracito especificado pode ser preparado entre as peneiras 8 e 28 (2,4 a 0,6 mm).

A areia especificada pode ser preparada entre as peneiras 14 e 42 (1,2 a 0,35 mm), em ambos os casos, podendo ser usadas peneiras intermediárias, obtendo-se coeficiente de uniformidade mais baixo.

Tratamento de água

Características dos materiais para novos projetos*

Materiais	Espessura da camada			Tamanho efetivo			Coeficiente de uniform.
	Variação (m)	Mediana (m)	Recomend. (m)	Variação (mm)	Mediana (mm)	Recomend. (mm)	
Antracito	0,45 - 1,00	0,55	0,70	0,7 - 1,3	1,0	0,9	< 1,8
Areia	0,15 - 0,35	0,25	0,25	0,3 - 0,5	0,4	0,4**	< 1,6

* Resultado de um estudo abrangendo 10 estações projetadas e construídas nos últimos 15 anos. Projetos de H. Hudson, R. Kennedy, Camp, Dresser & M. Kee, J. Montegomery, Microfloc, Planidro, etc.
** Se não houver a camada suporte recomenda-se 0,4 a 0,5mm.

Características dos materiais para estações adaptadas*

Materiais	Espessura da camada	Tamanho efetivo	Coeficiente unif.
Antracito	0,40 - 0,45 m	0,9 - 1,0 mm	< 1,8
Areia	0,20 - 0,25 m	0,35 - 0,45 mm	< 1,6

* Estudos de reforma e ampliação de capacidade feitos para várias cidades.

Filtros de três camadas

Materiais filtrantes	Peso específico	Posição da camada	Espessura usual	Tamanho efet. usual
Polistireno	1,04	1ª	—	—
Antracito	1,55	1ª	0,55 m	0,9 mm
Grafite	2,40	1ª	—	—
Areia	2,65	2ª	0,25 m	0,4 mm
Granada	4,20	3ª	0,10 - 0,15 m	0,2 mm
Ilmenita	4,60	3ª	0,10 - 0,15 m	—
Magnetita	4,90	3ª	0,10 - 0,15 m	—

CAMADA SUPORTE

A camada de pedregulho (Fig. 12.2) geralmente é composta de cinco subcamadas, com uma altura total de 0,45 a 0,55 m.

No caso de sistemas especiais de fundo do filtro, a altura dessa camada pode ser reduzida:

    — fundo Leopold   0,25 m
    — fundo com Wagner blocks 0,35 m
    — fundo Wheeler   0,30 m

Nos filtros lavados com ar e água, é possível reduzir a espessura da camada até 0,30 m (Cox).

Filtros rápidos de gravidadez

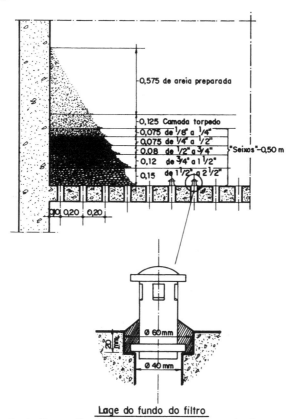

Figura 12.2 - Material filtrante e distribuídores

A camada suporte para lavagem a ar e água pode tomar a disposição simétrica da Fig. 12.3, a fim de evitar a movimentação do pedregulho ou, com a utilização de bocais distribuidores especiais, pode ser até mesmo inteiramente dispensada.

A distribuição das subcamadas obedece aproximadamente à seguinte relação:

$$C = 300 \log d$$

C = espessura em mm
d = tamanho em mm.

Tamanhos	3/32"	3/16"	1/2"	3/4"	1 1/2"	2 1/2"
d, mm	2,4	4,8	12,5	19,0	38,0	63,0
log d	0,380	0,681	1,097	1,279	1,580	1,799
300 log d, mm	114	204	329	383	474	540
Incrementos		90	125	54	91	66
Espessuras ⎰ mm		75	75	100	100	150
a adotar ⎱ pol.		3	3	4	4	6

Tratamento de água

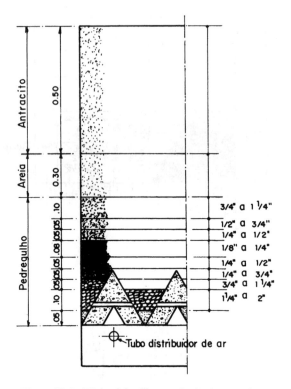

Figura 12.3 - Típico leito filtrante de dupla camada

Podem ser adotados os seguintes tamanhos para as subcamadas de pedregulho:

Tamanhos	Espessuras (cm)
4,8 - 2,4mm (3/16 - 3/32")	7,5
12,5 - 4,8mm (1/2 a 3/16")	7,5
19,0 - 12,5mm (3/4 a 1/2")	10,0
38,0 - 19,0mm (1 1/2 a 3/4")	10,0
63,0 - 38,0mm (2 1/2 a 1 1/2")	15,0
	50,0

FUNDO DOS FILTROS

Há três tipos usuais: fundos falsos com bocais ou tubos distribuidores (Figs. 12.2 e 12.3), sistema de canalizações perfuradas, blocos Leopold (Fig. 12.4).

O fundo falso consiste numa laje onde são instalados bocais distribuidores uniformemente espaçados:

Espaçamento dos bocais	Número de bocais por m²	Vazão por bocal*
0,15 m	44	0,34 ℓ/s
0,20 m	25	0,60 ℓ/s

* Para uma velocidade ascensional de 90 cm/min.

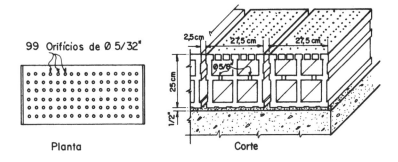

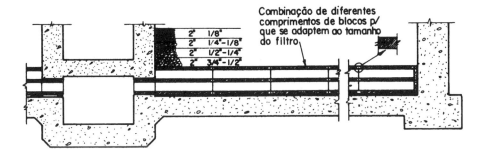

Figura 12.4 - Fundo Leopold (Cortesia de Leopold Co. Inc.)

A perda de carga nos bocais é um dado a ser fornecido pelo fabricante. Normalmente ela fica compreendida entre 0,50 e 1,00 m:

— bocais tipo DAE   0,75 m (0,35 ℓ/s por bocal)
— bocais tipo "Umbrela" de 1/2"   0,85 m (com 0,6 ℓ/s por bocal)

Existem bocais fabricados para a lavagem com ar e água (Eimco, Degremont, PCI etc.) e bocais em condições de receber diretamente a camada de areia eliminando a camada suporte de pedregulho (Eimco e outros). Nesse caso, as aberturas para a pas-

205

sagem da água deverão ser pelo menos 0,1mm mais estreitas do que os menores grãos de areia*.

Quando se adotam canalizações para o fundo do filtro, devem ser obedecidas certas regras e condições para assegurar uma boa distribuição da água para lavagem.

Essas regras, estabelecidas por Jenks, Hazen e outros, foram adaptadas, tendo resultado as Tabs. 12.4, 12.5 e 12.6. O tipo Leopold consiste em instalar sobre toda a laje de fundo, um conjunto de blocos cerâmicos com dutos perfurados. A Tab. 12.3 fornece valores de perdas de cargas nos blocos Leopold de cerâmica.**

Tabela 12.3 — Perdas de carga em fundos de filtro Leopold (m)

Taxas ou velocidade de filtração e lavagem		N.º de blocos: Dimensão dos filtros no sentido do escoamento para os blocos (m)						
		4,00	6,00	9,00	12,00	15,00	18,00	21,00
filtração m³/m²d	120	0,06	0,07	0,08	0,09	0,10	0,11	0,12
	180	0,11	0,12	0,13	0,14	0,15	0,16	0,19
	240	0,15	0,16	0,17	0,18	0,20	0,23	0,26
	300	0,19	0,21	0,22	0,24	0,27	0,32	0,37
	360	0,23	0,25	0,26	0,28	0,34	0,40	0,47
	420	0,30	0,31	0,33	0,34	0,41	0,50	0,60
	480	0,34	0,36	0,39	0,40	0,48	0,60	0,74
	540	0,38	0,42	0,45	0,47	0,55	0,70	0,89
lavagem m/min	0,60	0,60	0,73	0,88	0,96	1,19	1,75	(3,00)
	0,70	0,70	0,85	1,04	1,20	1,45	2,28	(4,00)
	0,80	0,85	0,97	1,20	1,33	1,70	2,80	(5,00)
	0,90	1,00	1,23	1,53	1,76	2,33	2,50	(6,00)

CONTROLE DOS FILTROS

Para o funcionamento adequado dos filtros são exigidos dois controles: o de nível de água e o de vazão (Fig. 12.5).

O controle do nível de água pode ser feito por uma válvula instalada na canalização de saída de água filtrada e acionada por um dispositivo de flutuador ou de detector de nível, instalado na superfície do filtro. Nos filtros com reguladores de vazão, essa operação pode ser conjugada com os aparelhos instalados.

O controle da vazão pode ser realizado na entrada de água decantada para os filtros e na saída de água filtrada.

(*) O tamanho específico da areia poderá ser fixado entre 0,45 e 0,50mm para os filtros de dupla camada, com antracito de 1,0mm.

(**) A Leopold dispõe de um novo bloco em plástico, para aplicação de ar e água, seguindo o mesmo princípio de equalização hidráulica, que garante a perfeita distribuição de fluxo, característica dos blocos originais.

Filtros rápidos de gravidade

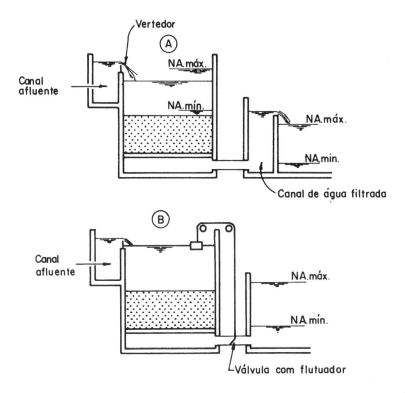

Figura 12.5 - Filtro de Taxa Constante: A) Controle na entrada com carga variável; B) Controle na saída com carga constante

No primeiro caso, são instalados vertedores ou orifícios para a entrada de água. Esses dispositivos fazem com que todos os filtros recebam praticamente a mesma vazão de água, de tal maneira que, se um ou mais filtros ficam fora de serviço, os demais passam a receber, automaticamente, um acréscimo uniforme de vazão.

Tabela 12.4 — Laterais: dimensões

Furos (orifícios) (mm) (pol.)	Área de cada furo (cm²)	Espaça- mento (cm)	Número de furos por m	Comprimento dos laterais			
				L = 1,0m Diâmetro (mm) (pol.)	L = 1,5m Diâmetro (mm) (pol.)	L = 2,0m Diâmetro (mm) (pol.)	L = 2,5m Diâmetro (mm) (pol.)
6,3 - 1/4	0,32	7,5	13,3	50 - 2	60 - 2 1/2	75 - 3	75 - 3
9,5 - 3/8	0,71	15,0	6,6	50 - 2	60 - 2 1/2	75 - 3	75 - 3
12,7 - 1/2	1,26	20,0	5,0	50 - 2	60 - 2 1/2	75 - 3	75 - 3
15,8 - 5/8	2,00	25,0	4,0	50 - 2	60 - 2 1/2	75 - 3	75 - 3
19,0 - 3/4	2,84	30,0	3,3	50 - 2	60 - 2 1/2	75 - 3	75 - 3

Tratamento de água

Tabela 12.5 — Laterais: Número de orifícios, vazões e perda de carga*

Furos (orifícios)		Espaçamento	Espaçamento dos laterais (eixo a eixo)								
			20cm			25cm			30cm		
			Orifícios			Orifícios			Orifícios		
(mm)	(pol.)	(cm)	N? de (m²)	Vazão por (ℓ/s)	Perda d/carga (m)	N? de (m²)	Vazão por (ℓ/s)	Perda d/carga (m)	N? de (m²)	Vazão por (ℓ/s)	Perda d/carga (m)
6,3	1/4	7,5	66	0,23	2,6	53	0,28	3,8	44	0,34	6,0
9,5	3/8	15,0	33	0,46	2,1	26	0,58	3,4	20	0,75	6,0
12,7	1/2	20,0	25	0,60	1,3	20	0,75	1,8	16	0,94	2,8
15,8	5/8	25,0	20	0,75	0,7	16	0,94	1,1	13	1,15	1,6
19,0	3/4	30,0	16	0,93	0,5	13	1,15	0,8	11	1,36	1,2

* Para a velocidade ascensional de água de lavagem de 90cm/min.

Tabela 12.6 — Múltiplos

Área dos filtros (m²)	Vazão máxima de lavagem (ℓ/s)	D		Área (m²)	Velocidade (m/s)
		mm	pol.		
2,5	38	200	8	0,031	1,21
5,0	75	250	10	0,049	1,52
7,5	113	300	12	0,071	1,60
10,0	150	350	14	0,096	1,55
15,0	225	450	18	0,159	1,41
20,0	300	500	20	0,196	1,52
25,0	375	550	22	0,238	1,58
30,0	450	600	24	0,283	1,59
35,0	525	700	28	0,385	1,43
40,0	600	800	32	0,503	1,19
45,0	675	800	32	0,503	1,34
50,0	750	800	32	0,503	1,49

Tabela 12.7 — Valores: alturas da lâmina de água e vazões, por metro de soleira

H,cm	Q ℓ/s	H, cm	Q, ℓ/s
1,5	3,37	9	49,68
2	5,21	10	58,14
3	9,57	11	67,12
4	14,72	12	76,53
5	20,61	13	86,24
6	27,05	14	96,34
7	34,04	15	106,90
8	41,58	16	118,00

Filtros rápidos de gravidade

Tabela 12.8 — Controladores de vazão: vazões máximas

Tamanho mm pol	Q, ℓ/s	Tamanho mm pol	Q ℓ/s
100 — 4	10,3	350 — 14	126,0
125 — 5	15,8	400 — 16	158,0
150 — 6	23,6	450 — 18	215,0
200 — 8	39,5	500 — 20	260,0
250 — 10	63,0	600 — 24	370,0
300 — 12	95,0	750 — 30	570,0

Quando se faz o controle de vazão na saída de água filtrada, há três casos a considerar: vazão praticamente constante, vazão declinante e vazão declinante variável.

No primeiro caso, são instalados aparelhos reguladores de vazão acionados por medidores do tipo Venturi.

Nos filtros com vazões declinantes, podem ser instalados diafragmas ou orifícios nas canalizações de saída de água filtrada, os quais funcionam sob pressão, em condições preestabelecidas. São eliminados os reguladores de vazão.

A Fig. 12.6 mostra uma instalação desse tipo, em que a descarga de água filtrada se faz em nível fixado, de maneira a impedir a formação de "pressão negativa" nos filtros. No caso mostrado, a perda de carga na filtração é limitada ao valor h_f (menor do que nos casos em que há uma descarga livre em canal inferior).

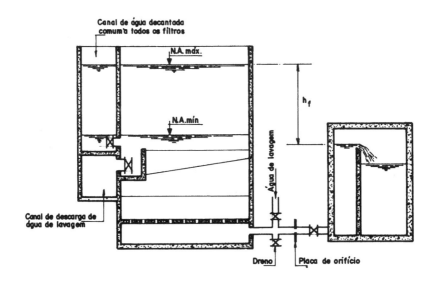

Figura 12.6 - Esquema típico de filtro descendente para trabalhar a taxas declinantes

Tratamento de água

O sistema de filtração com taxa declinante variável, do tipo exposto e defendido pelo Prof. J. L. Cleasby, é considerado por muitos especialistas como o mais vantajoso dos sistemas modernos*.

É um sistema interessante, tanto para os projetos novos, quanto para as instalações existentes, que podem ser adaptadas com igual proveito, e será descrito com detalhes no capítulo 13.

Lavagem dos filtros

Há duas condições para se determinar a hora de lavagem de um filtro, existindo, também, dois critérios para a escolha do filtro a ser lavado:

- quando o nível de água atingir um certo limite, lava-se o filtro que estiver operando há mais tempo;
- se houver controle de turbidez no efluente de cada filtro, lava-se o filtro que apresentar pior resultado.

São vantagens do sistema:

- grande simplicidade;
- custo baixo;
- altura de água relativamente pequena, com variação normalmente inferior a 1,00 m (conseqüentemente: caixas mais baixas e com menos estrutura);
- menor perda de carga;
- as variações de vazão ocorrem lentamente;
- não são necessários dispositivos de controle.

A variação de vazão em um filtro (variação de taxa), não é tão grande como se poderia imaginar. Normalmente, a vazão inicial não resulta exageradamente grande em relação à nominal, correspondente à taxa de filtração de projeto.

A vazão na tubulação do efluente de um filtro é dada por:

$$Q = C_d \, S \, \sqrt{2\,g\,H}$$

C_d = coeficiente de descarga (normalmente varia de 0,35 a 0,45)
S = seção da tubulação efluente
H = carga de água disponível.

No início do funcionamento, a carga disponível máxima geralmente não ultrapassa de 1,50 m e, com a vazão inicial maior, as perdas na camada filtrante (considerada limpa no fundo do filtro e nas tubulações de saída) serão relativamente maiores.

(*) V Simpósio sobre Técnicas Modernas de Tratamento de Água, CEPIS, — OPS, Assunção, 1972.

Filtros rápidos de gravidadez

No fim do período de filtração a vazão reduz-se diminuindo as perdas naqueles elementos, aumentando, porém, a perda decorrente da retenção de impurezas. Se a disponibilidade de carga ainda fosse de 0,20 m, ao se proceder à lavagem de um filtro, a relação entre a vazão inicial (Q_o) e a final (Q_f) resultaria:

$$Q_o = 0,4 \cdot S \sqrt{2g \times 1,50} = 2,20 \, S \, (V = 2,20 \, \text{m/s})$$

$$Q_f = 0,4 \cdot S \sqrt{2 \, g \times 0,20} = 0,80 \, S \, (V = 0,80 \, \text{m/s})$$

Se, por exemplo, a seção da tubulação for estabelecida para $V = 1,50$ m/s com uma taxa nominal de filtração de 360 m³/m²/dia, inicialmente, a taxa poderá se elevar a 525, para terminar com cerca de 195 m³/m²/dia.

Essa estimativa é aproximada, porquanto a perda de carga varia com a primeira potência da velocidade no meio filtrante e com a segunda potência no fundo do filtro e nas tubulações de saída.

TUBULAÇÕES IMEDIATAS

As tubulações imediatas dos filtros são dimensionadas com base em regras estabelecidas pela experiência que levam em conta as velocidades da água e as perdas de carga.

As Tabs. 12.10, 12.11 e 12.12 dão os tamanhos usuais das tubulações para filtros simples e duplos.

No dimensionamento da tubulação de água para lavagem, considera-se o coeficiente para tubos velhos e, naturalmente, seleciona-se um diâmetro comercial.

Pode-se ter, pois, por essas e outras razões, pressões e vazões superiores às máximas indicadas para a lavagem dos filtros.

Recomenda-se, por isso, a instalação de dispositivo de regulagem na canalização de água para lavagem, antes da derivação para o primeiro filtro. Esse dispositivo poderá ser um registro de macho, ajustável, ou um regulador de vazão de tipo adequado.

Tabela 12.9 — Reguladores de vazão para água para lavagem

Tamanho (mm) (pol.)	Vazões, ℓ/s
150 — 6	50
200 — 8	88
250 — 10	151
300 — 12	221
350 — 14	296
400 — 16	391
450 — 18	491
500 — 20	606
600 — 24	882
750 — 30	1 348

Tratamento de água

Tabela 12.10 — Tubulações imediàtas; filtros simples (em mm e polegadas)

Área do filtro (m²)	Água para lavagem	Descarga água de lavagem	Dreno de esgotos	Taxas de filtração (m³/m²d)							
				120		240		360		480	
				afluente	efluente	afluente	efluente	afluente	efluente	afluente	efluente
2,5	125-5"	200-8"	(40) 1½"	100-4"	75-3"	125-5"	100.4"	150-6"	125-5"	200-8"	125-5"
5	200-8"	250-10"	(50) 2"	125-5"	100-4"	200-8"	125-5"	250-10"	150-6"	250-10"	200-8"
7,5	200-8"	300-12"	(50) 2"	150-6"	125-5"	250-10"	150-6"	300-12"	200-8"	300-12"	250-10"
10	250-10"	350-14"	(60) 2½"	200-8"	125-5"	250-10"	200-8"	300-12"	250-10"	350-14"	250-10"
15	300-12"	400-16"	(75) 3"	250-10"	150-6"	300-12"	250-10"	400-16"	250-10"	450-18"	300-12"
20	350-14"	500-20"	(100) 4"	250-10"	200-8"	350-14"	250-10"	450-18"	300-12"	500-20"	350-14"
25	400-16"	550-22"	(100) 4"	300-12"	200-8"	400-16"	300.12"	500-20"	350-14"	550-22"	400-16"
30	400-16"	600-24"	(125) 5"	300-12"	250-10"	450-18"	300-12"	550-22"	400-16"	700-28"	450-18"
35	450-18"	700-28"	(125) 5"	350-14"	250-10"	450-18"	350-14"	550-22"	400-16"	700-28"	450-18"
40	500-20"	700-28"	(125) 5"	350-14"	250-10"	500-20"	350-14"	600-24"	450-18"	700-28"	500-20"
45	500-20"	700-28"	(125) 5"	400-16"	300-12"	550-22"	400-16"	700-28"	450-18"	750-30"	550-22"
50	550-22"	800-32"	(125) 5"	400-16"	300-12"	550-22"	400-16"	700-28"	500-20"	800-32"	600-24"
60	600-24"	800-32"	(150) 6"	450-18"	300-12"	600-24"	450-18"	750-30"	550-22"	900-36"	600-24"
70	700-28"	900-36"	(150) 6"	450-18"	350-14"	700-28"	450-18"	800-32"	550-22"	900-36"	700-28"
80	700-28"	1000-40"	(200) 8"	500-20"	350-14"	700-28"	500-20"	900-36"	600-24"	1000-40"	750-30"

Tabela 12.11 — Tubulações imediatas — filtros duplos (em mm e polegadas)

Área total do filtro (m²)	Área de cada câmara ½ filtro (m²)	Água para lavagem	Descarga água de lavagem	Dreno de esgoto	Taxas de filtração m³/m² d							
					120		240		360		480	
					afluente	efluente	afluente	efluente	afluente	efluente	afluente	efluente
40	20	350-14"	500-20"	125-5"	350-14"	250-10"	500-20"	350-14"	600-24"	450-18"	700-28"	500-20'
50	25	400-16"	550-22"	125-5"	400-16"	300-12"	550-22"	400-16"	700-28"	500-20"	800-32"	500-22"
60	30	400-16"	600-24"	150-6"	450-18"	300-12"	600-24"	450-18"	750-30"	550-22"	900-36"	600-24"
70	35	450-18"	700-28"	150-6"	450-18"	350-14"	700-28"	450-18"	800-32"	550-22"	900-36"	700-28'
80	40	500-20"	700-28"	200-8"	500-20"	350-14"	750-30"	500-20"	900-36"	600-24"	1 000-40"	750-30'
90	45	500-20"	700-28"	200-8"	550-22"	400-16"	750-30"	550-22"	900-36"	700-28"	900x900	750-30"
100	50	550-22"	750-30"	200-8"	550-22"	400-16"	800-32"	550-22"	1 000-40"	700-28"	1 000x1 000	750-30"
110	55	550-22"	800-32"	200-8"	600-24"	400-16"	800-32"	600-24"	1 000-40"	750-30"	1 000x1 000	800-32"
120	60	600-24"	800-32"	200-8"	600-24"	450-18"	900-36"	600-24"	900x900	750-30"	1 000x1 200	900-36"
130	65	600-24"	900-36"	200-8"	700-28"	450-18"	900-36"	700-28"	1 000x1 000	750-30"	1 000x1 200	900-36"
140	70	700-28"	900-36"	250-10"	700-28"	450-18"	900-36"	700-28"	1 000x1 000	800-32"	1 000x1 400	900-36"
150	75	700-28"	900-36"	250-10"	700-28"	500-20"	1 000-40"	700-28"	1 000x1 000	800-32"	1 000x1 400	1 000-40"
160	80	700-28"	1 000-40"	250-10"	700-28"	500-20"	1 000-40"	750-30"	1 000x1 200	900-36"	1 000x1 400	1 000-40"

Filtros rápidos de gravidade

Tabela 12.12 — Tubulações imediatas, vazões (litro/s) para as velocidades máximas

D	Efluente	Afluente	Descarga água de lavagem	Água para lavagem
(mm) (pol.)	(V = 1,25 m/s)	(V = 0,60 m/s)	(V = 1,80 m/s)	(V = 3,60 m/s)
7 5 - 3	6	3	8	16
1 0 0 - 4	10	5	14	28
1 2 5 - 5	15	7	23	44
1 5 0 - 6	22	11	32	65
2 0 0 - 8	40	19	56	115
2 5 0 - 1 0	62	30	88	180
3 0 0 - 1 2	89,0	42,0	127	255
3 5 0 - 1 4	121,0	58,0	174	350
4 0 0 - 1 6	157,0	76,0	225	460
4 5 0 - 1 8	200,0	97,0	286	580
5 0 0 - 2 0	247,0	118,0	353	720
5 5 0 - 2 2	296,0	146,0	429	880
6 0 0 - 2 4	355,0	170,0	510	1 020
7 0 0 - 2 8	440,0	235,0	700	1 450
7 5 0 - 3 0	565,0	270,0	800	1 600
8 0 0 - 3 2	635,0	305,0	905	1 800
9 0 0 - 3 6	800,0	390,0	1 150	2 300
1 0 0 0 - 4 0	980,0	475,0	1 410	2 825

LAVAGEM DOS FILTROS: EXPANSÃO DO MATERIAL FILTRANTE

Os filtros rápidos são lavados a contracorrente (por inversão do fluxo), com uma vazão capaz de assegurar uma expansão adequada para o meio filtrante.

Para possibilitar uma boa limpeza, essa expansão não poderá ser muito pequena e também não deverá ser muito grande. Expansões acima de 50% são indesejáveis, porque reduzem o roçamento dos grãos e facilitam a perda de material.

Na prática, consideram-s expansões entre 25 e 50% como satisfatórias, sendo 40% um valor comum.

Partindo-se da granulometria do material empregado e da temperatura da água, determina-se a velocidade ascensional da água para lavagem (Tabs. 12.13 e 12.14).

Nos filtros com duas camadas, determina-se a expansão para a areia e verifica-se a expansão para o antracito.

Nos projetos novos, com as especificações adotadas, recomenda-se que a velocidade ascensional da água para lavagem não seja inferior a 0,80 m/min, embora os filtros possam, na realidade, ser lavados com velocidades menores. Velocidades acima de 0,90 m/min são raramente previstas. Esse valor poderá, entretanto, ser utilizado para o dimensionamento de comportas e tubulações.

213

Tratamento de água

Tabela 12.13 — Expansão de areia: velocidade ascensional em m/min para diferentes tamanhos efetivos

%	Tamanhos efetivos					
	0,35 mm	0,40 mm	0,45 mm	0,50 mm	0,55 mm	0,60 mm
2 0	0,20 − 0,40	0,35 − 0,55	0,45 − 0,57	0,55 − 0,60	0,65 − 0,70	0,75 − 0,80
2 5	0,25 − 0,45	0,38 − 0,63	0,50 − 0,66	0,63 − 0,70	0,70 − 0,80	0,80 − 1,00
3 0	0,30 − 0,50	0,40 − 0,70	0,55 − 0,75	0,70 − 0,80	0,75 − 0,90	0,85 − 1,05
3 5	0,33 − 0,55	0,45 − 0,78	0,60 − 0,83	0,75 − 0,90	0,83 − 1,00	0,95 − 1,15
4 0	0,35 − 0,60	0,50 − 0,85	0,65 − 0,90	0,80 − 1,00	0,90 − 1,10	1,05 − 1,30
4 5	0,38 − 0,68	0,55 − 0,93	0,70 − 0,98	0,85 − 1,08	0,95 − 1,18	1,10 − 1,38
5 0	0,40 − 0,75	0,60 − 1,00	0,75 − 1,05	0,90 − 1,15	1,00 − 1,25	1,15 − 1,45
5 5	0,45 − 0,85	0,65 − 1,10	0,85 − 1,25	0,95 − 1,33	1,05 − 1,40	1,20 − 1,55

Tabela 12.14 — Expansão de antracito: velocidade ascensional em m/min para diferentes tamanhos efetivos*

%	Tamanhos efetivos					
	0,45 mm	0,60 mm	0,75 mm	0,90 mm	1,05 mm	1,20 mm
2 0	0,18	0,25	0,32	0,43	0,52	0,62
2 5	0,21	0,29	0,37	0,49	0,58	0,67
3 0	0,24	0,32	0,41	0,54	0,63	0,72
3 5	0,27	0,36	0,46	0,59	0,68	0,78
4 0	0,29	0,39	0,50	0,64	0,74	0,84
4 5	0,31	0,43	0,54	0,69	0,79	0,90
5 0	0,33	0,46	0,58	0,73	0,84	0,96
5 5	0,35	0,50	0,63	0,77	0,90	1,00

* Valores indicados por Powell, com extrapolações.

Os coeficientes de uniformidade do antracito são mais elevados do que os de areia.

É vantajoso ter-se a possibilidade de aplicar velocidades mais elevadas, periodicamente com o objetivo de reestratificar bem o material.

QUANTIDADE DE ÁGUA DE LAVAGEM

Conhecida a velocidade ascensional da água de lavagem, calcula-se a vazão levando-se em conta a área da câmara do filtro a ser lavado.

Uma vez determinada a vazão de lavagem, calcula-se a quantidade de água necessária para a lavagem de um filtro, tomando-se o tempo de 6,5 minutos.

Geralmente a lavagem propriamente dita dura de 3,5 a 5,5 minutos, sendo iniciada com uma vazão menor.

A lavagem superficial é realizada por um sistema independente e exige uma quantidade muito menor de água.

Filtros rápidos de gravidade

CALHAS PARA A ÁGUA DE LAVAGEM

A prática norte-americana, adotada no Brasil, exige a colocação de calhas para receber a água de lavagem com espaçamento máximo de 2,10m entre bordos e de 1,05m entre os bordos das calhas extremas e as paredes dos filtros.

A altura mínima da extremidade inferior das calhas, sobre a superfície do leito filtrante em repouso, depende da expansão máxima prevista para o material filtrante.

Nos filtros de areia, com uma expansão de 50%, a extremidade inferior das calhas deve ficar pelo menos a 0,50m da superfície da areia (50% × 0,70 + 0,15 = 0,50m com uma folga de 0,15m).

Nos filtros com camada de antracito, ocorrendo uma expansão de 50%, tem-se: 0,50 × 0,55 + 0,15 = 0,425m

Recomenda-se a altura mínima da parte inferior das calhas de 0,60m.

As calhas podem ter seções transversais em forma retangular, semicircular, de U, de V etc., dimensionadas pela fórmula

$$Q = 1,3 \cdot b \cdot H^{3/2}$$

Q = vazão, m³/s (em cada calha)

b = largura útil, m

H = altura máxima de água, m

Para as calhas que não forem de seção retangular, admite-se por aproximação a mesma altura H, fazendo-se a equivalência de área molhada.

As calhas são dimensionadas para a vazão máxima de lavagem, admitindo-se uma pequena folga na altura (5cm ou mais).

A Tab. 12.15 facilita o dimensionamento das calhas.

Tabela 12.15 — Vazões máximas das calhas, ℓ/s (Calhas com descarga livre).

H (m)	$H^{3/2}$	Largura b (m)					
		0,20	0,25	0,30	0,35	0,40	0,50
0,15	0,058	15	19	23	26	30	38
0,20	0,089	23	29	35	40	46	58
0,25	0,125	33	41	49	57	65	82
0,30	0,164	43	53	64	75	85	107
0,35	0,207	54	67	81	95	108	135
0,40	0,253	66	82	98	115	132	165
0,45	0,302	79	98	118	137	157	197
0,50	0,354	92	115	138	160	184	230
0,55	0,408	106	132	159	185	210	265
0,60	0,465	121	151	182	212	242	303

215

VOLUME DO RESERVATÓRIO DE ÁGUA PARA LAVAGEM

Fazendo-se a lavagem dos filtros com água proveniente de um reservatório de água para lavagem, reduz-se o tamanho dos grupos elevatórios.

Há uma divergência de critérios relativos ao dimensionamento do reservatório.

Bombas de recalque para o reservatório de água para lavagem

As bombas são dimensionadas em função do tempo necessário para recalcar o volume de água correspondente à lavagem de um filtro:

Nas pequenas estações são instaladas duas bombas, sendo uma de reserva.

Para as estações de porte médio podem ser previstas três bombas, sendo uma de reserva.

Tabela 12.16 — Critérios para dimensionamento do reservatório de água para lavagem

Azevedo Netto	A. W. W. A.	C. Cox	H. Hudson	J. Arboleda
Até 6 filtros: Volume correspondente à lavagem de 1 filtro, durante 6,5 minutos.	Volume para a lavagem de 1 filtro, durante 10 minutos.	Volume para a lavagem de 1 filtro, durante 10 minutos.	Volume para a lavagem de 1 filtro, durante 20 minutos.	1,5 x volume para a lavagem de 1 filtro, durante 9 minutos.
De 7 a 12 filtros: Idem, correspondente à lavagem de 2 filtros. **Mais de 12 filtros:** Recomenda-se o estudo econômico levando em conta a freqüência máxima prevista de lavagens e a capacidade das bombas.		(Equivalente a 1,5 x volume para lavagem de 1 filtro, durante 6,5 minutos).	(Equivalente a 3 x volume para lavagem de 1 filtro, durante 6,5 minutos).	(Equivalente a 2 x volume para lavagem de 1 filtro, durante 6,5 minutos).

Tabela 12.17 — Bombas de água para lavagem

Número de filtros	Distribuição teórica para lavagem em 24 horas	Fator de segurança	Freqüência de lavagem a prever	Tempo de recalque
3	8 horas	3 *	2h40min	150 min
6	4 horas	2,5	1h36min	90 min
12	2 horas	2	1h	60 min
24	1 hora	1,5	40min	40 min
Mais de 24	Recomenda-se estudo econômico			

* Considera também a conveniência de concentrar as lavagens no período diurno.

Filtros rápidos de gravidade

Para as estações de porte médio podem ser previstas três bombas, sendo uma de reserva.

Para as grandes instalações, recomenda-se o estudo econômico, levando em conta a freqüência e o volume do reservatório (se existir).

Fixação da altura do reservatório de água para lavagem

O fundo do reservatório de água para lavagem deverá estar em cota que permita a lavagem, com a vazão máxima prevista, do filtro situado em posição mais desfavorável.

Para a fixação dessa cota, será necessário calcular todas as perdas de carga existentes, desde a saída do reservatório até os bordos das calhas do filtro mencionado. São consideradas:

- perdas na tubulação e peças especiais (Tab. 12.18);
- perdas no fundo dos filtros (fundo falso — ver Fundo de filtros, e sistema de tubulação — Tabs. 12.3 a 12.6);
- perdas na camada de pedregulho (Tab. 12.20);
- perdas na passagem pelo material filtrante expandido.
  - perda de carga na areia: $h_f = 0{,}9 \cdot l$
  - perda de carga no antracito: $h_f = 0{,}25 \cdot l$

em que:

h_f = perda de carga, em m

l = altura da camada, em m

- perda nos bordos da calha vertedora (Tab. 12.7).

LAVAGEM AUXILIAR

A lavagem auxiliar dos filtros, hoje em dia, é considerada uma necessidade, excetuados os casos de instalações muito pequenas, nas quais os próprios operadores podem executar um trabalho de limpeza.

Tabela 12.18 — Perdas de carga localizadas na tubulação de água para lavagem (m)

	k	V m/s						
		2,40	2,60	2,80	3,00	3,20	3,40	3,60
Carga cinét. $V^2/2g$	1,0	0,30	0,35	0,40	0,46	0,53	0,59	0,66
Entrada na tubulação	0,50	0,15	0,18	0,20	0,23	0,27	0,30	0,33
Curva 90°	0,40	0,12	0,14	0,16	0,18	0,21	0,24	0,26
Curva 45°	0,20	0,06	0,07	0,08	0,09	0,11	0,12	0,13
Válv. gav. aberta	0,20	0,06	0,07	0,08	0,09	0,11	0,12	0,13
Control. vazão	2,50	0,75	0,87	1,00	1,15	1,32	1,48	1,65
Válv. borboleta aberta	0,25	0,08	0,09	0,10	0,12	0,13	0,15	0,17
Tê, pass. direta	0,60	0,18	0,21	0,24	0,28	0,32	0,35	0,40
Tê, saída lateral	1,30	0,39	0,46	0,52	0,60	0,69	0,77	0,86

Tratamento de água

Tabela 12.19 — Perda de carga nas subcamadas de pedregulho, durante a lavagem (m por m de altura das subcamadas)

Granulometria das subcamadas	Velocidade ascensional da água (m/min)			
	0,60	0,70	0,80	0,90
1/8"	0,20	0,25	0,30	0,40
1/4"	0,08	0,09	0,11	0,14
1/2"	0,03	0,04	0,04	0,05
3/4"	0,01	0,02	0,02	0,03
1"	0,01	0,01	0,01	0,02
1 1/2"	< 0,01	< 0,01	< 0,01	< 0,01
2 1/2"	< 0,01	< 0,01	< 0,01	< 0,01

Tabela 12.20 — Perda de carga na camada completa de pedregulho durante a lavagem (m).

$$h_t = \frac{V_a \ H}{3}$$

V_a = Veloc. asc. m/min

H = alt. cam, m

h_t = perda de carga, m

Altura da camada	Velocidade ascensional da água (m/min)			
	0,60	0,70	0,80	0,90
0,30	0,06	0,07	0,08	0,09
0,35	0,07	0,08	0,09	0,11
0,40	0,08	0,09	0,11	0,12
0,45	0,09	0,11	0,12	0,14
0,50	0,10	0,12	0,13	0,15
0,55	0,11	0,13	0,15	0,17

Fonte: Dixon, G. G. *The Hydraulics of Rapid Sand Filters*. W. W. & S., vol. 82, 4, april 1935.

Na prática são empregados os seguintes sistemas:

• lavagem superficial com o sistema móvel (agitadores Palmer);
• lavagem superficial com o sistema de bocais fixos (Fig. 12.7)
• lavagem com ar e água.

Os projetos são elaborados com base nos seguintes dados:

Sistemas de lavagem auxiliar	Vazão necessária ($\ell/s/m^2$)	Pressão recomendada (m)
Sistema móvel Palmer	0,35 a 0,70	30 a 50
Sistema fixo Baylis	1,3 a 2,6	10 a 30
Lavagem com ar	15 a 25	2,5 a 7

Filtros rápidos de gravidadez

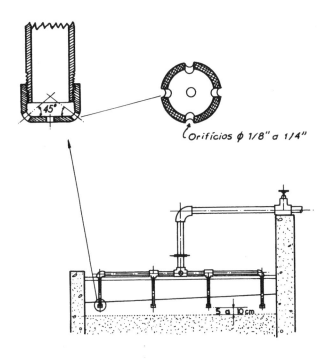

Figura 12.7 - Detalhes do sistema fixo de lavagem superficial, (Baylis, 1935)

O sistema fixo, idealizado por Baylis, compreende uma rede de bocais com jatos múltiplos. Os bocais são instalados em canos de 25mm (1") espaçados de 0,70 a 0,90m e alimentados por tubos de 75mm (3").

Pressão requerida .... 2,0 a 3,0 kg/cm²
Vazão mínima necessária ..... 1,5 a 3,0 ℓ/s por m² de superfície filtrante

Agitadores superficiais tipo Leopold

Diâm. do agitador m	Modelo "S" Leopold Pressão kg/cm²	Q ℓ/s/agit.	Modelo reto Pressão kg/cm²	Q ℓ/s/agit.
2,00	3,5	3,7	3,5	2,7
2,50	3,5	4,0	3,5	3,4
3,00	3,5	4,5	3,5	4,0
3,50	4,9	6,7	4,9	6,4
4,00	6,0	7,8	6,0	7,5
4,50	6,0	8,1	6,0	9,7
5,00	7,0	10,1	7,0	11,6

Tratamento de água

A técnica européia é inteiramente favorável ao processo de lavagem com ar e água.

Nos Estados Unidos, trabalhos recentes confirmam que o processo vem tendo aceitação cada vez maior.

No Brasil, muitos anos de experiência na antiga instalação de Santos e também na Estação de Tratamento de Água do Guandu, demonstram as vantagens desse sistema:

- lavagem mais uniforme;
- lavagem mais completa, com melhor conservação do material filtrante;
- menor consumo de água para lavagem;
- eliminação do problema de localização ou de duplicidade de lavagem superficial nos filtros de dupla camada;
- eliminação dos problemas mecânicos da lavagem superficial com torniquetes e dos problemas de atravancamento que ocorrem no caso do sistema fixo;
- redução da altura da camada suporte, quando existente.

SEQÜÊNCIA PARA O PROJETO DE FILTROS

Sugere-se o seguinte roteiro para o cálculo de uma instalação de filtração rápida:

- selecionar o tipo de filtro (com uma ou com duas camadas);
- fixar a taxa nominal de filtração, com todos os filtros funcionando;
- estabelecer o número de filtros e verificar a conveniência de adoção de filtros duplos;
- calcular a área de cada filtro;
- adotar o tipo de fundo de filtro e dimensioná-lo;
- estabelecer as dimensões dos filtros em planta e em corte;
- especificar a granulometria dos materiais filtrantes;
- especificar a camada suporte (se existir);
- estabelecer a expansão desejada para o material filtrante;
- determinar a velocidade ascensional da água de lavagem;
- calcular a vazão de água de lavagem
- selecionar e dimensionar o equipamento de controle dos filtros;
- dimensionar as tubulações imediatas dos filtros;
- fixar o tempo nominal de lavagem;
- calcular o volume de água para lavagem de um filtro;
- locar e dimensionar as calhas coletoras de água de lavagem;
- determinar o volume desejável para o reservatório de água para lavagem;
- dimensionar os conjuntos de recalque de água para lavagem;
- calcular as perdas de carga no sistema de lavagem e fixar a altura do reservatório de água para lavagem;
- projetar o sistema de lavagem auxiliar;

- calcular as perdas de carga no meio filtrante limpo e sujo (perdas em escoamento laminar e as perdas por escoamento turbulento nas demais partes, e verificar as taxas de filtração mínimas e máximas).

FILTROS DE FLUXO ASCENDENTE

Os filtros de corrente ascendente, também conhecidos por filtros russos, ou clarificadores de contato, ou, ainda, filtros KO-1, vêm sendo extensivamente utilizados, principalmente na URSS, para a clarificação de águas de pouca turbidez e de baixo conteúdo mineral.

A idéia de filtração ascendente não é nova. No século XVIII foram construídas algumas instalações na França e na Inglaterra.

Em 1918, a Candy Filter Co. patenteou um filtro desse tipo.

Esses filtros são semelhantes aos filtros rápidos, funcionando, porém, em sentido inverso, e sendo lavados periodicamente de maneira usual, isto é, com uma corrente de água, de baixo para cima, de velocidade adequada.

Em fins de 1968, o Autor inspecionou e estudou detidamente instalações russas, na qualidade de membro do *Travelling Seminar on Purification and Desinfection of Water*. Na ocasião, discutiu vários aspectos técnicos relativos a instalações desse tipo com autoridades no assunto, entre as quais o Dr. D. M. Mintz, G. A. Orlov e S. A. Shubert. Pouco depois, quando o Instituto de Engenharia Sanitária da Sursan, Guanabara, promoveu um curso sobre Técnicas Modernas de Tratamento de Água, expôs o processo, chamando a atenção para as suas vantagens e aplicabilidade em nosso País.

Após reunir maior quantidade de dados e observações, o assunto volta a ser retomado, com os resultados de uma experiência mais segura.

Funcionamento

Na URSS, os filtros de fluxo ascendente são aplicados como unidades completas de clarificação, isto é, sem unidades anteriores ou posteriores de tratamento.

A água bruta, depois de receber os coagulantes, é diretamente encaminhada para os filtros sem passar por floculadores ou por decantadores. O efluente obtido é utilizado para abastecimento após a desinfecção.

A floculação da água é realizada satisfatoriamente no próprio meio filtrante. A experiência tem demonstrado que a coagulação e a floculação realizadas no meio poroso e na presença de substâncias previamente precipitadas conduzem a resultados excelentes, permitindo economia de reagentes de 15 a 30%.

À medida que a água coagulada atravessa o meio filtrante, as impurezas vão sendo parcialmente retidas e em parte deslocadas sob a forma de flocos, de uma subcamada para a seguinte, onde ocorre uma retenção e um novo deslocamento parcial. Dois processos ocorrem simultaneamente no meio filtrante:

Tratamento de água

- a remoção de partículas da água e a sua aderência aos grãos de areia, sob a influência de forças moleculares de adesão, e
- a remoção de partículas previamente presas (fracamente aderidas) e o seu deslocamento, provocado pelas forças hidrodinâmicas do escoamento pelo aumento de velocidade.

É claro que, predominando o primeiro processo, a água se clarifica.

Verifica-se, portanto, que toda a camada filtrante trabalha no processo de clarificação e que a acumulação de impurezas não ocorre apenas na primeira face de contato (subcamada inferior).

A disposição do meio filtrante em relação ao sentido de escoamento da água faz com que a água mais impura encontre primeiramente o material mais grosseiro, de maior porosidade. À medida que a água se livra de impurezas, no seu movimento ascendente vai encontrando meios cada vez mais finos e de menor porosidade.

Os filtros de fluxo ascendente têm, portanto, a grande vantagem de que a filtração se faz, efetivamente, dos grãos mais grossos para os mais finos, no sentido da diminuição da porosidade, com o emprego de um único material filtrante — a areia. Talvez o maior problema com os filtros ascendentes surge quando a perda de carga, em um nível qualquer do leito filtrante, supera o peso da camada submergida acima desse nível, fluidificando-o e permitindo que flocos anteriormente depositados passem para o efluente.

Nos filtros de fluxo ascendente, a deposição de flocos e a perda de carga são distribuídos uniformemente através do leito filtrante. À medida que prossegue a filtração, pode haver um momento em que ocorre a fluidificação do leito, como no processo normal de lavagem, aumentando a porosidade e permitindo ao material depositado ser arrastado pela água.

A perda de carga é o fator predominante na fluidificação do leito filtrante e a velocidade de filtração, nas taxas usualmente adotadas, tem pouca ou nenhuma influência. A fluidificação ocorre no instante em que a perda de carga, numa secção qualquer, iguala o peso das partículas do leito filtrante acima dessa secção. Admitindo uma distribuição uniforme da perda de carga, a fluidificação ocorrerá quando a perda de carga atingir

$$h = (S_s - 1)(1 - p) L$$

ou

$$h = (2,65 - 1)(1 - 0,42) L = 0,95 L$$

A expressão acima e os esquemas de Fig. 12.8, demonstram que:

a) Para evitar a fluidificação, a perda de carga total H no leito filtrante deve ser inferior ao produto $(S_s - 1)(1 - p) L$, onde L é a altura total do leito. Para areia com densidade $S_s = 2,65$ e porosidade $p = 0,42$, ocorrerá fluidificação a uma perda de carga igual ou pouco menor a $0,95 L$. Como segurança, não se deve ultrapassar uma perda de carga de $0,75 L$.

222

Filtros rápidos de gravidade

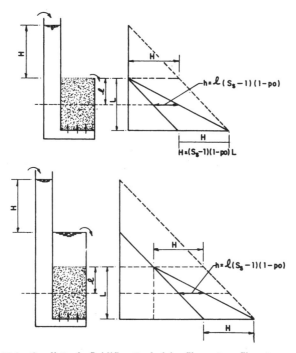

Figura 12.8 - Condição de fluidificação do leito filtrante na filtração ascendente

b) Aumentando-se a profundidade do leito filtrante, pode-se ter perdas de carga maiores sem que ocorra a fluidificação e, assim, resultando carreiras de filtração proporcionalmente maiores em idênticas condições.

c) A profundidade da capa de água sobre a superfície da areia não influi na fluidificação, isto é, pode-se ter apenas uma altura mínima necessária a uniformizar o fluxo no sistema de coleta.

Da mesma forma que os filtros descendentes, os ascendentes também podem trabalhar a taxas constantes ou a taxas declinantes. Um esquema de uma instalação de filtros ascendentes operando a taxas declinantes acha-se representado na Fig. 12.9. É importante, para um desempenho satisfatório em instalações desse tipo, que exista uma câmara ou torre equalizadora de nível e que as canalizações afluentes tenham diâmetros suficientemente grandes para que as perdas de carga sejam mínimas.

Aperfeiçoamentos

Para garantir melhores resultados para os filtros de fluxo ascendente, deve-se evitar a fluidificação do meio filtrante.

Para evitar esse inconveniente, foram propostas duas soluções; além da limitação e controle da perda de carga visto anteriormente:

223

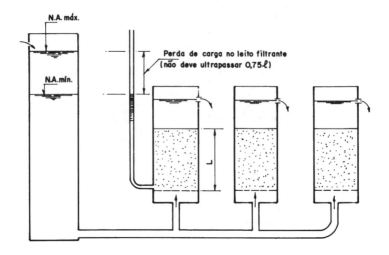

Figura 12-9 - Esquema de filtros ascendentes trabalhando a taxas declinantes

- na URSS adotou-se, em alguns casos, o sistema A.K.X., no qual uma parte da vazão é aplicada acima do meio filtrante, e a água clarificada é coletada no interior do próprio meio, pouco abaixo da sua superfície;
- na Holanda foi concebido o filtro chamado Immedium, com uma grelha colocada junto ao topo do material filtrante, para mantê-lo em posição; essa grelha com espaçamentos de cerca de 5 cm é suficiente para manter a areia devido ao efeito de arco.

Qualidade da água bruta

Os clarificadores de contato na URSS geralmente são recomendados para águas provenientes de açudes ou represas, ou seja, para águas de baixa turbidez, não sujeitas a variações repentinas de qualidade.

Esses filtros são, pois, aplicáveis a águas com as seguintes características:

- pouco poluídas;
- pouco contaminadas;
- de turbidez baixa;
- de baixo teor de sólidos em suspensão;
- sem variações rápidas de qualidade.

Investigações feitas na Inglaterra mostraram que a turbidez da água bruta normalmente deve ficar limitada a cerca de 50 U.T.

As autoridades russas estabelecem para os filtros do tipo KO-1 o limite de 150 mg/ℓ de matéria em suspensão, incluindo nesse valor a dose de coagulante aplicado.

Estrutura dos filtros — Material filtrante

Os filtros de fluxo ascendente compreendem as seguintes camadas (de cima para baixo):

- altura de água sobre o leito filtrante   1,80 — 2,30 m
- altura do leito filtrante   2,00 — 2,50 m
- altura da camada suporte   0,40 — 0,60 m
- altura total da caixa do filtro   4,20 — 5,00 m

O meio filtrante consiste em uma camada de areia preparada com tamanho efetivo entre 0,7 e 0,8 mm, e coeficiente de uniformidade inferior a 2,0. Experiências inglesas mostraram bons resultados para um meio com tamanhos entre 0,7 e 2,0 mm (tamanho efetivo 0,8 e coeficiente de uniformidade 1,6).

A camada suporte recomendada pelos russos é constituída por pedregulhos de tamanho variável, desde 4 mm (aprox. 5/32") até 30 mm (aprox. 1 1/4").

Adotando-se a distribuição de subcamadas de acordo com a relação C = 300 log d, encontram-se os seguintes valores:

Tamanhos, pol.		3/32"	3/16"	3/8"	5/8"	1"	1 1/4"
d mm		2,4	4,8	9,5	1,6	2,5	3,2
log d		0,38	0,68	0,98	1,20	1,41	1,50
300 log d		114	204	294	360	423	450
Incrementos			90	90	66	63	27
Espessuras a adotar:	em mm		100	100	75	75	50
	em pol.		4"	4"	3"	3"	2"

Tamanhos para as subcamadas:

3/16	— 3/32"	10,0 cm
3/8	— 3/16"	10,0 cm
5/8	— 3/8"	7,5 cm
1"	— 5/8"	7,5 cm
1 1/4	— 1"	5,0 cm
	Total	40,0 cm

Fundos de filtros

Na URSS, os fundos de filtros compreendem sistemas de canalizações para a distribuição de água bruta e de água para lavagem. Essas canalizações têm orifícios voltados para baixo, descarregando água em células, conforme mostrado na Fig. 12.10. Esse sistema é projetado com grande cuidado, considerando-se que, no caso, a boa distribuição deve ser considerada requisito importante. Devem ser adotados sistemas com boas características hidráulicas.

Taxas de filtração e de lavagem. Perda de carga

Os filtros russos são projetados para funcionar com taxas de filtração compreendidas entre 120 e 150 $m^3/m^2/dia$.

Vazões mais elevadas podem provocar a redução excessiva do tempo de funcionamento entre lavagens e a deterioração do efluente, (*"breakthrough"* ou passagem de impurezas).

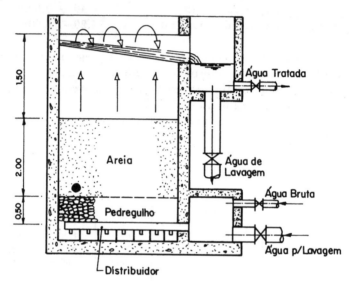

Figura 12.10 — Esquema de um filtro de fluxo ascendente

Os filtros são lavados durante 6 a 8 minutos, com velocidades ascensionais de 0,70 a 0,90 m/min (1.000 a 1.300 $m^3/m^2/dia$).

O consumo de água de lavagem em muitas instalações aproxima-se de 5%, podendo atingir 10% em alguns casos.

As instalações russas construídas por volta de 1965 experimentaram a lavagem com ar e água, com menor taxa de lavagem (700 a 900 $m^3/m^2/dia$) e menor consumo de água (3 a 5%).

Os filtros de fluxo ascendente aproveitam melhor a carga disponível. A perda de carga final total atinge cerca de 2,0 m, porém no leito filtrante não deve superar 75% da espessura de sua camada.

Resultados, vantagens e inconvenientes

Os filtros podem produzir água clarificada com baixa turbidez, freqüentemente inferior a 2 UT.

Filtros rápidos de gravidadez

Os teores de ferro são substancialmente reduzidos nesse tipo de instalação. Um aspecto importante da operação é a dosagem conveniente e correta de coagulantes. Os coagulantes constituem, nesse processo, uma parte considerável da carga de sólidos aplicadas. Especialistas como S. A. Schubert, reconhecem os clarificadores de contato como a unidade mais vantajosa em uso na URSS, por volta de 1970.

As vantagens são:

- realizam uma boa coagulação e floculação;
- evitam a necessidade de clarificação prévia da água, eliminando floculadores e decantadores;
- reduzem o consumo de coagulantes;
- fazem a filtração no sentido favorável da redução de porosidade do meio filtrante;
- utilizam todo o leito para a remoção de impurezas;
- apresentam períodos de funcionamento mais longos;
- aproveitam melhor a carga hidráulica disponível.

Os principais inconvenientes desses filtros resumem-se em:

- mistura da água de lavagem com a água bruta;
- limitações relativas à qualidade da água bruta;
- possibilidade de ocorrer a fluidificação do leito;
- qualidade inferior da água obtida no início do funcionamento (primeiros minutos após a lavagem).

Aplicações:

Os clarificadores de contato do tipo KO-1 foram testados em larga escala na URSS, tendo atualmente grande aplicação.

No Brasil, o processo foi aplicado com sucesso, pela primeira vez, na cidade de Colatina, conforme relatou o Eng. Bernardo S. Grinplastch, da Fundação SESP.

No Estado de São Paulo, foram construídas algumas instalações, uma delas para a cidade de Cordeirópolis.

Na América Latina existem aplicações na Venezuela, na Colômbia e na Argentina.

Existe instalação de tratamento de água na URSS, com capacidade para 1 000 000 m³/dia, empregando filtros de fluxo ascendente.

VARIANTES COM TRATAMENTOS COMPLEMENTARES

Nos casos em que a água bruta contenha materiais grosseiros em suspensão, inclusive quantidades excessivas de algas, mas que sob outros aspectos satisfaça às condições para tratamento em filtros de fluxo ascendente, pode-se recorrer a tratamentos preliminares de condicionamento prévio.

Na URSS, onde é adotado o sistema de distribuição da água por tubos ranhurados, no fundo dos filtros, procura-se evitar a presença de todas as impurezas grosseiras na água, mediante o emprego de microtamises (*"micro-strainers"*) antes da introdução de coagulantes. Essas unidades de pré-tratamento também são aplicadas para remover algas nas instalações comuns de filtração.

É necessário mencionar, porém, que os microtamises de fabricação russa são de custo relativamente baixo em comparação com os aparelhos fabricados na Inglaterra ou nos Estados Unidos.

Devido ao fato de os filtros de fluxo ascendente funcionarem admiravelmente bem como floculadores e clarificadores, essas unidades vêm sendo utilizadas em alguns lugares como a primeira fase do tratamento, nos casos em que a qualidade da água bruta não permita a obtenção de água tratada dentro de padrões estabelecidos, ou, então, quando se exige ou deseja características melhores para a água filtrada. Em tais situações, os clarificadores de contato são seguidos por filtros rápidos de areia, de fluxo descendente.

Instalações desse tipo, com dois estágios de filtração, foram projetadas e construídas na URSS, na Argentina, na Venezuela e no Brasil (Fig. 12.11).

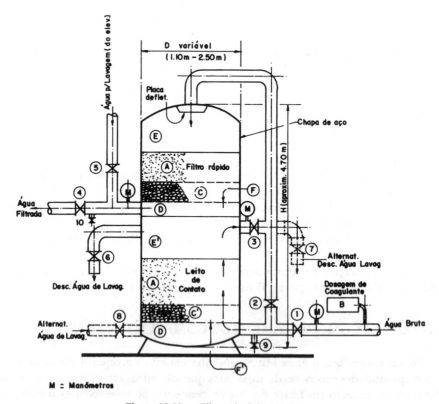

Figura 12.11 — Filtros de dois estágios

EXPERIÊNCIA DE COLATINA

Em 1971, durante o VI Congresso Brasileiro de Engenharia Sanitária, em São Paulo, o Eng. Bernardo S. Grinplastch apresentou um excelente trabalho sobre a nova técnica de filtração, tendo relatado os bons resultados obtidos na instalação construída na cidade de Colatina, Estado do Espírito Santo.

Os dados de projeto foram os seguintes:

- vazão do projeto . . . .   30 litros/s;
- taxa de filtração . . . .   121 m³/m²/dia;
- área do filtro . . . .   16 m²;
- tipo de fundo . . . .   sistema de tubulações;
- camada suporte . . . .   6,60 m;
- camada de areia . . . .   2,00 m;
- tamanho efetivo . . . .   0,7 mm;
- altura total da caixa . . . .   4,60 m

As conclusões desse Autor podem ser resumidas como se segue:

"A filtração obtida com a utilização dos clarificadores de contato, os chamados filtros russos, pelos bons resultados que vêm apresentando em vários países, merece ser experimentada entre nós. A simplicidade de seu equipamento e a economia com a sua instalação em face de eficiência de operação, aconselham seja o novo processo adotado no Brasil".

SUPERFILTRAÇÃO: DUPLA FILTRAÇÃO

A superfiltração é, por assim dizer, uma nova geração de instalações de tratamento de água, aplicável às pequenas comunidades com apreciáveis vantagens técnicas e econômicas.

Estudos iniciais, baseados em investigações pioneiras, conduzidas por alguns engenheiros, entre os quais Mário Carcedo na Argentina, German Sanchez na Venezuela e o próprio Autor no Brasil, permitiram o desenvolvimento completo da nova técnica na América Latina.

A idéia que suscitou a superfiltração decorreu de observações relativas ao comportamento dos filtros russos ou clarificadores de contato. A experiência demonstra que esses filtros de fluxo ascendente realizam com eficiência a floculação, a clarificação e a filtração da água, evitando a necessidade de tratamento prévio em floculadores e decantadores.

Constatou-se, na realidade, que a coagulação e a floculação, realizadas em meio poroso e na presença de compostos previamente precipitados, conduzem a resultados excelentes, permitindo considerável economia de reagentes.

No entanto, os filtros russos não podem ser considerados uma panacéia, ou seja, uma solução para qualquer caso.

Verifica-se que, durante a filtração, ocorre uma tendência à fluidificação das camadas superiores da areia (areia mais fina) o que ocasiona o arrastamento de impurezas e de flocos retidos do topo do leito filtrante para o efluente (água filtrada). Além disso, as primeiras águas produzidas pelo filtro, geralmente não satisfazem ao rigor de qualidade, razão pela qual, freqüentemente, elas são descarregadas. Reconhece-se a possibilidade de contaminação da parte superior do filtro pela própria água de lavagem.

Uma outra consideração diz respeito à qualidade biológica da água produzida. Alguns organismos patogênicos, como, por exemplo, os cistos de *Entamoeba histolítica*, alguns tipos de vírus e cercárias são muito resistentes à cloração, o que destaca o papel dos filtros, como importante barreira sanitária na produção de água de boa qualidade sanitária. Por essa razão, a aplicação de clarificadores de contato em regiões sujeitas a certas endemias (de esquistossomose, por exemplo), deve ser objeto de consideração especial. Em termos gerais, essas unidades não são recomendadas para o tratamento de águas com contaminação elevada.

As considerações até aqui resumidas levaram os engenheiros citados a conceberem um novo tipo de instalação de tratamento, em condições de aliar as vantagens reconhecidas dos clarificadores de contato à segurança dos filtros rápidos convencionais. Surgiram então os superfiltros, com dupla filtração.

Em síntese, o superfiltro alia duas técnicas já perfeitamente comprovadas: a russa e a americana.

Neste caso, os clarificadores de contato realizam as funções para as quais são mais indicados: a floculação, a sedimentação e a filtração preliminar, competindo ao filtro convencional com leito de material mais fino, a função complementar, isto é, a filtração mais perfeita e mais segura.

Investigações em instalações-piloto, iniciadas em fins de 1971, demonstraram que os clarificadores de contato, utilizados como condicionadores de água para a filtração final, produziram água clarificada em melhores condições do que as obtidas em sistemas convencionais. Os resultados constatados na saída de um superfiltro excederam as expectativas (Fig. 12.12).

Tipos de superfiltros

Desde o início foram concebidos dois tipos de instalação: os superfiltros de pressão e os superfiltros de gravidade.

Os superfiltros de pressão, construídos com chapas de aço, apresentam as seguintes características que, em muitos casos, poderão ser vantajosas:

- a instalação recebe água bruta sob pressão e fornece água tratada, também sob pressão;
- é possível lavar os dois filtros conjugados com a mesma água, reduzindo-se o consumo de água de lavagem.

Filtros rápidos de gravidade

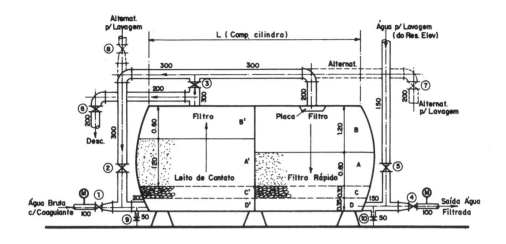

Nota - Os diâmetros indicados para as tubulações referem-se
'a unidade para 750 000 litros/dia (x 4,00 m)
M — Manômetro

Figura 12.12 — Superfiltro duplo horizontal

Dimensões típicas das unidades

Tipo	Volume de água produzido (m^3/dia)	Diâmetro (m)	Altura (m)	Comprimento (m)
Pressão vertical	150	1,10	4,50	—
Pressão vertical	300	1,60	4,50	—
Pressão vertical	450	2,00	4,50	—
Pressão vertical	750	2,50	4,50	—
Pressão horizontal	375	2,45	—	2,00
Pressão horizontal	450	2,45	—	2,50
Pressão horizontal	750	2,45	—	4,00
Pressão horizontal	1 125	2,45	—	6,00
Pressão horizontal	1 125	4,40	3,60	—
Gravidade	1 500	5,20	3,60	—
Gravidade	2 250	6,40	3,60	—
Gravidade	3 000	7,20	3,60	—
Gravidade	3 750	8,00	3,60	—

Foram consideradas três disposições construtivas: unidades combinadas verticais, unidades combinadas horizontais e unidades separadas.

Os superfiltros de gravidade, mais indicados para as instalações de maior capaci-

231

dade, podem ser construídos em aço ou concreto armado e exigem a lavagem independente das duas unidades conjugadas (Fig. 12.13).

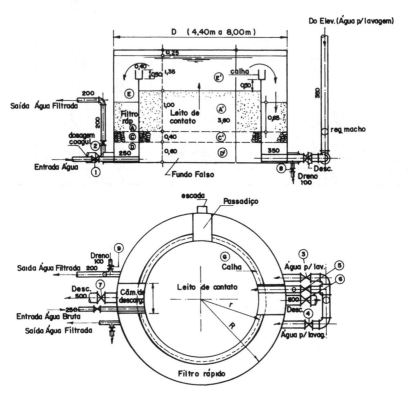

Figura 12.13 — Superfiltro duplo de gravidade aberto (diâmetros das tubulações da instalação para 3 000 m³/dia)

Parâmetros de projeto

No processo de clarificação (filtro ascendente), a água é aplicada com a taxa entre 120 e 150 m³/m²/dia, a mesma taxa aplicada na filtração final.

A lavagem é feita em ambos os casos com uma taxa entre 0,7 a 0,8 m/min.

As tubulações de entrada, de saída, de lavagem e de descarga são dimensionadas com base nos valores normais de velocidade de perda de carga.

Material filtrante e camada suporte

O leito do contato é projetado com uma camada de 1,50 m de areia preparada, com as seguintes características: tamanho efetivo entre 0,75 e 0,85 mm e coeficiente de uniformidade inferior a 2,0.

O filtro rápido compreende uma camada filtrante de areia mais fina, composta de duas partes: 0,40 m de areia de tamanho efetivo entre 0,45 e 0,55 mm e coeficiente de uniformidade inferior a 1,7 e 0,20 m de areia grossa com tamanho efetivo entre 0,8 e 1,2 mm.

A camada suporte para ambos os casos, é constituída por quatro subcamadas:

     6 a 3 mm ....   7,5 cm
     12 a 6 mm ....   7,5 cm
     25 a 12 mm ....   12,5 cm
     30 a 25 mm ....   7,5 cm
     Total ....   35,0 cm

O fundo dos filtros pode ser executado com chapas perfuradas, com orifícios uniformemente distribuídos, perfazendo uma área de 0,25 a 0,35% da superfície.

A Fig. 12.14 apresenta um exemplo de dimensionamento.

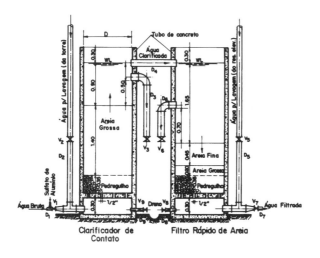

Figura 12.14 — Instalação simples de super filtração

Tratamento de água

Qualidade de água bruta

Os filtros russos de fluxo ascendente vêm sendo aplicados para o tratamento de águas de turbidez moderada. Embora em alguns casos tenham sido empregados para purificar águas com mais de 100 U.T. de turbidez, algumas pesquisas feitas na Inglaterra mostraram as vantagens do seu emprego para turbidez inferior a esse valor. Atualmente, na Universidade de São Carlos vem sendo experimentado seu uso com águas de turbidez elevada, procedendo-se a descargas de fundo intermitentes.

Os maiores recursos e a segurança dos superfiltros, devido à dupla filtração e à maior flexibilidade de projeto do seu clarificador, permitem a sua aplicação no caso de águas brutas de maior turbidez. As experiências bem sucedidas, até o momento, foram conduzidas com turbidez até 160.

Descrição do funcionamento

A seguir, será descrito, o funcionamento de um superfiltro de pressão do tipo horizontal (FIg. 12.13).

Exemplo

A água a tratar recebe a dose de coagulante comum (solução de sulfato de alumínio) dosada por uma bomba dosadora injetora (equipamento de fabricação normal), passa pela válvula 1 e entra no espaço D' do filtro inferior. Uma chapa perfurada F' distribui a água para um leito graduado de pedregulho ou seixos C'. A água, a seguir, flui através de uma camada de areia preparada A', com 1,50 m de altura aproximadamente (leito de contato). Nesse trajeto da água processa-se a sua floculação e a primeira filtração.

A seguir, a água já clarificada escoa através da válvula 3 (aberta) e, encaminhando-se para o segundo filtro, é admitida no topo, onde existe uma placa deflectora para quebrar o jato. O filtro superior é do tipo rápido de pressão, com movimento descendente da água. Nessa fase da operação estarão fechadas as válvulas 2, 5 e 6 e abertas as válvulas 1, 3 e 4.

A água atravessa a camada filtrante A de areia preparada ou de antracito e areia, passa pela camada suporte de pedregulho ou seixos graduados C, atravessa uma chapa perfurada F e atinge o espaço inferior D, saindo através da válvula 4 para um reservatório ou ponto de utilização.

Os filtros são lavados periodicamente, de acordo com as características da água a tratar, mediante a seguinte operação: fecham-se as válvulas 1, 3 e 4 e abrem-se as válvulas, 2, 5 e 6. A água para lavagem, proveniente de um tanque ou reservatório superior, do próprio sistema de abastecimento, independente da instalação, ou fornecida por uma bomba comum, entra pela válvula 5, é admitida no espaço D e lava o filtro rápido superior, de baixo para cima, saindo pela canalização superior, passando pela válvula 2, atravessando o espaço D' para lavar o filtro inferior chamado leito de contato.

234

Filtros rápidos de gravidadez

Nessa lavagem, a água passa pela camada C', atravessa o leito A' removendo as impurezas, que são descarregadas juntamente com a água através da válvula 6.

Foi prevista uma alternativa de lavagem que possibilita a lavagem independente dos dois filtros, mediante a introdução de mais duas tubulações com as válvulas 6 e 7.

No sistema são instalados três manômetros, indicados pela letra M, os quais permitirão determinar a perda de pressão ou perda de carga em cada uma das unidades conjugadas.

No caso de filtros de pressão horizontal, as manobras são as seguintes: (ver Fig. 12.12).

- durante a filtração
  - circuito da água

    $1 - D' - C' - A' - E' - 3$

    $E - A - C - D - 4$
  - válvulas abertas

    $1 - 3 - 4$ (as demais fechadas)
- durante a lavagem simultânea dos filtros
  - circuito da água

    $5 - D - C - A - E - 2 - D'$

    $C' - A' - E' - 6$
  - válvulas abertas

    $5 - 2 - 6$ (as demais fechadas)

Alternativa para lavagem independente (se desejada):

- lavagem do filtro rápido
  - circuito da água

    $5 - D - C - A - E - 7$
  - válvulas abertas

    $5 - 7$ (as demais fechadas)
- lavagem do leito de contato
  - circuito da água

    $8 - 2 - D' - C' - A' - E' - 6$
  - válvulas abertas

    $8 - 2 - 6$ (as demais fechadas)
- para esvaziamento dos filtros (drenos)
  - válvulas 9 e 10 abertas (diâmetro: 50 mm)

Para os filtros de gravidade a seqüência de operações é a seguinte: (Ver Fig. 12.13).

- funcionamento durante a filtração:
  - Caminhamento da água

    $T - D' - C' - A' - E' - E$

    $A - C - D - 2$
  - válvulas abertas $1 - 2$
  - válvulas fechadas   as demais

235

- funcionamento durante a lavagem:

Primeira fase — lavagem do filtro rápido:

- Caminhamento da água $\begin{bmatrix} 3 \\ 4 \end{bmatrix}$ —

$$D - C - A - E - G - 6 - 7$$
- válvulas abertas   3 — 4 — 6 — 7
- válvulas fechadas   as demais

Segunda fase — lavagem do leito de contato:
- Caminhamento da água
$$5 - D' - C' - A' - E'$$
$$G - 6 - 7$$
- válvulas abertas   5 — 6 — 7
- válvulas fechadas   as demais

O custo de uma instalação de superfiltração é muito inferior ao custo dos demais sistemas de tratamento com características comparáveis. As despesas de operação também são menores, não só pela simplicidade e facilidade de operação, como também devido ao menor consumo de reagentes. Além disso, os superfiltros produzem água de excelente qualidade, com maior segurança biológica.

Há, ainda, a considerar, as facilidades de construção, de transporte, de remoção e de reaproveitamento.

Por essas razões este novo sistema de tratamento vem satisfazer a um extraordinário campo de aplicações, sobretudo para as pequenas comunidades do interior brasileiro.

FILTRAÇÃO DIRETA

A filtração direta é um processo que exclui a decantação e no qual a água quimicamente coagulada é encaminhada diretamente para os filtros rápidos.

Nesse caso os filtros devem, portanto, remover não só as impurezas que causam a cor e a turbidez, mas também os produtos deixados pelos reagentes químicos empregados no processo.

Para o bom funcionamento do processo, a água bruta deve ser de boa qualidade (relativamente limpa) e as dosagens dos reagentes relativamente baixas.

No seminário realizado na Califórnia, em 1976, especificamente sobre esse assunto, as seguintes indicações foram apresentadas sobre a qualidade a ser tratada:

- cor e turbidez baixas*

(*) Consideram-se baixos os valores que podem ser removidos com quantidades muito pequenas de coagulante e que não produzam muito material a ser removido. A esse respeito ver capítulo 15.

Filtros rápidos de gravidade

- NMP de coliformes inferior a 90 por 100 ml
- ausência de quantidades significativas de dratomáceas e de fibras de papel.

Além disso, é preciso realizar ensaios de coagulação em laboratório, para verificar o efeito de reagentes e as dosagens necessárias, que não podem ser elevadas.

As instalações de filtração direta sempre compreendem uma unidade de mistura rápida e freqüentemente inclui um floculador (com 10 a 20 minutos de detenção) ou um tanque de contato com permanência em torno de uma hora.

A verificação da necessidade dessas unidades e a determinação da taxa de filtração e outros parâmetros devem ser feitas em uma instalação-piloto. Com esses ensaios experimentais é possível, também, otimizar o leito filtrante e obter indicações sobre os resultados que podem ser esperados.

Quando for dispensável o floculador a floculação ocorrerá nas camadas superiores dos filtros.

Vantagens da filtração direta:
— estações mais compactas;
— custo de construção 15 a 35% menor do que o custo das estações convencionais;
— despesas menores com reagentes;
— menor produção de lodo.

Desvantagens da filtração direta:
— aplicabilidade limitada e muito dependente das características da água bruta e da manutenção da sua qualidade ao longo do tempo;
— mais sensível às variações de qualidade da água exigindo operação mais cuidadosa e operadores mais hábeis;
— lavagem mais freqüente dos filtros e maior gasto de água para lavagem;
— menor flexibilidade do processo.

Na fase do projto é muito importante prever e considerar o que, no futuro, poderá ocorrer com o manancial (hipótese de degradação progressiva). Em muitos casos, projeta-se uma estação completa construindo-se inicialmente apenas as unidades necessárias para a filtração direta.

REFERÊNCIAS BIBLIOGRÁFICAS

[1] AZEVEDO NETTO, J. M. de — "Experiência brasileira no projeto de filtros rápidos de gravidade". Planidro, 1972.
[2] _____ "Super-filtro duplo". 1972
[3] _____ Filtros de fluxo ascendente. In: "Curso sobre técnicas avançadas de tratamento de água". Planidro. 1971
[4] A. W. W. A. — "Direct filtration seminar". Los Angeles, Califórnia Section, set. 1976.
[5] DEGRÉMONT. — "Manual técnico de água". 18 ed. 1978.
[6] GRINPLASTCH, B. S. — "Nova técnica de filtração em uso no Brasil". In: CONGRESSO BRASILEIRO DE ENGENHARIA SANITÁRIA E AMBIENTAL, 6. São Paulo, 1971. Anais.

[7] HAMAN, C.L. e McKINNEY, R. E. — "Upflow filtration process". J. A. W. W. A., set. 1968. 60(9): 1023-39.

[8] IMMACTI Co. — "The dutch immedium filter". Water and Water Engineering, 62, 1958.

[9] KAWAMURA, S. — "Two stage filtration". J. A. W. W. A. dez. 1985. 77(12).

[10] LATOU, M. G. — "Filtração direta: um passo à frente em tratamento de água". Revista DAE, dez. 1981. 127.

[11] MINTZ, D. M. — "Some results of research into drinking water purification and disinfection". Bulletin WHO, Geneva. 1962.

[12] _____ e ORLOV, G. A. — "The technology of purifying drinking water". Moscow, C.I.A.M.S. 1968.

[13] OPS/CEPIS. — "Simpósio sobre novos métodos de tratamento de água". Assunção, ago. 1972.

[14] SANCHEZ, G. — "Sedimentadores de sólidos de contato de fluxo ascendente". AVIS, XIII Congresso da AIDIS, 1972.

[15] SHUBERT, S. A. — "The selection of technological schemes for water purification from surface sources". Moscow, C.I.A.M.S. 1968.

[16] SILIN, E. A. — "Water improvements in rural conditions". Moscow, C.I.A.M.S. 1968.

13

Filtros rápidos modificados

INTRODUÇÃO

Tradicionalmente os filtros rápidos têm sido projetados com um leito filtrante constituído de um único meio — a areia, usualmente com uma profundidade de 40 a 70 cm, operados a taxa constante de 120 a 180 m^3/m^2 × dia. A tendência atual é projetar filtros com meios duplos ou múltiplos, que permitem uma produção de água de melhor qualidade e em maior quantidade por unidade de área, ou seja, a taxas de filtração mais elevadas e operados pelo sistema de velocidades variáveis de filtração ou taxas declinantes. Outra inovação que tem conduzido a excelentes resultados é a lavagem de um filtro com o efluente das outras unidades.

Antes de abordar aspectos práticos de projeto, é, talvez, conveniente discutir brevemente alguns aspectos teóricos do mecanismo da filtração.

O mecanismo da filtração é extremamente complexo, envolvendo fenômenos físicos (transporte, sedimentação, difusão etc.) e físico-químicos (aderência por forças intermoleculares e/ou eletrostáticas, ponte química etc.) — entre as partículas e os grãos do meio filtrante.

Durante a filtração, as partículas depositam-se no meio filtrante, removidas pela ação de um ou mais dos fenômenos citados. À medida que aumenta o volume de depósitos, a velocidade intersticial aumenta pela diminuição da porosidade, com um correspondente aumento da perda de carga e das forças hidrodinâmicas de cisalhamento arrastando, em conseqüência, uma certa quantidade de partículas para o interior do leito filtrante.

Essas partículas podem ser retidas nas capas mais profundas ou serem carreadas pelo efluente.

Se for possível controlar a velocidade de filtração, de maneira que esta diminua com o aumento de depósitos no meio filtrante, isto é, com a diminuição da porosidade, o arrasto de sólidos para o efluente seria assim, reduzido, produzindo um efluente de melhor qualidade. Isso é conseguido com a operação dos filtros a taxas declinantes.

239

Nos filtros descendentes de areia, a remoção de sólidos faz-se, principalmente, nas capas superiores do leito filtrante, produzindo uma perda de carga que aumenta rapidamente com o tempo.

Com a finalidade de aumentar a capacidade de armazenamento do leito filtrante, de tal forma que os sólidos removidos sejam distribuídos mais uniformemente entre as camadas mais profundas do leito, tem-se empregado o antracito, com tamanho efetivo aproximamente igual ao dobro da areia. O antracito, sendo de menor densidade, tende a permanecer sobre a camada de areia, após a lavagem em sentido ascendente. A disposição das camadas de antracito e areia sobrepostas com granulometrias diferentes representa uma aproximação da filtração ideal, na qual a água deveria passar no leito filtrante através de grãos cada vez mais finos, no sentido da diminuição da porosidade.

VARIÁVEIS NO PROCESSO DE FILTRAÇÃO

No projeto de um filtro, uma série de variáveis deve ser manipulada de modo a se garantir a melhor qualidade possível do efluente com ciclos ou carreiras de filtração de duração razoável.

Carreiras de filtração não menores que 12 horas, preferencialmente maiores do que 24 horas e efluentes com turbidez inferior a 1,0 UNT, preferencialmente ao redor de 0,1 UNT, é o que se espera dos projetos modernos de filtros rápidos.

Segundo Hudson[1], as variáveis a serem consideradas no projeto racional de um filtro estão relacionadas entre si através das relações empíricas

$$C_e = f\left(V, d^3, p^4, \frac{H}{L}, C_o\right)$$

$$T = f\left(\frac{d^2 p^4 HSL'}{V^{1,5}, C_o}\right)$$

nas quais,

C_e = concentração do material em suspensão na água filtrada
C_o = concentração do material em suspensão na água aplicada aos filtros
d = tamanho efetivo dos meios filtrantes
p = porosidade destes
H = perda de carga final no leito filtrante
L = penetração dos flocos no filtro, floculação fraca
L' = penetração dos flocos no filtro, floculação forte
V = velocidade de filtração
S = amplitude das oscilações de carga

Filtros rápidos modificados

As características da água aplicada aos filtros determinam a qualidade do efluente principalmente através da concentração, natureza, tamanho e propriedades de aderência das partículas.

Com uma operação cuidadosa, admitindo que não haja falhas de projeto e de construção, o rendimento dos filtros chega a superar 90%, em termos de remoção de turbidez. Um melhor conhecimento dos fenômenos físico-químicos que envolvem a coagulação e o emprego de decantadores lamelares de alta taxa, têm conduzido à otimização do processo de coágulo-sedimentação, resultando em uma elevada eficiência na remoção de turbidez, que se aproxima da ideal, com a turbidez da água decantada tendendo a ser independente dos valores da turbidez da água bruta[2].

As propriedades do meio filtrante desempenham um fator preponderante na eficiência da filtração. Se bem que sejam fixadas em projeto, podem ser alteradas posteriormente para melhorar a qualidade do efluente ou quando se necessita aumentar a capacidade dos filtros ou mesmo reconstruí-los. As características do meio filtrante que exercem influência na eficiência dos filtros são: o tamanho, a forma e a distribuição dos grãos, a porosidade e a profundidade do leito filtrante.

Aumentando-se o tamanho efetivo do meio consegue-se carreiras de filtração mais longas, porém a qualidade do efluente é prejudicada sensivelmente.

A velocidade de filtração não é tão significativa como as variáveis anteriores na qualidade do efluente. Normalmente uma taxa mais baixa produzirá um efluente de melhor qualidade. Um filtro bem projetado, operado satisfatoriamente, pode produzir um efluente de melhor qualidade, trabalhando a uma taxa tão elevada como uns 400 m³/m² × dia, ao passo que um filtro que trabalha a uns 120 m³/m² × dia, com um tratamento prévio inadequado, produz um efluente de pior qualidade.

De um modo geral, tem-se observado que, sob idênticas condições, a qualidade do efluente não sofre alteração sensível para taxas até 300 m³/m² × dia, comparadas com a taxa normal, até há pouco adotada em projetos, de 120 m³/m² × dia.

O aumento da perda de carga final no leito filtrante pode tornar pior a qualidade da água filtrada.

Arboleda[3] considera que em um filtro corrente, seja de camada simples ou dupla, sabe-se que o floco alcançou o seu máximo esforço cortante, quando a turbidez efluente sobrepassa continuadamente o valor máximo permissível (1 UNT).

Isso significa ter havido a ruptura interna do floco e o seu conseqüente desprendimento dos grãos do leito. Ao esforço cortante com o qual isto ocorre, dá-se a denominação de esforço cortante crítico, cujo valor é:

$$\tau_c = \sqrt{\mu\, g\, \varrho\, \frac{V}{p_c}\, h_c}$$

onde

μ = viscosidade absoluta
g = aceleração da gravidade
ϱ = densidade

V = velocidade de filtração

p_c = porosidade no momento em que se produz a ruptura

h_c = perda de carga que produz a ruptura

Esse esforço cortante crítico τ_c pode ser menor, igual ou maior que o esforço cortante τ_m produzido quando se alcança a máxima perda de carga permissível pela hidráulica do filtro h_m.

Relacionando-se τ_c com τ_m, obtém-se

$$\frac{\tau_c}{\tau_m} = \frac{\sqrt{h_c}}{\sqrt{h_m}}$$

Ao valor τ_c/τ_m denomina-se índice de dureza I_D, que pode ser empregado como um parâmetro útil para qualificar o grau de resistência do floco ao cisalhamento.

Pode-se estabelecer uma tabela com valores de I_D que caracterizassem o grau de pré-tratamento, como segue:

Valor de I_D	Qualificação do floco
< 0,65	não adesivo
0,65 - 0,8	muito fraco
0,80 - 0,95	fraco
0,95 - 1,05	ótimo
1,05 - 1,10	duro
> 1,10	muito duro

A espessura do leito filtrante quase nada afeta a filtração. É necessário, entretanto, prever-se uma altura mínima de segurança, para que a qualidade da água filtrada mantenha-se durante toda a carreira de filtração.

Finalmente, as perturbações no fluxo da água passando pelo filtro, devidas às oscilações de carga, afetam em maior ou menor grau a eficiência do filtro, dependendo da sua intensidade.

CARACTERÍSTICAS DOS MEIOS FILTRANTES

As características dos materiais que compõem um leito filtrante, devem ser objeto de uma definição racional, por sua influência no rendimento dos filtros.

Uma areia fina produz um efluente de mais alta qualidade, porém resiste à penetração dos sólidos que ficam retidos na superfície. Desse modo, a capacidade de armazenamento do leito filtrante é muito pouco aproveitada. Além disso, os flocos depositados na superfície do leito filtrante, tendem a se compactar, tornando-se difícil de serem removidos pela lavagem a contra-corrente. Inicia-se, assim, a deterioração do leito filtrante, com a formação de bolas de lodo, gretas e fendas. Isso não acontece nos filtros europeus, constituídos por um meio filtrante mais grosso e de maior espessura.

Os filtros europeus apresentam uma granulometria entre 1,0 e 2,0 mm em uma camada de 1,0 a 1,2 m. Os filtros americanos, de uso generalizado entre nós, apresentam uma granulometria entre 0,4 a 1,2 mm e espessura entre 0,5 a 0,6 m. A inexistência de problemas, tais como bolas de lodo nos filtros europeus, é atribuída à lavagem com ar e água; contudo as características próprias no leito filtrante também exercem grande influência na eficiência da lavagem. As forças cortantes hidrodinâmicas, principais agentes mecânicos na lavagem a contra-corrente, são cerca de duas vezes maiores na areia com características semelhantes às usadas nos filtros europeus do que nos filtros americanos.

Uma capacidade maior de deposição de sólidos pode ser conseguida com o emprego de filtros de dupla camada de antracito e areia.

Deve-se ter um cuidado especial na seleção da granulometria e espessura do antracito e da areia. De um modo geral, é preferível um carvão de granulometria mais uniforme para:

a) evitar a acumulação de floco na superfície e, conseqüentemente, os problemas relacionados com esta acumulação, já relatados, os quais mesmo ocorrendo em menor grau do que em um leito filtrante constituído somente por areia fina, podem também surgir no antracito;

b) diminuir ou evitar a perda dos grãos finos na lavagem;

c) impedir uma intermescla excessiva ou total entre os meios.

O grau de intermescla que deve haver ainda não está bem definido. Há duas correntes de pensamento: uma que defende uma nítida separação entre os dois meios e outra favorável à mistura dos grãos de areia e antracito na interface entre os mesmos.

Os primeiros sustentam que o efluente será de melhor qualidade, não havendo mistura entre os dois meios na sua interface. Em contraposição, argumenta-se que algum grau de intermescla é desejável para evitar uma acumulação excessiva de flocos na interface entre os dois meios, o que produziria uma influência desfavorável na perda de carga. Tal intermescla provoca uma redução na porosidade das camadas inferiores do antracito, passando a reter flocos que não foram retidos nas camadas superiores.

Por outro lado, uma mistura total entre os dois meios é indesejável, porque a porosidade resultante seria maior do que a da areia e inferior a do antracito, produzindo um efluente de pior qualidade do que se não houvesse ou, se houvesse, apenas uma pequena intermescla.

Grãos de antracito com tamanhos maiores que 1,4 mm não sofrerão expansão à velocidade de lavagem de 0,70 m/min, tendendo a se misturar com a areia mais fina durante a lavagem. Freqüentemente são relatadas experiências, onde se afirma ter havido uma perda elevada de antracito na lavagem dos filtros. Essa perda é geralmente avaliada pelo abaixamento da superfície do leito filtrante após algum tempo de operação. Uma pequena porcentagem de grãos muito finos pode, realmente, escapar pelas

Tratamento de água

calhas de lavagem, mas é bastante provável que, em grande número de casos, tenha ocorrido uma intermescla excessiva entre os dois meios, devido a especificações inadequadas. A areia estaria, então, ocupando grande parte do volume de vazios do antracito, causando uma redução no volume total e, portanto, a uma falsa avaliação das perdas.

Um erro comum na conversão de filtros de areia em filtros de dupla camada, é remover, até certa profundidade, as camadas superiores de areia e simplesmente substituí-la por antracito.

Podem acontecer dois casos: ou a camada substituída é relativamente profunda ou é de pequena espessura. No primeiro caso, verifica-se um aumento sensível na duração da carreira de filtração, mas a qualidade do efluente é prejudicada porque foram removidas as camadas mais finas da areia. No outro, há uma mistura total do antracito com a areia e não se observa melhora sensível, tanto na duração da carreira de filtração como na qualidade do efluente.

A profundidade total da camada filtrante usualmente adotada nos projetos de filtros de meio duplo gira em torno de 60 a 80 cm.

A espessura relativa das camadas de areia e antracito tem influência direta na duração da carreira de filtração. Quanto maior a razão entre o volume de antracito e o de areia, maior será o tempo entre lavagens consecutivas. Bons resultados têm sido obtidos com um leito filtrante constituído de 60% (em volume) de antracito e 40% de areia. Assim, um leito filtrante com altura total de 65 cm, deve ter uma camada de 40 cm de antracito sobre uma camada de 25 cm de areia.

A determinação das granulometrias dos materiais que irão compor o leito filtrante deve ser, preferencialmente, feita através de ensaios em filtros pilotos. Infelizmente isso nem sempre é possível. Em instalações existentes onde se pretende realizar a conversão dos filtros existentes, esta tarefa é relativamente fácil e deve sempre ser executada. Em casos de novos projetos ou de pequenas instalações, nem sempre se pode contar com tais facilidades. Nestes casos, o projetista pode basear-se em experiências anteriores, com o risco, entretanto, de que uma experiência bem sucedida em uma parte pode não o ser em outra.

No Brasil, com o emprego de carvão antracito nacional, de densidade relativa ao redor de 1,45, a experiência já adquirida em diversas instalações, desde as primeiras pesquisas em filtros pilotos, recomendam as seguintes especificações básicas para meios duplos:

Antracito : tamanho efetivo . . . . 0,9 a 1,2 mm
coeficiente de uniformidade . . . . . . < 1,4

Areia : tamanho efetivo . . . . 0,4 a 0,5 mm
coeficiente de uniformidade . . . . . . ≃ 1,5

As especificações norte-americanas determinam para o antracito uma dureza de 3,0 ou maior na escala de Mohs; entretanto a experiência tem demonstrado que esta

244

característica não é muito importante, podendo ser utilizados materiais locais, mesmo com dureza inferior a 3,0, sem se ter observado perda ou desgaste elevado nos filtros. Deve-se cuidar, no entanto, que o antracito não se fragmente no transporte, mudando sua granulometria.

VELOCIDADE DE FILTRAÇÃO E PERDA DE CARGA

Com o emprego de meios duplos de areia e antracito, pode-se adotar, com segurança, taxas de filtração de $240\,m^3/m^2 \times$ dia a $360\,m^3/m^2 \times$ dia. A estas taxas a perda de carga inicial no filtro é de 30 a 45 cm.

O fluxo da água através dos poros dos filtros é laminar. O regime de fluxo é caracterizado pelo número de Blake, adaptação do número de Reynolds, considerado o raio hidráulico dos poros:

$$B = \frac{d \cdot V}{6(1 - p)\,v}$$

onde:

d = diâmetro dos grãos (em cm)
V = velocidade ou taxa de escoamento superficial (cm/s)
p = porosidade do filtro
v = coeficiente de viscosidade cinemática (cm²/s)

Por exemplo, em um filtro rápido de areia e antracito, os grãos de antracito variam entre 0,7 mm a 1,2 mm e a porosidade é da ordem de 0,45. A uma taxa de $300\,m^3/m^2 \times$ dia $(0,35\,cm/s)$ e à temperatura de 15°C, o número de Blake estará compreendido entre

$$B = \frac{0,07 \times 0,35}{6\,(1 - 0,45)\,0,0115} = 0,65$$

$$B = \frac{0,12 \times 0,35}{6\,(1 - 0,45)\,0,0115} = 1,11$$

Quando o regime de fluxo através de um meio poroso é laminar, a perda de carga é uma função linear da velocidade e pode ser calculada pela fórmula de Camp

$$\frac{h_f}{L} = J\,\frac{v}{g} \cdot \frac{(1 - p)^2}{p^3}\,\left(\frac{\sigma}{d}\right)^2 \cdot V$$

onde

h_f = perda de carga em cm
J = uma constante empírica, cerca de 6 para regime laminar
g = aceleração da gravidade ($980\,cm/s^2$)
L = profundidade da camada (cm)
σ = fator de forma da partícula $\quad \sigma = 6/e$, onde
   e é a esfericidade (relação entre a área de uma esfera de igual volume e a área real da partícula).
σ = 6 para uma partícula esférica e 8,5 para o antracito.

Os demais símbolos como definidos anteriormente.

Em um leito filtrante estratificado, deve-se calcular a perda de carga parcial entre cada camada compreendida entre duas peneiras consecutivas, tomando-se o diâmetro médio entre estas peneiras. A perda de carga total será a soma das perdas de carga parciais nas diversas camadas.

Para os materiais filtrantes, com características usualmente utilizadas no projeto de filtros rápidos, podem ser utilizadas as seguintes fórmulas aproximadas para o cálculo da perda de carga:

a) **areia**: $\dfrac{h_f}{L} = 0,005\ V = 5 \times 10^{-3}\ V$

b) **antracito**: $\dfrac{h_f}{L} = 0,9 \times 10^{-3}\ V$

onde **V** é a velocidade de filtração dada em $m^3/m^2 \times$ dia.

EXEMPLO: Em um filtro de meio duplo, constituído de uma camada de 40 cm de antracito com t.e. = 1,0 mm, sobreposto a uma camada de areia de 25 cm com t.e. = 0,45 mm, a perda de carga inicial (com o filtro limpo) total será, à taxa de $240\,m^3/m^2 \times$ dia:

a) na areia

$$h_f = 5 \times 10^{-3} \times 240 \times 25 = 30\,cm$$

b) no antracito

$$h_f = 0,9 \times 10^{-3} \times 240 \times 40 = 8,5\,cm$$

$$\text{total:}\ h_f = 30 + 8,5 = 38,5\,cm$$

A perda de carga no leito filtrante, em função da vazão, pode ser representada, então, por uma reta $h = k_1\ V$ (Fig. 13.1).

Filtros rápidos modificados

As demais perdas de carga no filtro (no fundo falso, canalizações, etc.) são representadas pela parábola $h = k_2 V^2$. A curva composta $h = k_1 V + k_2 V^2$ denomina-se curva característica do filtro limpo.

Quando o filtro está sujo, a porosidade será menor e a perda de carga no leito filtrante será representada por uma reta $h = k'_1 v$, com $k'_1 > k_1$ resultando a curva característica do filtro sujo como indicada na Fig. 13.2.

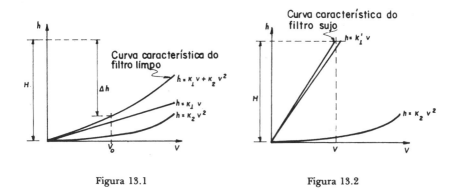

Figura 13.1   Figura 13.2

Se o filtro trabalha com taxa constante, podem ocorrer dois casos:

a) A velocidade é controlada na entrada por um vertedor ou orifício a carga constante. Neste caso o nível no filtro é variável no intervalo Δh, sendo H a carga máxima permissível pela hidráulica do filtro.

b) A velocidade é controlada na saída do filtro. Nesse caso o nível será constante e um dispositivo de controle de vazão promoverá uma perda de carga Δh.

A evolução da pressão no interior dos filtros de fluxo descendente de camada simples e de camada dupla, em função do tempo, acha-se esquematizada na Fig. 13.3. Verifica-se que surge uma pressão negativa (menor que a pressão atmosférica) em um determinado nível, quando a soma das perdas de carga, a partir da superfície do leito

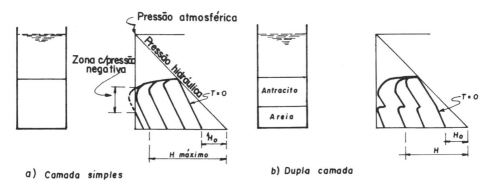

Figura 13.3 - Evolução de perda de carga em filtros descendentes

Tratamento de água

filtrante, é superior à altura d'água neste nível. O desenvolvimento da perda de carga negativa é objetável, porque, ao mesmo tempo que provoca o desprendimento de ar dissolvido na água, bloqueando a passagem da água, pode causar uma deterioração da qualidade do efluente pelas perturbações que o desprendimento do ar causa no fluxo da água.

A ocorrência de carga negativa no leito filtrante pode ser evitada com um projeto hidráulico adequado ou, na operação, pelo controle da perda de carga.

CONTROLE DOS FILTROS — TAXAS DECLINANTES

Os filtros, independentemente do sentido do fluxo, podem trabalhar a taxas constantes ou variáveis (declinantes).

No primeiro caso, a uma taxa de filtração constante em cada filtro, pode ser feita por um dos seguintes métodos, como se mostrou anteriormente.

a) Divisão equitativa do afluente por todos os filtros, através de um vertedor ou de um orifício de entrada, de modo a deixar passar uma vazão constante em cada filtro.

b) Manter uma perda de carga constante através do filtro. Essa perda de carga é a soma da perda de carga no leito filtrante, variável com o tempo, com a perda de carga criada por um dispositivo regulador de vazão. Esse dispositivo pode ser um controlador de vazão tipo Venturi, por um sifão tipo Neyrpic-Degremont etc.

O sistema de operação dos filtros a taxas declinantes é o mais vantajoso, pois acompanha a tendência natural de redução de vazão no meio filtrante à medida que o mesmo se vai colmatando. Isso pode ser conseguido na prática com uma disposição como a da Figura 13.4.

Todos os filtros têm um canal ou canalização comum de entrada, situada a um nível abaixo do nível mínimo de água em cada filtro. Assim, estabelece-se um nível de água comum a todos os filtros por vasos comunicantes, e o filtro que foi lavado mais recentemente e que, portanto, está menos colmatado, vai trabalhar com uma taxa maior do que os outros que estão mais colmatados. A mais alta velocidade de filtração vai ocorrer no filtro recém lavado, admitindo-se que os demais estão em serviço a igual tempo e que receberam igual carga de sólidos. A determinação das velocidades de filtração é bastante simples pelo processo gráfico descrito a seguir.

Traçam-se as curvas da perda de carga em função da vazão (curvas características) para as condições de filtro limpo e de filtro sujo. No exemplo ilustrado na Fig. 13.5, a perda de carga máxima admissível é $1,25\,m$ e a taxa média de filtração é $250\,m^3/m^2 \times$ dia, e a capacidade total da estação é de $2\,000\,m^3/m^2 \times$ dia. A curva característica do conjunto de filtros após a lavagem de um deles, é obtida somando-se às abcissas da curva característica de um filtro limpo as abcissas da curva característica

248

Filtros rápidos modificados

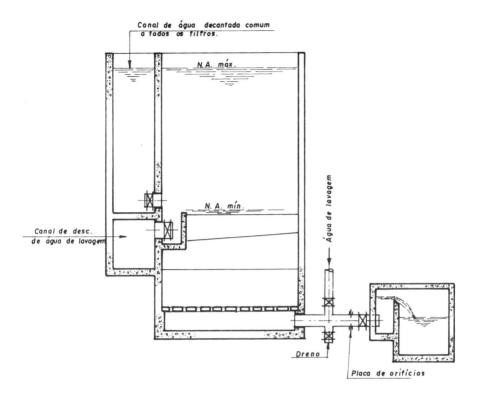

Figura 13.4 - Esquema de filtro a taxas declinantes

de um filtro sujo, tantas vezes quanto o número de filtros sujos (três, no exemplo). Essa curva termina no ponto correspondente à vazão total da estação, em uma altura mais baixa do que a perda de carga máxima. No exemplo, a altura correspondente à curva característica de três filtros sujos e um limpo resultou em 0,81 m, significando que o nível d'água no canal reduziu-se em (1,25 − 0,81) = 0,44 m. O filtro que foi lavado vai, então, trabalhar à taxa máxima de 512 m^3/m^2 × dia e os demais filtros irão trabalhar a uma taxa de 162 m^3/m^2 × dia.

Se fosse desejável que a taxa de filtração não ultrapassasse, por exemplo, 400 m^3/m^2 × dia, dever-se-ia promover uma perda de carga adicional de 0,21 m. Essa perda de carga pode ser produzida por uma placa perfurada.

FILTROS MULTICELULARES

Sabe-se que a perda de carga no leito filtrante fluidificado durante a lavagem é constante e igual a

$$h_f = (S_s - 1)(1 - p_o) \cdot L$$

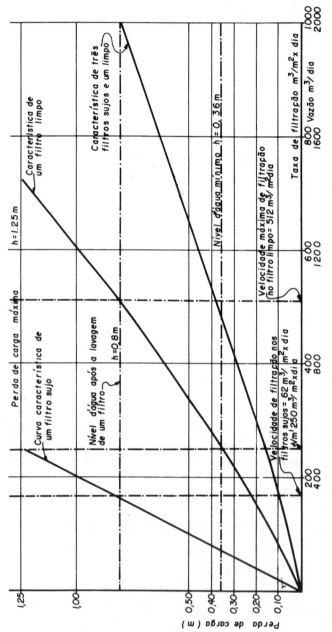

Figura 13.5 - Condição de velocidade máxima de filtração em taxas declinantes

Filtros rápidos modificados

onde

S_s = densidade das partículas do meio filtrante
p_o = porosidade do mesmo
L = profundidade do leito

Para um antracito com densidade 1,48 e uma porosidade de 0,47, resulta

$$h_f = 0,25 \ L'$$

Para a areia com densidade 2,65 e 0,42 de porosidade

$$h_f = 0,96 \ L''$$

Pode-se concluir, então, que a perda de carga no leito filtrante é, no antracito, aproximadamente igual a 25% da profundidade da camada deste material e, para a areia, é equivalente à profundidade da camada correspondente.

Assim, por exemplo, em um leito filtrante constituído de 40 cm de antracito e 25 cm de areia, a perda de carga na lavagem será

a) no antracito : $0,25 \times 40 = 10$ cm
b) na areia   : $\underline{25\,\text{cm}}$
                 Total   35 cm

Note-se, então, que a perda de carga no leito filtrante, para a sua expansão, é relativamente muito pequena.

Nisso baseia-se o sistema de filtros multicelulares, nos quais a lavagem de uma unidade é feita com o fluxo das demais (Fig. 13.6).

Todos os filtros têm uma canalização ou canal de água filtrada comum, com uma saída a um nível mais alto que a borda da canaleta de água de lavagem, na medida h_L. Os filtros diferentemente do esquema da Fig. 13.6, podem ter saídas de água filtrada individuais, mas, neste caso, deverão ter um canal de intercomunicação que permita a água filtrada passar livremente entre as diversas unidades.

Para lavar uma das unidades, fecha-se a válvula de entrada de água A e abre-se a válvula de descarga de água de lavagem B e o nível do filtro baixa lentamente, com o que vai se estabelecendo a carga hidráulica h_L que inverte o sentido de fluxo no leito filtrante.

Esse sistema de lavagem tem as seguintes vantagens:

a) A expansão do leito inicia-se lentamente. Ao ir baixando o nível no filtro abaixo do vertedor geral de saída, a velocidade do fluxo ascendente vai aumentando gradualmente até atingir o valor máximo quando o nível d'água chega à calha de coleta de água de lavagem.

251

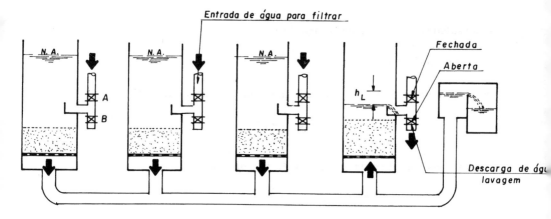

Figura 13.6 - Filtros multicelulares

b) Não necessita de equipamentos mecânicos, nem reservatório elevado, nem equipamentos de controle de vazão.

c) Necessita de um mínimo de válvulas e canalizações.

d) A operação fica extremamente facilitada, dando-se às válvulas de entrada e saída uma disposição tal que permita o fechamento de uma simultaneamente à abertura da outra, com uma só ação do operador.

e) Não há possibilidade de surgir carga negativa no leito filtrante.

O número de filtros depende da velocidade de água de lavagem e da taxa de filtração adotadas. Sendo N o número de filtros, V a velocidade da água de lavagem e V_o a taxa de filtração, tem-se

$$N = \frac{V}{V_o}$$

EXEMPLO: o número mínimo de filtros dimensionados a uma taxa de filtração de $180 m^3/m^2 \times$ dia para uma lavagem à velocidade de $0,60 m/min$ ($864 m^3/m^2 \times$ dia) seria

$$N = \frac{864}{180} = 4,8$$

ou seja, 5 unidades.

As taxas de filtração atualmente utilizadas são superiores a do exemplo.

O número de filtros deve ser igual ou superior a três unidades, preferencialmente quatro. A velocidade de filtração necessária a promover uma velocidade de lavagem de 0,60 m/min com três unidades, deverá ser pelo menos:

$$V_o = \frac{864}{3} = 288 \, m^3/m^2 \times dia$$

A carga h_L, necessária à lavagem, pode ser tão baixa como uns 65 − 75 cm, bastando para isso que se dimensione os canais de interconexão e o sistema de drenagem de modo a produzir uma perda de 30 a 40 cm.

REFERÊNCIAS BIBLIOGRÁFICAS

[1] HUDSON, H. E., Jr. − "Functional design of rapid sand filters". Proc. ASCE, Vol. 89, n.º SA 1, Jan 1963.

[2] RICHTER, C. A. e SCREMIN, P. R. − "Avaliação da Estação Modulada Sanepar − Cepis". 9.º Congresso Bras. Eng.ª Sanitária.

[3] ARBOLEDA, J. e RICHTER C. A. − "Aspectos Operacionais e de Projeto de Filtros Ascendentes e Descendentes". 9.º Congresso Bras. de Eng.ª Sanitária.

14

Lavagem dos filtros

INTRODUÇÃO

A maior parte dos problemas que ocorrem com os filtros estão relacionados com a manutenção do leito filtrante em boas condições. Pode-se até dizer que um filtro é tão bom quanto o é a sua lavagem.

Se a lavagem for inadequada, permanece aderida uma película de flocos ou de impurezas em volta dos grãos. Essa película sendo compressível, à medida que aumenta a perda de carga através do meio filtrante, os grãos são comprimidos uns aos outros, surgindo então as fendas e gretas que freqüentemente se vê em alguns filtros.

Uma lavagem adequada, dependendo das características do meio, geralmente deverá ser completada com um sistema auxiliar, como a lavagem superficial, para desprender a película aderida, como será discutido mais adiante.

A lavagem basicamente deve ser feita a alta velocidade, no sentido ascendente, de modo a causar uma expansão do leito filtrante e, deste modo, arrastar o material depositado através do leito expandido. É suficiente uma velocidade de lavagem que provoque uma expansão de 10 a 20%. Isso para os filtros descendentes comuns significa uma velocidade de lavagem da ordem de 0,5 a 0,6m/min, e para os filtros ascendentes, 0,8 a 1,0m/min.

PERDA DE CARGA NA LAVAGEM

Na condição de equilíbrio (Fig. 14.1), quando o leito filtrante encontra-se fluidizado, a perda de carga deve ser igual ao peso das partículas na água, ou seja,

$$h \varrho g = l_o (\varrho_s - \varrho) g (1 - p_o) \tag{14.1}$$

Como o volume por unidade de área do material filtrante permanece o mesmo, então

254

Lavagem dos filtros

$$\ell_o (1 - p_o) = \ell_e (1 - p_e) \tag{14.2}$$

h = perda de carga no leito filtrante
ℓ_o = altura do leito não expandido
ℓ_e = altura do leito expandido
p_o = porosidade inicial
p_e = porosidade expandida
ϱ = densidade da água
ϱ_s = densidade da partícula

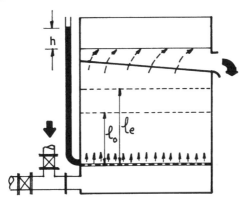

Figura 14.1

Pode-se concluir das equações (14.1) e (14.2), que a perda de carga no leito filtrante é constante, independente da expansão que se dá e, conseqüentemente, independente da velocidade de lavagem, quando o leito está fluidificando.

O regime de escoamento da água no leito filtrante, entre os poros, é laminar e, portanto, quando ainda não se inicia a expansão, a perda de carga segue a lei de Darcy para o fluxo em meios porosos:

$$h = K V$$

A perda de carga em função da velocidade de lavagem pode ser, então, representada graficamente, por uma curva como

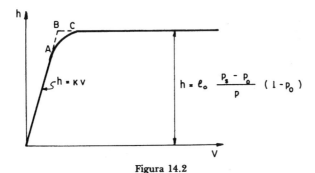

Figura 14.2

255

Entre os pontos A e C há uma curva de transição, que torna um tanto difícil de determinar o ponto de fluidificação, conseqüência da forma não perfeitamente esférica dos grãos.

Aplicando-se a fórmula (14.1) para as características correntes dos materiais filtrantes usuais, pode-se calcular a perda de carga como sendo aproximadamente igual à espessura da camada de areia e 25% da espessura da camada de antracito.

A fórmula (14.1) pode ser reescrita como

$$h = l_o \frac{\varrho_s - \varrho}{\varrho} (1 - p_o) \tag{14.3}$$

ou

$$h = l_o (S_s - 1)(1 - p_o) = l_e (S_s - 1)(1 - p_e) \tag{14.4}$$

onde S_s é a densidade relativa à água da partícula.

EXEMPLO: a perda de carga em um leito de areia de 60 cm de profundidade, com uma porosidade de 0,42 e 2,65 de densidade é

$$h = 60\,(2{,}65 - 1)(1 - 0{,}42) = 57{,}4\,cm$$

Em uma camada de antracito com profundidade de 50 cm, cujo peso específico é 1,5 e a porosidade é 0,48, a perda de carga durante a lavagem é

$$h = 50\,(1{,}5 - 1)(1 - 0{,}48) = 13\,cm$$

CÁLCULO DA EXPANSÃO PROVOCADA PELA RETROLAVAGEM

Em uma partícula submergida na água agem as seguintes forças (Fig. 14.3):

Figura 14.3

$F_B = \varrho \, V \cdot g,$ — empuxo hidrostático

$F_G = \varrho_s \, g \, V$ — peso da partícula

$F_R = C_D \, A \, \varrho \, \dfrac{v_s^2}{2\,g}$, força de arrasto devida ao movimento da partícula relativamente ao fluido.

Nas equações acima, V representa o volume da partícula e A a área da projeção da partícula sobre um plano perpendicular ao movimento.

Na condição de equilíbrio

$$F_G - F_B = F_R$$

donde $(\varrho_s - \varrho)\, g \, V = C_D \, A \, \varrho \, \dfrac{v_s^2}{2\,g}$ \hfill (14.5)

explicando v_s $v_s = \sqrt{\dfrac{2\,g}{C_D} \; \dfrac{\varrho_s - \varrho}{\varrho} \; \dfrac{V}{A}}$ \hfill (14.6)

Para partículas esféricas $V = \dfrac{\pi d^3}{6}$ e $A = \dfrac{\pi d^2}{4}$, resultando

$$v_s = \sqrt{\dfrac{4g}{3\,C_D} \; \dfrac{\varrho_s - \varrho}{\varrho} \; d} \qquad (14.7)$$

O coeficiente de arrasto depende do número de Reynolds.
Para partículas esféricas

$$C_D = \dfrac{24}{N_R} + \dfrac{3}{\sqrt{N_R}} + 0,34 \qquad (14.8)$$

Para partículas não esféricas, e para número de Reynolds em um intervalo normalmente encontrado na lavagem dos filtros, pode-se escrever

$$C_D = K \, N_R^{-\varkappa} \qquad (14.9)$$

Assim,

$$v_s = \sqrt{\frac{4g}{3\,K\,N_R^{-x}} \quad \frac{\varrho_s - \varrho}{\varrho}\, d} \tag{14.10}$$

como

$$N_R = \frac{v_s \cdot d}{\nu}$$

ou

$$v_s = \frac{\nu\, N_R}{d} \tag{14.11}$$

Substituindo o valor de v_s dado em (14.11) em (14.10), vem

$$\frac{\nu\, N_R}{d} = \sqrt{\frac{4g \cdot N_R^x}{3K}\, \frac{\varrho_s - \varrho}{\varrho} \cdot d} \, ,$$

onde, explicitando N_R:

$$N_R = \left(\frac{4}{3K}\right)^{\frac{1}{2-x}} \left[\, \frac{g\,(S_s - 1)\,d^3}{\nu^2}\, \right]^{\frac{1}{2-x}} \tag{14.12}$$

Na equação (14.12), denominando a expressão entre colchetes [ ] como número de Galileu.

$$G_a = \frac{g\,(S_s - 1) \cdot d^3}{\nu^2} \, ,$$

$$\left[\frac{4}{3K}\right]^{\frac{1}{2-x}} = \alpha \, , \text{ e }$$

$$\frac{1}{(2-x)} = m$$

vem

$$N_R = \alpha\, G_a^m \tag{14.13}$$

258

Lavagem dos filtros

Segundo Cleasby, tem-se

	α	m
Areia	0,5321	0,5554
Granada	0,0702	0,8230
Antracito	0,2723	0,6133

A porosidade de um leito filtrante expandido p_e ($p_e > p_o$), de acordo com o modelo de Richardson e Zaki, é dada por

$$p_e = [\frac{V}{V_s}]^{\frac{1}{n}} \tag{14.14}$$

onde v é a velocidade de lavagem, v_s é a velocidade de sedimentação sem interferência de uma partícula do leito e n é uma função do número de Reynolds:

$$\frac{1}{n} = \beta N_R^\theta \tag{14.15}$$

Os valores determinados experimentalmente para β e θ são os seguintes:

	β	θ
Areia	0,1254	0,1947
Granada	0,1734	0,0541
Antracito	0,1813	0,1015

A expansão relativa do leito filtrante (Fig. 14.1) é:

$$\varepsilon = \frac{l_e - l_o}{l_o} = \frac{l_e}{l_o} - 1$$

porém, como $\dfrac{l_e}{l_o} = \dfrac{1 - p_o}{1 - p_e}$,

resulta $\qquad \varepsilon = \dfrac{p_e - p_o}{1 - p_e} \tag{14.16}$

259

Tratamento de água

sendo, portanto, agora facilmente calculada a partir dos elementos que se dispõe, na seguinte seqüência de cálculo:

1) Calcula-se o número de Galileu.
2) Com o número de Galileu, calcula-se o número de Reynolds.
3) Com o número de Reynolds, calcula-se v_s e $\dfrac{1}{n}$
4) Com $\dfrac{1}{n}$ calcula-se p_e
5) Com p_e calcula-se a expansão ε

EXEMPLO: Determinar a expansão provocada em um leito filtrante uniforme, constituído por antracito com diâmetro de 0,8mm e densidade relativa de 1,65, quando retrolavado a uma velocidade de 60 cm/min (1 cm/s), à temperatura de 14°C. A porosidade inicial é 0,48.

São dados:

g = 981 cm/s^2
d = 0,8mm = 0,08 cm
S_s = 1,65
ν = 0,01176 cm^2/s
v = 1 cm/s
p_o = 0,48

1) Cálculo do número de Galileu

$$G_a = \frac{g(S_s - 1)d^3}{\nu^2} = \frac{981\,(1,65 - 1)\,(0,08)^3}{(0,01176)^2} = 2\,361$$

2) Cálculo do número de Reynolds

$$R_e = \alpha\,G_a^m = 0,2723\,(2361)^{0,6133} = 31,9$$

3) Cálculo da velocidade de sedimentação e $\dfrac{1}{n}$

$$v_s = \frac{\nu N_R}{d} = \frac{0,01176 \times 31,9}{0,08} = 4,69\,\text{cm/s}$$

$$\frac{1}{n} = \beta\,N_R^\theta = 0,1254\,(2361)^{0,1015} = 0,258$$

260

Lavagem dos filtros

4) Cálculo da porosidade expandida

$$P_e = [\ \frac{V}{V_s}\ ]^{\frac{1}{n}} = [\ \frac{1,00}{4,69}\ ]^{0,258} = 0,67$$

5) Cálculo da expansão

$$\varepsilon = \frac{p_e - p_o}{1 - p_e} = \frac{0,67 - 0,48}{1 - 0,67} = 0,58$$

ou

$$\varepsilon = 58\%$$

Os meios filtrantes utilizados na prática não são uniformes; quando muito apresentam um coeficiente de uniformidade de 1,2 ou 1,1. Quando o leito filtrante se fluidifica e expande-se, produz uma estratificação e, desta forma, o cálculo de expansão deve ser feito por camadas, segundo a análise granulométrica, tormando-se o diâmetro médio de cada camada entre duas peneiras consecutivas. A expansão total será a soma das expansões parciais nas diversas camadas.

VELOCIDADE MÍNIMA DE FLUIDIFICAÇÃO

A velocidade mínima de fluidificação pode ser calculada pela fórmula de Wen e Yon

$$V_{mf} = \frac{v}{d}\ [\ \sqrt{1.135 + 0,0408\ G_a} - 33,7\ ] \tag{14.17}$$

Assim, por exemplo, o antracito do exemplo anterior vai fluidificar a uma velocidade ascensional no filtro de

$$V_{mf} = \frac{0,01176}{0,08}\ (\ \sqrt{1.135 + 0,0408 \times 2361} - 33,7\ ] = 0,20\,\text{cm/s}$$

Partículas de antracito, com um diâmetro de 1,4 mm, somente iniciam a fluidificação com velocidades de lavagem superiores a 70 cm/min (1,17 cm/s).

Esse fato constitui-se em uma limitação na graduação do tamanho dos grãos do meio, ou seja, no tamanho efetivo e coeficiente de uniformidade que usa-se, principalmente quando se trata de meios duplos de areia e antracito, caso contrário, pode haver uma exagerada intermescla entre os dois meios.

261

SELEÇÃO DAS CARACTERÍSTICAS DOS MEIOS FILTRANTES

Na seleção dos meios filtrantes que vão compor um filtro de meio duplo ou múltiplo, deve-se considerar que a expansão diferente das camadas na interface pode produzir uma maior ou menor intermescla entre os meios.

A tendência atual é escolher os meios para que haja uma intermescla de 10 a 15 cm na interface. Para que não houvesse intermescla, a relação entre os tamanhos dos grãos na interface d_2/d_3, sendo d_2 o diâmetro dos grãos de maior tamanho do antracito e d_3 o menor diâmetro da área (Fig. 14.4), deveria ser

$$\frac{d_2}{d_3} = \left[\frac{\varrho_3 - \varrho}{\varrho_2 - \varrho}\right]^x \tag{14.18}$$

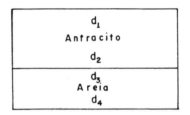

Figura 14.4

onde

ϱ = densidade da água
ϱ_2 = densidade da areia
ϱ_3 = densidade do antracito
x^3 = expoente que, para fluxo laminar é 0,5, para fluxo turbulento é 1,0 e para
x = fluxo de transição está entre 0,5 e 1,0.

Por exemplo, para o antracito brasileiro que tem uma densidade de 1,48, a relação entre os diâmetros na interface que não produziria intermescla é

$$\frac{d_2}{d_3} = \left[\frac{2,65 - 1}{1,48 - 1}\right]^{0,6} = 2,10$$

Segundo Arboleda, a relação entre d_2 e d_3, que produz uma intermescla tal a melhorar a eficiência dos filtros, está entre 4 e 6. Além disso, deve-se especificar os meios filtrantes de tal maneira que:

1) As expansões das camadas mais finas da areia e do antracito satisfaçam a condição (Fig. 14.4)

$$E\,(d_3)\,+\,1{,}0\ \ a\ \ 1{,}2\,E\,(d_1)$$

2) Os diâmetros mais grossos de ambos os materiais deverão ser de tamanhos tais que as respectivas velocidades de fluidificação satisfaçam a condição

$$V_{mf}\,(d_4)\,=\,1{,}1\ \ a\ \ 1{,}2\,V_{mf}\,(d_2)$$

MECANISMOS RESPONSÁVEIS PELA LIMPEZA DOS MEIOS FILTRANTES

Estudos recentes têm evidenciado que, a colisão e a abrasão das partículas durante a lavagem, tem pouca ou nenhuma ação na limpeza do meio filtrante, sendo a ação das forças cortantes hidrodinâmicas, resultantes do fluxo ascensional da água entre as partículas, que produz o efeito desejado.

A remoção da camada de flocos ou de impurezas aderidas à superfície do grão só será efetiva a partir de certo valor da força cortante hidrodinâmica. Convém observar que as características do meio, tais como o tamanho efetivo, coeficiente de uniformidade e peso específico têm mais influência do que a própria velocidade de lavagem, desde que ocorra a fluidificação do meio.

A tensão hidrodinâmica de cisalhamento está relacionada com o gradiente de velocidade pela própria definição deste:

$$\tau = \mu\,\frac{dv}{dy}\,=\,\mu G, \tag{14.19}$$

porém,

$$G\,=\,\sqrt{\frac{\gamma\,Q\,h}{\mu\,V}}$$

onde

$\gamma\ =\varrho\,g$
$Q\ =Av$
$h\ =(S_s\,-\,1)\,(1\,-\,p_e)\,\ell_e$ (da equação 14.4)
$\mu\ =\varrho\,v$
$V\ =p_e\,S\ell_e$

Substituindo e simplificando, vem

$$G\,=\,\sqrt{\frac{g}{v}\,(S_s\,-\,1)\,\frac{1\,-\,p_e}{p_e}\,\cdot\,v}$$

As Figs. 14.5 e 14.6 representam as tensões hidrodinâmicas de cisalhamento e os gradientes de velocidade resultantes na lavagem de diferentes meios filtrantes, em função da velocidade da água de lavagem e da porosidade resultante.

Do exame dessas curvas, verifica-se que, à medida que aumenta o tamanho dos grãos, aumenta a tensão de cisalhamento e, em conseqüência, o gradiente de velocidade do meio expandido. Para um dado meio, após iniciar-se a expansão, as tensões de cisalhamento e, em conseqüência, o gradiente de velocidade no meio expandido, aumentam muito pouco até um máximo, ao redor de 17% sobre o gradiente de fluidificação para uma areia de 0,5mm, e 11% para uma areia de 0,7mm de tamanho efetivo.

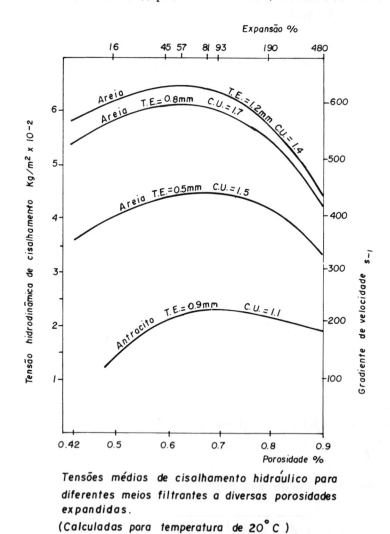

Tensões médias de cisalhamento hidráulico para diferentes meios filtrantes a diversas porosidades expandidas.
(Calculadas para temperatura de 20°C)

Figura 14.5

Lavagem dos filtros

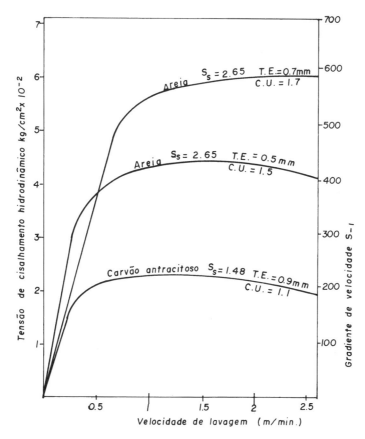

Figura 14.6 - Tensões de cisalhamento hidrodinâmico e gradientes de velocidade na lavagem de diferentes meios filtrantes

Conclui-se que aumentar a velocidade da água de lavagem a valores muito superiores à velocidade mínima de fluidificação do leito, não traz, praticamente, benefício algum. O efeito, na lavagem, de uma expansão de 50 ou 60%, não é sensivelmente maior do que uma expansão de 10 ou 20%. Pelo contrário, as taxas de lavagem demasiado elevadas podem provocar o deslocamento da camada suporte.

Por outro lado, nos filtros europeus, onde a tendência é empregar-se granulometria maior e mais uniforme, não se observa a formação de fendas, bolas de lodo e problemas correlatos, indicando uma limpeza satisfatória, o que se atribui à prática usualmente adotada na Europa da lavagem a ar e água. Entretanto, a eficiência na lavagem desses filtros é em grande parte devida às características próprias do meio. Note-se que as forças cortantes e os gradientes de velocidade são bastante mais elevados em meios filtrantes de granulometria usada nos filtros europeus do que nos de tipo americano. Além disso, por mais que se aumente a velocidade da água de lavagem e, conseqüentemente a expansão do leito filtrante, os meios filtrantes mais finos terão sempre esforços cortantes menores. Assim, supondo a existência de um valor ótimo da tensão de cisalhamento e que este esteja mais próximo dos valores resultantes na lavagem dos filtros europeus, a lavagem dos meios mais finos ou de menor densidade nunca será eficiente, a não ser que a agitação necessária possa ser completada de alguma forma. Nesse caso, tem-se conseguido bons resultados com a lavagem superficial.

Com o sistema de lavagem superficial de bocais fixos (Baylis), que aplica uma vazão de 1,3 a 2,6 ℓ/s $\times$ m^2 a uma carga de velocidade de 2,2 a 9,0m(*), resultam gradientes de velocidade da ordem de 400 a 1300 s^{-1}, na camada superficial do meio filtrante.

Convém observar que, no antracito, onde se verificam as menores tensões de cisalhamento, são menos freqüentes os problemas relacionados com fendilhamento do leito. Entretanto, bolas de lodo podem surgir, geralmente na interface entre os dois meios, em filtros de areia e antracito. Como estes problemas são causados pela compressão do meio, não ocorrem no antracito, porque nele as perdas de carga na filtração são bem menores. Podem ocorrer na interface, porque aí desenvolvem-se maiores perdas de carga, tanto maiores quanto mais nítida for a interface. Por esse motivo, resultam melhores os meios filtrantes especificados de modo a resultar um certo grau de intermescla na separação entre os dois meios, como já se indicou anteriormente.

Do exposto, conclui-se que, nos filtros rápidos de areia com tamanho efetivo entre 0,4 e 0,5mm, ou nos filtros de dupla camada de areia e antracito, basta uma velocidade ascensional da água de lavagem de 0,5 a 0,6m/min (m^3/m^2 $\times$ min), suficiente para uma expansão de uns 10 a 30%. A lavagem deve ser completada por um sistema de agitação superficial ou subsuperficial ou por ar. Em instalações pequenas, a lavagem superficial à água pode ser substituída por uma agitação manual, com uma tela de arame, ou a jato d'água sob pressão de uma mangueira.

(*) Estes valores correspondem às cargas de velocidade dos orifícios. São requeridas cargas maiores, da ordem de 15 a 30m, para vencer as perdas de carga totais.

REFERÊNCIAS BIBLIOGRÁFICAS

[1] CLEASBY, J. L., STANGEL, E. W., e RICE, G. A. — "Development in Backwashing of Granular Filters". ASCE. Jorn. Environ. Engr. Div. 101: EES: 713-727 (Oct. 1975).
[2] CLEASBY, J. L.; MALIK A. M., STANGEL, E. W. — "Optimun Backwash of Granular Filters". Engineering Research Institute, IOWA State University, September 1973.
[3] AMIRTHARAJAH, A., CLEASBY, J. L. — "Predicting expansion of filters during backwash". — J. Amer. Water Works Assoc. 64:52-59 (1972).
[4] CLEASBY, J. L., ARBOLEDA, J., et al. — "Backwashing of Granular Filters". J. Am. Water Works Assoc., 69.(2) Feb. 1977.

15

Variáveis envolvidas no processo de filtração direta

QUALIDADE DA ÁGUA BRUTA

De um modo geral, todas as águas naturais com baixa cor e turbidez, são candidatas em potencial ao tratamento por filtração direta. Entretanto, antes de recomendar a filtração direta como uma alternativa viável, é necessário considerar uma série de fatores relacionados com a qualidade da água bruta, que tem influência acentuada na eficiência do processo. Devem ser cuidadosamente avaliados todos os registros disponíveis sobre a qualidade da água bruta, principalmente com relação à turbidez, cor e possível problemas com florescimento de algas.

Uma primeira limitação, baseada em experiências já reportadas na literatura técnica disponível, indica como condições primárias para o sucesso da filtração direta, águas com menos de 40 unidades de cor, turbidez consistentemente abaixo de 10 UNT (com picos elevados somente por períodos curtos), concentrações de ferro e manganês menores que 0,3 e 0,05 mg/l, respectivamente, e contagem de algas inferiores a 2000 UPA/ml. Recentemente foram propostos limites bem definidos por Culp[1], que considera serem boas as possibilidades de emprego da filtração direta, em uma primeira aproximação, se:

- a turbidez e a cor forem, ambas, inferiores a 25 unidades;
- a cor for praticamente inexistente e a turbidez máxima não ultrapassar 200 UNT;
- a presença de fibras de papel ou de diatomáceas não exceder a 1000 UPA/ml;
- o índice bacteriológico não ultrapassar a 90 NMP/100 ml.

Turbidez e cor

A raiz do problema não está necessariamente na turbidez ou na cor da água bruta, cujos valores podem, em muitos casos, superar significativamente os limites indicados, apresentando-se ainda condições favoráveis ao sucesso da filtração direta.

Na realidade, a viabilidade do processo depende primariamente da quantidade de sulfato de alumínio necessária para coagular a água, o que é função da natureza físico-química da mesma.

Dependendo da taxa de filtração, considera-se geralmente um período mínimo da carreira de filtração da ordem de 10 a 12 horas, para as taxas elevadas como 240 - 360 m^3/m^2× dia e de 20 - 24 horas para taxas mais baixas (90 a 120 m^3/m^2× dia), isto para que as perdas em lavagem resultem inferiores a uns 5%. A Fig. 15.1, tomada com dados de diversas fontes, mostra claramente que a duração da carreira de filtração é inversamente proporcional à dose de coagulante, fato compreensível, porque o volume de floco é diretamente proporcional à dosagem do coagulante.

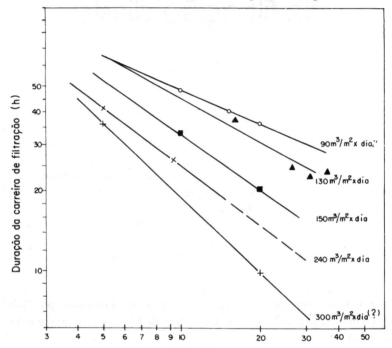

Figura 15.1 — Influência da dosagem de sulfato de alumínio na duração da carreira de filtração

Por esse motivo, Wagner e Hudson[2] consideram pouco provável a possibilidade de se obter um resultado técnico e economicamente viável com a filtração direta se as dosagens requeridas forem normalmente superiores a 20 mg/l.

Por outro lado, se as dosagens necessárias forem normalmente inferiores a, digamos 15 mg/l, há boas possibilidades para o processo.

A experiência demonstra uma correlação logarítmica entre a turbidez da água bruta e a dosagem de coagulante, como mostra a Fig. 15.2. Se a curva obtida tende para a posição vertical e/ou mais para a esquerda, como a característica do rio dos Patos em Prudentópolis (PR), a filtração direta seria uma alternativa a ser considerada, mesmo com teores elevados de turbidez.

Variáveis envolvidas no processo de filtração direta

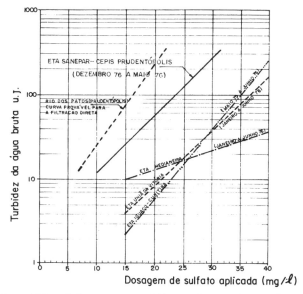

Figura 15.2 — Relação entre a turbidez e a dosagem de coagulante

Nesse caso, uma dosagem de apenas 15 mg/ℓ seria a quantidade necessária para uma turbidez de até 80 UNT, e em picos excepcionalmente raros, de 200 - 250 UNT, seriam necessários cerca de 20 mg/ℓ de sulfato de alumínio, estando estes dados de acordo com as considerações de Hudson[2] e os limites propostos por Culp[1].

Ao contrário, curvas pouco inclinadas e deslocadas para a direita, caracterizam geralmente águas de cor real relativamente elevada e, em conseqüência, as dosagens de coagulante relativamente elevadas necessárias para desestabilizar a cor, quase sempre tornam inviável o processo de filtração direta.

Em alguns casos, entretanto, a cor pode ser oxidada previamente, reduzindo a demanda de coagulante a níveis adequados à filtração direta, como ilustrado nas Figs. 15.3 e 15.4. Como agente oxidante, pode-se usar o ozônio ou o dióxido de cloro. O cloro elementar não é indicado para essa finalidade, porque a sua reação com os ácidos húmicos tende a gerar trihalometanos, o que deve ser evitado.

Coagulação

Os ensaios de coagulação para a filtração direta, são feitos de modo semelhante aos ensaios usuais para a determinação da dose ótima de sulfato de alumínio nas estações de tratamento convencionais. Esse ensaio é realizado fazendo-se apenas uma agitação violenta, de 30 a 60 segundos, simulando a mistura rápida e, eventualmente, uma agitação mais branda por mais alguns minutos, quando se deseja verificar o efeito da floculação no processo, passando-se em seguida a amostra em papel de filtro de laboratório (Whatman n.º 40). As Figs. 15.3 e 15.4, citadas anteriormente, foram elaboradas a partir de dados obtidos de ensaios de filtração direta.

269

Figura 15.3 — Ensaios de filtração direta — Ponta Grossa.

ENSAIOS DE FILTRAÇÃO DIRETA
ÁGUA BRUTA: REPRESA DOS ALAGADOS

TURBIDEZ — 35
COR   — 75
PH   — 5.9
DATA: 13/06/83
    (9/06/83)

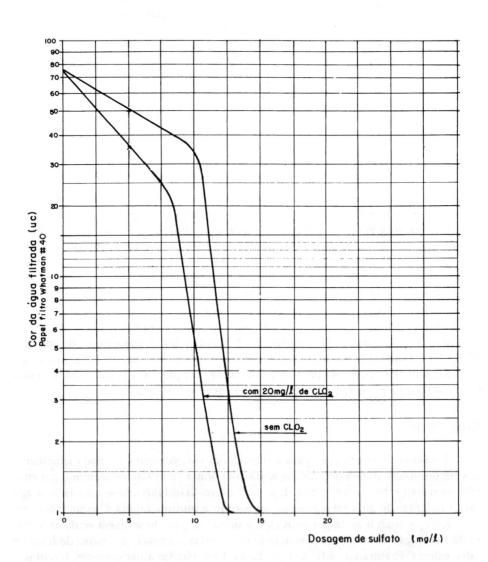

Figura 15.4 — Ensaios de filtração direta — Influência do dióxido de cloro

ÁGUA BRUTA: RIO IGUAÇU (Curitiba)

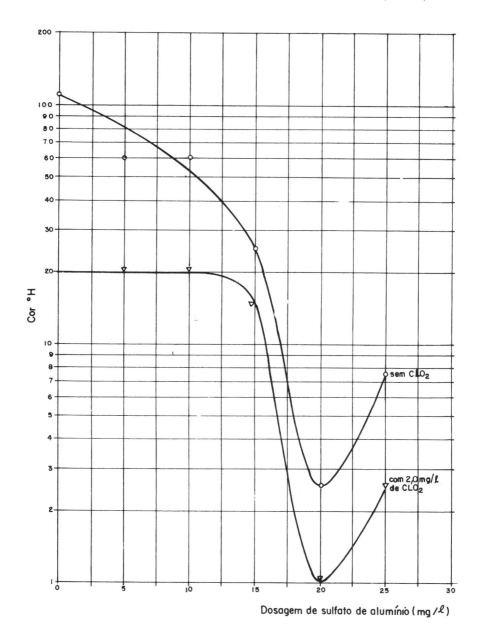

Dosagem de sulfato de alumínio (mg/ℓ)

Na Fig. 15.5 é feita uma comparação entre um ensaio de filtração e um ensaio comum de floculação. Verifica-se que há uma nítida coincidência entre a dosagem ótima para a filtração direta e aquela para a decantação dos flocos, ambas com o potencial zeta ao redor de zero. No entanto, em um filtro real, pode-se aplicar uma dosagem de 10 a 30% menor, sem que haja prejuízo na qualidade do efluente, com um potencial zeta levemente negativo, e isto, na opinião do autor, deve-se aos complexos mecanismos de adesão no interior do leito filtrante.

No traçado das curvas turbidez-dosagem de coagulante, observa-se geralmente uma queda brusca, imediatamente antes da dosagem ótima, na faixa de potencial zeta ao redor de zero. Além desse ponto, uma dosagem em excesso normalmente conduz a carreiras de filtração mais curtas, seja pela rápida evolução da perda de carga, seja pela ocorrência de transpasse de flocos mais fracos, gerados em conseqüência da sobredose de sulfato.

Esses fatos recomendam o controle da coagulação em estações de filtração direta, de médio a grande porte, através da determinação do potencial zeta — processo rápido e preciso da dosagem ótima de coagulante.

Algas

O florescimento de algas em certas épocas do ano, representa um dos mais sérios problemas à operação de uma estação de filtração direta, pois provoca rapidamente a oclusão dos filtros e, em conseqüência, carreiras de filtração muito curtas e um gasto excessivo de água de lavagem. Podem ocorrer carreiras de filtração tão curtas como 4–6 horas e consumo de água de lavagem superior a 30–40%.

As algas mais ofensivas aos filtros estão representadas pelas diatomáceas e cianofíceas. Essas espécies agem sobre os filtros libertando uma película orgânica viscosa sobre os grãos do leito filtrante, ligando-os em aglomerados, reduzindo a capacidade de filtração e causam a formação de bolas de lodo, que reduzem seriamente a eficiência da lavagem.

Os problemas causados com a existência de elevadas populações de algas podem ser abrandados, aumentando-se a granulometria do meio filtrante. Uma carreira de oito horas pode resultar em um filtro constituído por carvão de 1,0mm de diâmetro efetivo a uma concentração de algas da ordem de 2.000 UPA/m ℓ [*]. Um carvão com 1,3mm de tamanho efetivo pode suportar uma concentração de algas da ordem de 30.000 UPA/m ℓ, sob as mesmas condições. Para evitar uma deterioração na qualidade do efluente, conseqüência da adoção de um meio de granulometria mais grossa, pode ser necessária a aplicação de polímeros auxiliares da filtração ou, se for possível, aumentar ou adotar uma camada filtrante de maior profundidade.

(*) UPA = Unidade Padrão de Área — correspondente a 400 mícrons quadrados, ou seja, um quadrado de 20 × 20 mícrons. Representa a área ocupada no campo do microscópio pelos organismos.

Variáveis envolvidas no processo de filtração direta

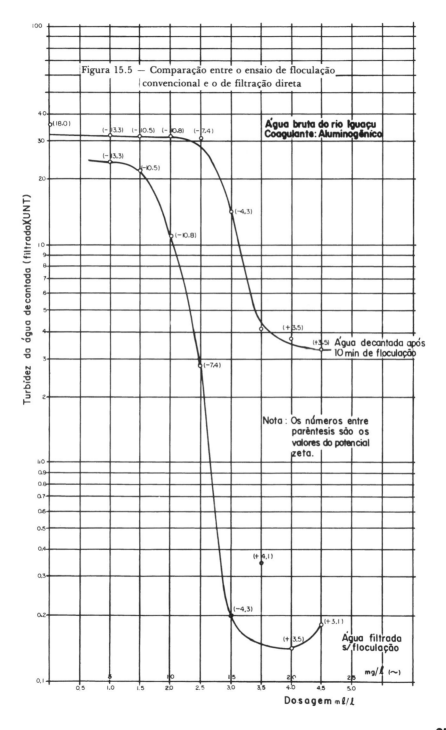

Figura 15.5 — Comparação entre o ensaio de floculação convencional e o de filtração direta

Tratamento de água

Sabor e odor

O tratamento por adsorção, para a remoção de contaminantes orgânicos que produzem sabor e odor na água, tais como fenóis e algas, pode reduzir consideravelmente as carreiras de filtração quando são aplicadas doses relativamente elevadas de carvão ativado em pó. Quando se espera freqüentes problemas com sabor e odor, uma alternativa possível é substituir a camada de antracito por carvão ativado granular.

PARÂMETROS DE PROJETO

Mistura rápida, floculação

Da mesma forma que para uma estação de tratamento convencional, não há uma definição clara para a intensidade e a duração da fase de mistura do coagulante. São usados gradientes de velocidade em torno de $1.000\,s^{-1}$, e tempos de mistura geralmente mais prolongados. Enquanto que em estações de tratamento convencionais o tempo de mistura rápida tem sido tomado para menos de $20\,s$, em alguns casos, o processo de filtração direta parece demandar maior tempo, principalmente quando se elimina a fase subseqüente de floculação. Tempos de mistura prolongados, entretanto, recomendam gradientes mais baixos, porque se a agitação é demasiada violenta e/ou quando se usam polímeros, os flocos já formados podem ser destruídos, liberando colóides que não vão mais recoagular.

A necessidade de floculação é uma consideração ainda mais discutível. Em alguns casos estudados, a floculação antes da filtração apresentou resultados levemente superiores em termos de turbidez remanescente. Em outros casos, ocorre o inverso.

De qualquer forma, é recomendável a previsão de tanques para um tempo de mistura de 3 a 6 minutos, providos de um "by-pass" que comunique a câmara de misutra rápida diretamente aos filtros.

Essa flexibilidade é tanto mais necessária, porquanto pode ser necessário o emprego de mais outros produtos químicos, tais como polímeros catiônicos, oxidantes químicos etc. Os polieletrólitos, como auxiliares de coagulação, são geralmente aplicados após o coagulante primário, entretanto, ocorrem casos em que a sua aplicação antes, num período de segundos a alguns minutos, conduz a melhores resultados. Também, quando é necessária a oxidação prévia da cor, com a aplicação de ozônio, dióxido de cloro ou permanganato de potássio, é geralmente necessário um período mínimo de contato, variável segundo as características físico-químicas da água e a natureza do composto oxidante que se usa.

No caso dos tanques de floculação, Hudson[3] recomenda-se um GT entre 25.000 e 50.000.

Taxa de filtração

As taxas de filtração usadas na filtração direta variam usualmente entre 90 e $360\,m^3/m^2 \times$ dia. Entre esses limites, com um pré-tratamento razoável, a velocidade de filtração parece não ter influência significativa na qualidade do efluente, porém afeta a duração da carreira de filtração devido a que o volume de sólidos depositado no leito filtrante é proporcional à taxa de filtração (Fig. 15.1). Hudson[3] considera que os valores mais baixos do intervalo devam ser usados quando a turbidez é alta, por exemplo, de 25 a 100 UNT, ou quando a água bruta requer uma dosagem elevada de sulfato de alumínio, acima de $20-25\,mg/\ell$, para a remoção de cor.

Um grau de pré-tratamento cada vez mais acurado e o condicionamento dos filtros com polímeros adequados têm superado a dúvida em se aplicar aos filtros taxas de filtração cada vez mais elevadas, com um caso já reportado de $900\,m^3/m^2 \times$ dia.

Especificações do meio filtrante

A escolha dos meios filtrantes mais adequados talvez seja a condicionante de projeto de maior importância na eficiência do processo de filtração direta.

A filtração ideal seria aquela em que o sentido do fluxo no leito filtrante coincidisse com a diminuição da porosidade. Isso ocorre nos filtros de fluxo ascendente, que seria o sistema ideal, porém existem limitações e desvantagens que o fazem não tão favorável como parece a primeira vista.

Os filtros descendentes no processo de filtração direta são sempre projetados com duas ou mais camadas sobrepostas de materiais de densidade diferente, com diferentes diâmetros, decrescentes da camada superior para a inferior. Trata-se, assim, de se reproduzir uma aproximação da filtração ideal, na qual a água deveria passar no leito filtrante através de grãos cada vez mais finos. O tipo mais comum é o de dupla camada de areia e antracito, este com tamanho efetivo aproximadamente o dobro daquela.

Nas primeiras instalações de filtração direta, o meio filtrante era constituído por 60 cm de antracito de 0,6 a 0,7 mm de tamanho efetivo, sobre 20 cm de areia de 0,45 mm de tamanho efetivo.

A tendência atual é adotar antracito de maior tamanho efetivo e menor coeficiente de uniformidade, porém mantendo a areia com tamanho efetivo ao redor de 0,5 mm, o que parece ter uma influência decisiva na qualidade do efluente.

Antracitos com tamanho efetivo menor que 0,8 mm dão carreiras de filtração muito curtas, problema que é seriamente agravado com a presença de algas. Diâmetros muito pequenos com poros de menor tamanho que os flocos podem provocar uma camada de flocos que se deposita sobre a superfície do antracito, bloqueando o fluxo através do meio filtrante.

Uma especificação básica de leito filtrante que tem otimizado uma série de instalações[3], [5], é a seguinte:

antracito: tamanho efetivo 1,1 mm
                 espessura da camada 0,40 a 0,90 m
areia   : tamanho efetivo 0,5 mm
                 espessura da camada 0,20 a 0,30 m

O coeficiente de uniformidade varia de 1,3 a 1,6. Para a camada de antracito, é recomendável a adoção de coeficientes de uniformidade os mais baixos possíveis, para evitar os diâmetros muitos pequenos na superfície e, no fundo, evitar uma intermescla exagerada com os grãos de areia que ocorreria em conseqüência de diâmetros muito grandes do antracito. Seria, assim, recomendado, para o antracito, um coeficiente de uniformidade inferior a 1,4.

Condições adversas da água bruta, como demanda exagerada de sulfato de alumínio, grandes concentrações de algas, podem requerer a adoção de uma camada de antracito com tamanho efetivo da ordem de 1,3 mm, para que as carreiras de filtração não resultem demasiado curtas. A espessura da camada deverá, em conseqüência, ser proporcionalmente aumentada, visando proporcionar uma capacidade maior de depósito e também evitar condições de transpasse. Nesse caso, parecem ser recomendadas espessuras da camada de antracito da ordem de 1,0 m.

Relação entre as principais variáveis na filtração

Em um modelo simplificado, a eficiência na remoção de partículas em um leito filtrante de espessura L e diâmetro dos grãos d, quando ainda não se chegou à porosidade de saturação do meio, pode ser representada pela equação de Kavanaugh[6]:

$$C/C_o = e^{-n_L/d} \tag{15.1}$$

onde C e C_o representam as concentrações de partículas na saída e na entrada do filtro, respectivamente, e n é um coeficiente que depende das outras características do meio e da resposta à coagulação.

Essa equação sugere que meios filtrantes, tendo a mesma relação d/L, deverão, sob igualdade das demais condições, apresentar os mesmos resultados.

Numa extrapolação empírica, considerando o efeito da velocidade de filtração, poder-se-ia concluir que dois filtros, mantidas as demais variáveis, apresentando diferentes valores de V, L e d, apresentarão os mesmos resultados se for satisfeita a relação $V \cdot d/L$.

A equação (15.1) pode ser estendida a filtros de múltiplas camadas:

$$\frac{C}{C_o} = e^{-n l_1/d_1} \cdot e^{-n l_2/d_2} \cdot e^{-n l_3/d_3} \ldots = e^{-n(l_1/d_1 + l_2/ + \ldots)}$$

e, este meio seria equivalente a um meio simples, quando

$$\frac{L}{d} = \frac{l_1}{d_1} + \frac{l_2}{d_2} + \frac{l_3}{d_3} + \ldots \tag{15.2}$$

Variáveis envolvidas no processo de filtração direta

FATORES DE NATUREZA OPERACIONAL

Condições de transpasse

À medida que o filtro vai se colmatando, aumentam as forças internas de cisalhamento hidrodinâmico, até o ponto em que há o rompimento ou a separação dos flocos aderidos aos grãos do leito, com o seu transpasse para o efluente.

As tensões hidrodinâmicas de cisalhamento são dadas por

$$\tau = \mu \, G$$

onde

τ = tensão de cisalhamento
μ = coeficiente de viscosidade, e
G = gradiente de velocidade

O gradiente de velocidade é dado por

$$G = \left(\frac{P}{\mu \, V} \right)^{1/2}$$

porém, a potência hidráulica dissipada é

$$P = \gamma \, Q \, h \, ,$$

onde γ é o peso específico do fluído e Q é a vazão e o volume

$$V = p \, S \, . \, L \, ,$$

sendo p a porosidade, S a área e L a espessura do leito filtrante.

Assim,

$$G = \left(\frac{\gamma \, Q \, h}{\mu \, p \, S \, L} \right)^{1/2} = \left(\frac{\gamma \, V \, h}{\mu \, p \, L} \right)^{1/2} \tag{15.3}$$

Para movimento laminar, a baixos valores do número de Reynolds, a perda de carga pode ser calculada pela fórmula de Kozeny

277

$$\frac{h}{L} = \frac{5\,\mu\,V(1-\varepsilon)^2}{\gamma\,p^3}\left(\frac{6}{\phi_s d}\right)^2 \tag{15.4}$$

Substituindo (15.4) em (15.3) vem

$$G = 13,4 \cdot \frac{1-\varepsilon}{p^2} \cdot \frac{V}{\phi_s d}$$

onde ϕ_s é o fator de forma da partícula e d é o seu diâmetro.
Portanto,

$$\tau = 13,4\,\mu\,\frac{1-\varepsilon}{p^2} \cdot \frac{V}{\phi_s d} \tag{15.5}$$

Para uma determinada dureza de um floco, quanto maior for a tensão hidrodinâmica de cisalhamento existente, pior tenderá a ser a qualidade do efluente e vice-versa, portanto, da equação (15.5) pode-se concluir,

a) Condições adversas de transpasse ocorrem a temperaturas mais baixas, porquanto a viscosidade da água μ é inversamente proporcional à temperatura;

b) Materiais filtrantes de forma arredondada são mais suscetíveis ao transpasse do que materiais angulares. Essa asserção confirma o fato observado que, em condições normais, os materiais angulares geralmente parecem produzir melhores resultados.

Lavagem dos filtros

A utilização de leito filtrante de maior tamanho efetivo traz a necessidade de adotar-se taxas de lavagens um pouco mais elevadas, e os leitos mais profundos demandam um prolongamento proporcional da operação de lavagem, acarretando maior consumo de água de lavagem.

Trabalhos recentes de Cleasby[8] demonstram que, em meios filtrantes como os usualmente especificados, a velocidade da água de lavagem deve ser apenas o suficiente para uma expansão de uns 15 a 30%, correspondentes ao intervalo de 0,5 a 0,7m/min, com os valores mais altos para os meios de maior granulometria e/ou maior densidade. A lavagem somente será eficiente se for acompanhada por um meio auxiliar de agitação, que pode ser a lavagem superficial ou a injeção de ar.

A lavagem superficial através de bocais fixos (Baylis), que aplica uma vazão de 1,3 a 2,6 ℓ/s $\times$ m^2 a uma carga de velocidade de 2,2 a 9,0m(*), é um sistema recomendado para a lavagem superficial.

_____

(*) Estes valores correspondem às cargas de velocidade nos orifícios. São requeridas cargas maiores, da ordem de 15 a 30m, para vencer as perdas totais.

O sistema de lavagem a contra-corrente com água e ar consiste em injetar-se ar a uma taxa de 0,5 a 1,0 m³/m² × min, juntamente com uma vazão mínima de água, baixa o suficiente para evitar a menor expansão do meio. O meio filtrante permanece estável, com a ação do ar removendo todo o material aderido aos grãos. Durante a lavagem com ar a taxa de água de lavagem deve manter-se entre 7,5 cm/min, a um máximo de 15 cm/min. O ar e a água a essas taxas podem ser aplicados simultaneamente. Após cerca de dois minutos, é cortada a admissão de ar e elevada a taxa de água de lavagem até um máximo de 0,7 m/min, pelo tempo que for necessário para a perfeita limpeza do filtro, o que provavelmente não deverá ultrapassar 5 minutos.

REFERÊNCIAS BIBLIOGRÁFICAS

[1] CULP, WESNER, CULP — "Handbook of Public Water Systems". Van Nostrand Reinhold Company, New York, 1986.

[2] WAGNER E. G. e HUDSON Jr., H. E. — "Low Dosage High — Rate Filtration."

[3] HUDSON JR., H. E. — "Water Clarification Processes — Pratical Design and Evaluation". Van Nostrand Reinhold Company — 1981.

[4] ARBOLEDA V., J. — "Teoria, Diseño y Control de los Processos de Clarificacion del Agua". CEPIS, Série Tecnica n.º 13.

[5] AWWA FILTRATION COMMITTEE — "The States of Direct Filtration". Journal AWWA, July 1980.

[6] TRUSSEL, R. R., et al — "Recent Developments in Filtration System Design". Journal AWWA, Dec. 1980.

[7] ARBOLEDA, J. e RICHTER, C. A. — "Filtración ascendente y descendente, aspectos operacionales y de proyects". Revista ACODAL n.º 94. Bogotá, junho de 1980.

[8] CLEASBY, J. L. et al — "Backwashing of Granular Filtres". J. AWWA, Feb. 1977.

16

Desinfecção: cloração e outros processos

GENERALIDADES

A desinfecção tem por finalidade a destruição de microorganismos patogênicos presentes na água (bactérias, protozoários, vírus e vermes). Deve-se notar a diferença entre desinfecção e esterilização. Esterilizar significa a destruição de todos os organismos, patogênicos ou não, enquanto que a desinfecção é a destruição de parte ou todo um grupo de organismos patogênicos. Os vírus de hepatite e da poliomielite, por exemplo, não são completamente destruídos ou inativados pelas técnicas usuais de desinfecção.

A desinfecção é necessária, porque não é possível assegurar a remoção total dos microrganismos pelos processos físico-químicos, usualmente utilizados no tratamento da água.

Entre os agentes da desinfecção (desinfetantes) o mais largamente empregado na purificação da água é o cloro, porque

a) É facilmente disponível como gás, líquido ou sólido (hipoclorito)
b) É barato
c) É fácil de aplicar devido à sua alta solubilidade (7,0 g/ℓ a aproximadamente 20°C)
d) Deixa um residual em solução, de concentração facilmente determinável, que, não sendo perigoso ao homem, protege o sistema de distribuição.
e) É capaz de destruir a maioria dos microorganismos patogênicos.

O cloro apresenta algumas desvantagens, porquanto é um gás venenoso e corrosivo, requerendo cuidadoso manejo e pode causar problemas de gosto e odor, particularmente na presença de fenóis.

O ozônio é o mais próximo competidor do cloro, sendo utilizado em larga escala somente na Europa.

280

Desinfecção: cloração e outros processos

TEORIA DA DESINFECÇÃO

O mecanismo da desinfecção depende basicamente da natureza do desinfetante e do tipo de organismo que se pretende inativar. Algumas espécies, como esporos e vírus, são mais resistentes do que as bactérias.

Apesar de que o mecanismo da desinfecção ainda não está completamente esclarecido, há fortes evidências de que muitos agentes químicos da desinfecção agem pela inativação de enzimas essenciais para a vida, existentes no citoplasma dos microorganismos.

De um modo aproximado, a velocidade de destruição ou inativação de microorganismos, por um dado desinfetante, é dada por

$$\frac{dN}{dt} = - K N \qquad (16.1)$$

onde:

k = taxa de mortalidade, constante para um dado desinfetante
N = número de organismos ainda vivos ao instante t.

Integrando a equação (16.1) resulta

$$\ln \frac{N_t}{N_o} = - K t$$

onde N_o = número de organismos ao instante $t_o = 0$
Passando a logarítmos de base 10,

$$\log \frac{N_t}{N_o} = - 0{,}4343\, K t = - k t,$$

sendo

$$k = 0{,}4343\, K$$

O valor de K depende não só da natureza do desinfetante, como também varia com a concentração do mesmo, temperatura, pH e outros fatores do meio ambiente.

Rich (1963) observou que a destruição de bactérias pela ação do cloro não segue a equação (16.1), mas é melhor descrita pela relação

$$\frac{d_N}{dt} = - K N t$$

281

ou seja, integrando e mudando para a base 10

$$t^2 = \frac{2}{k} \log \frac{N_o}{N_t}$$

À pH 7, valores de k para o cloro são cerca de $1,6 \times 10^{-2} s^{-1}$ para o cloro livre e $1,6 \times 10^{-5} s^{-1}$ para o cloro combinado. Deduz-se daí que, sob idênticas condições, o cloro combinado necessitaria de um tempo cerca de 30 vezes maior, para obter o mesmo efeito que o cloro livre.

A temperatura afeta a desinfecção de maneira semelhante a que se passa com as reações químicas: a taxa de destruição cresce com a elevação da temperatura, muitas vezes cerca de 2 a 3 vezes para cada elevação de 10°C. Exprime-se essa variação através do "coeficiente de temperatura" ou Q_{10}, definido por

$$Q_{10} = \frac{\text{taxa}, a \ (t + 10) \ \text{graus}}{\text{taxa}, a \ t \ \text{graus}} = \frac{k_2}{k_1}$$

Q_{10} é, portanto, um coeficiente que corresponde a uma variação de 10°C na temperatura.

Se a diferença de temperatura entre dois testes nao for de 10°C, mas sim de delta graus (Δt), obtém-se o coeficiente Q_{10} pela seguinte expressão

$$Q_{10} = \sqrt[\Delta t]{\frac{(K_t + \Delta t)^{10}}{K_t}}$$

A influência da concentração (C) segue, aproximadamente, a relação empírica:

$$C^n \, t = \text{constante}$$

onde n é chamado coeficiente de diluição, determinado experimentalmente.

Valores de n superiores à unidade indicam que a eficiência do desinfetante é bastante sensível à dose aplicada. Valores inferiores à unidade indicam que o período de contato é mais importante que a concentração.

Para o cloro e seus compostos ativos, n varia de 0,5 a 1,5.

O efeito pH na desinfecção pode ser apreciado tanto para o caso da aplicação de cloro livre como no caso de cloraminas. Constata-se que, quanto mais alto o pH, maiores são as concentrações necessárias e maiores os tempos necessários para a destruição.

Essa é a razão pela qual, nas estações de tratamento de água, prefere-se fazer a cloração antes da elevação do pH (correção do pH).

O CLORO

O cloro é um dos elementos químicos da família dos halogênios, de número atômico 17 e peso atômico 35,457. Na sua forma elementar, é um gás esverdeado que pode ser facilmente comprimido em um líquido claro, cor de âmbar, que solidifica à pressão atmosférica e à temperatura de $-102°C$.

O cloro é produzido comercialmente pela eletrólise da salmoura, produzindo simultaneamente hidróxido de sódio e hidrogênio e, desta forma, tornando o processo como um todo viável economicamente:

$$2 \, NaCl + H_2O + \text{corrente elétrica} \rightarrow 2 \, NaOH + Cl_2 + H_2O$$

Propriedades físicas

No comércio, o cloro é sempre armazenado como um gás liquefeito, sob pressão, em cilindros de aço.

O cloro líquido é cerca de 1,5 vez mais pesado do que a água e o gás é cerca de 2,5 vezes mais pesado do que o ar. À pressão atmosférica normal, entra em ebulição a $-34°C$, passando a gás. 1 litro de cloro líquido transforma-se em 460 litros de gás.

Disperso na atmosfera o odor do cloro já é perceptível à concentração de 0,003 litros de cloro em $1 m^3$ de ar; à $0,0015 \, l/m^3$ causa irritação nas mucosas: à $0,03 \, l/m^3$ causa tosse, e torna-se fatal, matando instantaneamente, à concentração de 1 litro de cloro em um metro cúbico de ar.

As principais propriedades físicas do cloro estão resumidas abaixo:

Temperatura crítica	$143,5°C$
Pressão crítica	$7,6 \, atm$
Densidade crítica	$0,57 \, g/cm^3$
Peso específico (líquido)	$1,57 \, g/cm^3 - 34°C$
Ponto de ebulição (líquido)	$-34°C$
Ponto de fusão	$-102°C$
Solubilidade na água	$7,3 \, g/l$ a $20°C$ e $1 \, atm$

Propriedades químicas

O cloro, tanto líquido como gasoso, na ausência da umidade, não ataca os metais ferrosos, daí porque pode ser armazenado com segurança em cilindros de aço.

A umidade torna o cloro extremamente corrosivo aos metais. Resistem à solução aquosa os seguintes materiais: PVC, polietileno, teflon e alguns tipos de borracha.

Em solução aquosa, o cloro é facilmente absorvido por alguns compostos alcalinos, de emprego comum em estações de tratamento de água. 1 kg de cloro combina com:

a) $1,10\,kg$ de cal hidratada comercial (95%)

$$2\,Ca\,(OH)_2 + 2\,C\ell_2 \rightarrow Ca\,(OC\ell)_2 + CaC\ell_2 + 2\,H_2O$$

b) $0,83\,kg$ de cal virgem (95%)

$$2\,CaO + H_2O + 2\,C\ell_2 \rightarrow Ca\,(OC\ell)_2 + CaC\ell_2 + 2\,H_2O$$

c) $2,99\,kg$ de barrilha (carbonato de sódio)

$$2\,Na_2CO_3 + C\ell_2 + H_2O \rightarrow NaOC\ell + NaC\ell + 2\,NaHCO_3$$

O cloro é um poderoso oxidante, e assim reage com grande número de substâncias orgânicas ou inorgânicas presentes na água, por exemplo:

a) remoção de ácido sulfídrico

$$H_2S + 4\,C\ell_2 + 4\,H_2O \rightarrow H_2SO_4 + 8\,HC\ell$$

b) remoção de ferro

$$2\,Fe\,(HCO_3)_2 + C\ell_2 + Ca\,(HCO_3)_2 \rightarrow 2\,Fe\,(OH)_3 + CaC\ell_2 + 6\,CO_2$$

c) formação de clorofenol (indesejável)

$$C_6\,H_5OH + HC\ell O \rightarrow C_6H_4\,C\ell OH + H_2O$$

$$\text{(clorofenol)}$$

Reações desse tipo com o cloro, constituem a *demanda* que deve ser satisfeita, afim de que o cloro em excesso, aplicado à água, torne-se disponível para a desinfecção.

Tendo sido satisfeita a demanda (ou praticamente não existindo em águas relativamente "limpas"), as seguintes reações podem ocorrer:

1. Na ausência de amônia

$$C\ell_2 + H_2 \rightleftharpoons HC\ell \quad + \quad HC\ell O \left.\begin{array}{l} \\ \\ \end{array}\right\} \text{residual de cloro}$$
$$H^+ + C\ell^- \qquad\qquad H^+ + C\ell O^- \quad \text{livre}$$

O ácido hipocloroso $HC\ell O$ é o agente mais ativo na desinfecção, e o íon hipoclorito é praticamente inativo. A valores de pH normais no tratamento da água, o ácido hipocloroso dissocia-se na proporção indicada na Fig. 16.1, a diferentes pH. À pH 5 ou abaixo, a dissociação é suspensa, e então o residual é devido somente ao $HC\ell O$. À pH 7,5, as concentrações de $HC\ell O$ e $C\ell O^-$ são praticamente iguais e à pH 10 ou superior, todo o residual de cloro passa a ser devido somente ao hipoclorito.

Desinfecção: cloração e outros processos

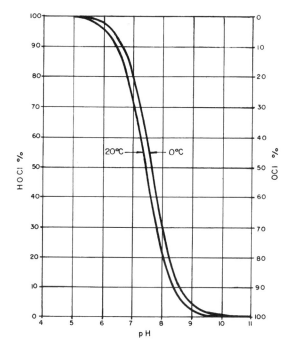

Figura 16.1 - Dissociação do ácido hipocloroso em função do pH e temperatura

2. *Na presença de amônia*

$$\left.\begin{array}{c} C\ell_2 + NH_3 \rightarrow NH_2C\ell + HC\ell \\ \text{monocloroamina} \\ NH_2C\ell + C\ell_2 \rightarrow NHC\ell_2 + HC\ell \\ \text{dicloroamina} \\ NHC\ell_2 + C\ell_2 \rightarrow NC\ell_3 + HC\ell \\ \text{tricloreto de nitrogênio} \end{array}\right\} \text{residual de cloro combinado}$$

O cloro combinado é menos ativo como desinfetante do que o cloro livre. Para um determinado tempo de contato, a um pH 8,5, onde mais de 85% do ácido hipocloroso acha-se dissociado, a dosagem de cloro combinado deve ser pelo menos 25 vezes maior do que a de cloro livre, para o mesmo efeito germicida.

Na presença de amônia, a adição de quantidades crescentes de cloro produz residuais de cloro segundo uma curva similar à Fig. 16.2. A forma dessa curva depende de como o cloro reage com a amônia.

O ponto da curva no qual toda a amônia já reagiu com o cloro e começa a aparecer residual de cloro livre, é denominado de ponto de quebra ou "break-point" (ponto "C" da curva).

285

Tratamento de água

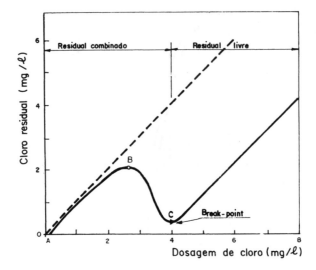

Figura 16.2 - Cloro residual para uma água contendo N amoníacal

Entre os pontos A e B são formados mono e dicloroaminas; a proporção de cada uma depende do pH:

pH	NH_2Cl %	$NHCl_2$ %
5	16	84
7	65	35
9	94	6

Entre os pontos B e C as cloroaminas são decompostas pelo cloro em excesso, produzindo compostos que não são detectados como cloro residual, resultando em um declínio no residual de cloro, até um valor mínimo correspondente ao "break-point" (ponto C).

A partir daí, qualquer adição de cloro produzirá um residual de cloro livre proporcional à dosagem que se aplique.

MÉTODOS DE CLORAÇÃO

Na prática da cloração, a desinfecção pode ser realizada por um dos três métodos: cloração simples, cloração ao "break-point" e amônia-cloração.

A cloração simples constitui o processo mais elementar e de uso mais generalizado de desinfecção pelo cloro. Com a cloração simples não há a preocupação de satisfazer a demanda de cloro na água, bastando a aplicação de uma dosagem tal que, ao fim de um determinado tempo de contato, 20 minutos por exemplo, o cloro residual livre se

Desinfecção: cloração e outros processos

mantenha entre 0,1 e 0,2mg/l, considerado suficiente, na prática, para águas não muito poluídas.

Em casos de águas muito poluídas, nas quais a cloração simples seria ineficaz, uma vez que o cloro residual seria rapidamente consumido, é aconselhável o método de cloração ao "break-point". As dosagens de cloro, nessse caso, são naturalmente muito variáveis com as características da água, principalmente no que se refere ao seu conteúdo em amônia e outros compostos nitrogenados responsáveis pelo "break-point".

Na amônia-cloração, aplica-se à água amônia e cloro com a finalidade de serem produzidas cloroaminas que proporcionam residuais de cloro combinado mais estáveis do que os de cloro livre. Esse método pode ser utilizado com vantagens, quando se pretende manter um residual de cloro na rede de distribuição para prevenir a ocorrência de possíveis contaminações, ou impedir o crescimento de ferro-bactérias e limo no interior das canalizações. Nesse caso, a aplicação de cloro é feita antes da amônia.

Em águas contendo fenóis, para se evitar a formação de sabor e odor na água, aplica-se a amônia antes do cloro, com o que se evita a formação de clorofenóis na presença de amônia em excesso.

OUTRAS FINALIDADES DA CLORAÇÃO

A cloração tem como objetivo principal a desinfecção e tem sido tão extensamente utilizada para esta finalidade, que os termos cloração e desinfecção confundem-se na prática. Entretanto, o forte poder oxidante do cloro torna-o útil para outras finalidades, tal sejam o controle de sabor e odor, remoção de sulfeto de hidrogênio, ferro e manganês, remoção de cor etc.

Controle de sabor e odor

As sensações de sabor e odor estão geralmente associadas e provenientes da mesma fonte, quase sempre um composto orgânico volátil. Alguns sais minerais, entre eles compostos de ferro e manganês, sulfatos e cloreto de sódio, causam somente sabor. O sabor que se apresenta na água, com exceção dos produzidos por aqueles sais, são praticamente indistinguíveis dos odores correspondentes, e podem ser causados por: a) gases em dissolução como o sulfeto de hidrogênio, b) matéria orgânica proveniente de algas tanto vivas como em decomposição, c) matéria orgânica vegetal em decomposição, d) resíduos industriais, e) o cloro, como residual ou em combinação (tricloroamina, clorofenóis etc.).

Quando se utiliza o cloro em uma estação de tratamento de água para controle de sabor e odor, a aplicação é feita antes dos demais produtos químicos, realizando-se a chamada pré-cloração, na qual se intenta manter um residual de cloro livre através de todas as fases do tratamento. Como resultado, a ação oxidante do cloro em excesso converte muitas das substâncias aromáticas em forma menos objetáveis.

As dosagens de cloro são extremamente variáveis, podendo ser tão baixas como 1 mg/ℓ e elevarem-se a 25 mg/ℓ ou mais, em alguns casos menos freqüentes.

Para efeito de projeto, pode-se estimar a dosagem de cloro como a necessária para reagir com o nitrogênio amoniacal presente na água, na razão de 10:1 de cloro para nitrogênio (aproximadamente a quantidade necessária a atingir o "break-point") mais 1 a 5 mg/ℓ.

O controle de sabor e odor é, algumas vezes, um problema complexo e nem sempre a cloração somente será suficiente, podendo ser necessário dispor-se de facilidades para decloração por aeração e/ou por aplicação de dióxido de enxofre, carvão ativado ou amônia.

Remoção de sulfeto de hidrogênio

A oxidação do sulfeto de hidrogênio pelo cloro e a sua remoção nos filtros pela formação de enxofre elementar coloidal, pode ser, de modo simplificado, representada por

$$H_2S + C\ell_2 \rightarrow 2\,HC\ell + S$$

$$H_2S + 4\,C\ell_2 + 4\,H_2O \rightarrow 8\,HC\ell + H_2SO_4$$

Teoricamente, pelas equações acima, 2,1 mg/ℓ de cloro irão oxidar 1 mg/ℓ de H_2S a enxofre elementar e 8,5 mg/ℓ a sulfato.

Remoção de ferro e manganês

A remoção do ferro (manganês) presente na água pode ser feita oxidando o composto solúvel ferroso (manganoso) na forma insolúvel férrica (mangânica) pelo cloro livre ou combinado, como segue:

$$2\,Fe\,(HCO_3)_2 + C\ell_2 + Ca\,(HCO_3)_2 \rightarrow 2\,Fe\,(OH)_3 \downarrow + CaC\ell_2 + 6\,CO_2$$
e
$$MnSO_4 + C\ell_2 + 4\,Na\,(OH) \rightarrow MnO_2 \downarrow + 2\,NaC\ell + Na_2SO_4 + 2\,H_2O$$

O hidróxido de ferro III, que se forma na primeira equação, pode ser removido por sedimentação e/ou filtração e o óxido de manganês por filtração.

Se para o ferro a reação é efetuada em uma larga faixa de pH (de 4 a 10), e é relativamente rápida (no máximo uma hora), para o manganês é estritamente dependente do pH e pode levar de duas à várias horas.

O pH ótimo situa-se entre 7 e 8. À pH 6, a reação pode se estender por mais de 12 horas.

Desinfecção: cloração e outros processos

POSTOS DE CLORAÇÃO

O cloro é normalmente acondicionado em cilindros pequenos, de capacidade entre 45 e 60 kg, e em cilindros grandes, de 900 kg de capacidade, com as seguintes características aproximadas (Fig. 16.3)

Capacidade (kg)	Tara (kg)	Peso total (kg)	Dimensões (m)	
			A	B
45	45	90	0,21	1,40
68	52	120	0,27	1,40
900	700	1 600	0,78	2,10

Os cilindros são fabricados em aço carbono, e a quantidade máxima de cloro que podem conter corresponde a uma densidade de enchimento de 125%, significando que cada litro de capacidade do cilindro contém no máximo 1,25 kg de cloro. Os cilindros são enchidos de maneira a que aproximadamente 85% contenha cloro líquido e os restantes 15%, cloro gasoso. À temperatura ambiente, a pressão interna do cilindro está ao redor de 6 kgf/cm^2. À medida que a temperatura eleva-se, o cloro líquido se expande e a pressão aumenta rapidamente. O cilindro estará completamente preenchido por cloro líquido a uma temperatura de 67° C e a sua pressão interna se eleva para 21 kgf/cm^2. Para evitar que os cilindros se rompam a temperaturas elevadas, são usados fusíveis de chumbo que derretem a aproximadamente 70° C. Nos cilindros pequenos, o fusível está localizado na válvula, nos grandes há, normalmente, três plugues fusíveis em cada tampo.

Os cilindros pequenos são armazenados e utilizados em posição vertical (de pé) e, neste caso, o fluxo de cloro se dá sempre no estado gasoso, em condições normais de pressão e temperatura.

Os cilindros de 900 kg são utilizados na posição horizontal (deitados), com as válvulas de saída num plano vertical e, nesta condição, o fluxo de cloro pode se dar no estado líquido ou gasoso, conforme se utilize a válvula de saída inferior ou superior.

Sob condições normais de operação, o fluxo de gás em um cilindro de 68 kg é limitado a um máximo de 18 kg/dia, e, em um cilindro de 900 kg, a 180 kg/dia.

Desse modo, o número e o tamanho de cilindros que se deve usar simultaneamente, é calculado com base no consumo diário de cloro e no fluxo máximo que se pode tirar de cada cilindro. Por exemplo, uma estação de tratamento com um consumo de cloro estimado em 54 kg/dia, deverá ter, pelo menos, 3 cilindros de 68 kg em serviço ou 1 de 900 kg.

A tabela, a seguir, serve de orientação para um projeto do sistema de armazenamento e suprimento de cloro. Note-se que, um consumo da ordem de 50 kg de cloro por dia, praticamente limita o emprego de cilindros pequenos. Acima desse valor, já se torna conveniente o uso de cilindros de 900 kg, a escolha dependente de considerações econômicas.

Tratamento de água

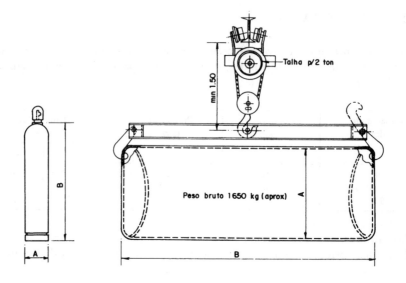

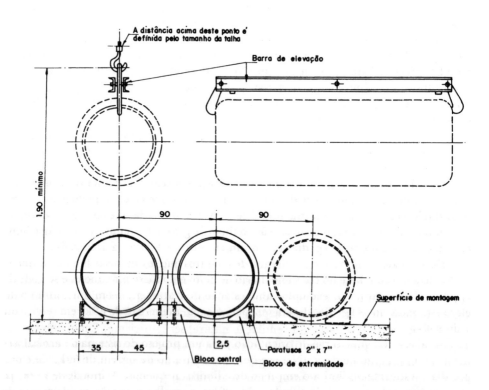

Figura 16.3 - Cilindros de cloro

Quantidade de cilindros de cloro a serem previstas em projetos:

Cilindros de 68 kg				Cilindros de 900 kg			
Consumo previsto (kg/dia)	Em serviço	Vazios	Reserva mínima	Consumo previsto (kg/dia)	Em serviço	Vazios	Reserva mínima
0 a 18	1	2	3	54 a 180	1	1	2
18 a 36	2	4	6	180 a 360	2	2	4
36 a 54	3	6	9	360 a 540	3	3	6
54 a 72	4	8	12	540 a 720	4	4	8
72 a 90	5	10	15	> 720	Usar evaporador		

Em instalações pequenas (p. ex., até 50 kg/dia) os cilindros e os aparelhos cloradores podem ficar em um só compartimento. Em instalações maiores, os cilindros e os cloradores devem ser locados em áreas separadas. Em qualquer caso, as canalizações de cloro entre os cilindros e os cloradores devem ser as mais curtas possíveis.

Especial cuidado deve ser tomado no projeto, quanto a áreas de movimentação e recepção dos cilindros. Uma dimensão crítica de projeto, no caso de cilindros de 900 kg, é a distância do piso da área de armazenamento à monovia, que deve ser suficiente para retirar um cilindro do caminhão e movimentá-lo sobre outros que estão no piso.

O espaço necessário ao depósito de cloro deve ser suficiente para abrigar os cilindros em serviço sobre as respectivas balanças, os cilindros de reserva e os cilindros vazios, e permitir uma circulação adequada. A Norma "Projeto de Estação de Tratamento de Água para Abastecimento Público" da ABNT dá as dimensões mínimas a serem tomadas no projeto de um depósito de cloro, de acordo com o tamanho e a quantidade de cilindros.

A área de armazenamento deve ser bem ventilada e facilmente acessível. A temperatura da área de armazenamento não deve ser inferior a 10°C. Abaixo dessa temperatura há uma diminuição sensível da descarga de cloro e o fluxo torna-se intermitente, principalmente em pequenas instalações. Todas as instalações de cilindros pequenos devem ser abrigadas em salas que mantenham, natural ou artificialmente, uma temperatura ao redor de 18–20°C.

Deve-se evitar qualquer possibilidade de aquecimento direto sobre os cilindros. Combustíveis e materiais inflamáveis, elementos de aquecimento, radiadores ou qualquer fonte de calor não serão permitidos na área ou próximos à área de armazenamento. Além disso, deve ser evitada a exposição dos cilindros à luz do sol.

Em pequenas instalações, a ventilação natural será suficiente. Em maiores instalações, deverá ser prevista ventilação forçada por meio de exaustores ou ventiladores ao nível do piso, de modo a descarregar o cloro para áreas externas livres, onde não haverá a possibilidade de se causar danos materiais ou pessoais. Entradas de ar fresco devem ser previstas para promover ventilação cruzada e evitar o desenvolvimento de vácuo com a ventilação forçada.

Tratamento de água

Como o cloro é mais pesado do que o ar, não se deve armazená-lo em áreas situadas abaixo do nível do solo e não é permitida qualquer comunicação direta ou indireta com outras áreas situadas no subsolo, como, por exemplo, um poço de elevador ou escadas de acesso.

Cloradores

Cloradores são aparelhos destinados a fazer a aplicação do cloro na água. Entre a variedade de tipos, destacam-se os de aplicação direta sob pressão e os de solução a vácuo. Nos primeiros, o cloro é aplicado diretamente aproveitando a pressão dos cilindros.

Nos cloradores à vácuo, que são os mais usados, o cloro é previamente dissolvido numa corrente auxiliar de água através de um injetor, por meio de vácuo produzido pelo injetor.

O tipo direto só é recomendado onde não é possível se ter o fornecimento de água sob pressão para operar o injetor. Esse aparelho, simplesmente reduz a pressão do gás cloro que provém do cilindro, mede a quantidade requerida e envia ao ponto desejado sob pressão. Para muitas instalações em áreas remotas e/ou montanhosas, sem recursos, utiliza-se o tipo direto como única solução. Usa-se, ainda, esse tipo de clorador para tratamento de esgotos, onde é difícil obter água limpa sob pressão.

A seguir, uma tabela comparativa entre as limitações de uso dos cloradores de aplicação direta e os a vácuo-solução:

	A vácuo-solução	Tipo direto
Limitação da capacidade de dosagem sob pressão	3.600 kg/dia	34 kg/dia
Limitação da capacidade para aplicação em tanque aberto	3.600 kg/dia	135 kg/dia
Máxima pressão no ponto de aplicação	7,0 kg/cm^2	1,4 kg/cm^2

Os cloradores a vácuo são seguros, precisos e mais baratos do que os cloradores sob pressão. Por isso, seu uso é de emprego quase universal em estações de tratamento de água.

O seu funcionamento acha-se esquematizado na Fig. 16.4. A água sob pressão passa pelo ejetor 1, cujo "venturi" produz vácuo. O vácuo resultante abre a válvula de retenção 2 (cuja finalidade é evitar a passagem de água para o clorador) e se estende a todos os componentes do sistema. O vácuo passa pelos controles até a válvula reguladora de vácuo 3, permitindo que o gás, proveniente dos cilindros, entre no sistema.

O gás, sob pressão nós cilindros, passa pela válvula de entrada 4, onde a pressão é regulada a um vácuo constante. Depois de sair dessa válvula, o gás passa por um fluxô-

Desinfecção: cloração e outros processos

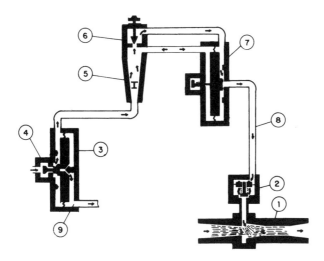

Figura 16.4 - Esquema de um clorador a vácuo (Cortesia Capital Controls Company, Inc.)

metro (rotâmetro) 5 e por uma válvula reguladora de vazão 6. Nos sistemas automáticos e de alta capacidade emprega-se uma segunda válvula reguladora 7 para manter um vácuo diferencial na válvula reguladora de vazão. O gás é transmitido através de uma linha de vácuo 8 ao ejetor, onde se forma a solução que é, então, levada ao ponto de aplicação.

Uma válvula de alívio de pressão 9, incorporada à válvula reguladora de vácuo, permite o escape automático de gás à atmosfera, no caso de quebra de vácuo no sistema, situação em que a válvula de entrada fecha-se automaticamente.

A dosagem de cloro é regulada pela abertura de um orifício de área variável, de modo que a vazão do gás

$$q = C \cdot A \sqrt{2gh}$$

resulta proporcional ao valor da área de passagem A, desde que se mantenha constante o diferencial de pressão h, condição satisfeita e realizada automaticamente pela válvula de regulagem diferencial 7. C é um coeficiente que depende da forma do orifício.

Água para o ejetor

Os ejetores são construídos para produzir um vácuo de 0,6 atm (6,35 m.c.a.) e para limitar a concentração de cloro na solução a um máximo de 3.500 mg/ℓ (metade da solubilidade do cloro a 20°C). Portanto, a vazão mínima de água para o ejetor, calculada com base nessa concentração, em função da quantidade de cloro a ser dosada, é a seguinte:

Tratamento de água

Consumo de cloro (kg/dia)	Vazão		
	l/s	l/min	m^3/h
15	0,02	1,0	0,06
10	0,03	2,0	0,12
25	0,08	5,0	0,30
50	0,20	12,0	0,72
100	0,33	20,0	1,20
150	0,50	30,0	1,80
200	0,66	40,0	2,40
250	0,83	50,0	3,00
300	1,00	60,0	3,60
350	1,20	70,0	4,20
400	1,30	80,0	4,80
500	1,65	100,0	6,00
600	2,00	120,0	7,20
700	2,30	140,0	8,40

A pressão depende do tamanho do ejetor e do valor da contra-pressão no ponto de aplicação, somada às perdas de carga nas canalizações. É necessário, portanto, consultar as curvas de trabalho do ejetor, fornecidas pelos fabricantes.

Quando não se tem água sob pressão suficiente para o clorador, é necessária a instalação de uma bomba, que, nesse caso, deve ser especificada para uma vazão duas vezes maior da indicada na tabela anterior, e terá seu ponto de funcionamento ajustado por um "bay-pass" entre o recalque e a sucção.

Sempre que possível, a água utilizada para o ejetor deve ser de baixa turbidez (filtrada). Quando não se tem essa condição, o ejetor deve ficar o mais próximo possível do ponto de aplicação.

Na seleção da bomba, é aconselhável aumentar a contra-pressão e assim selecionar uma bomba um pouco maior.

A maioria dos cloradores a vácuo-solução são limitados à aplicação contra uma pressão máxima de aproximadamente $7,0 kg/cm^2$. Nesse caso, pode-se usar uma bomba de aço inoxidável para aplicar contra-pressão, mas como estas bombas são muito caras, é aconselhável a seleção de outro ponto de aplicação.

Quando não é possível instalar o ejetor perto do ponto de aplicação, é necessário tomar em consideração o aumento da contra-pressão na saída do ejetor pelos seguintes motivos:

- diferença de nível entre o ponto de aplicação e o aparelho clorador;
- perdas de carga contínuas na linha de solução; -
- perdas de cargas localizadas na linha de solução, incluindo as perdas no difusor.

Se o ejetor for instalado perto do ponto de aplicação, é necessário levar em consideração a extensão da linha de vácuo. O clorador não pode funcionar com um vácuo inferior a 125mm Hg. o vácuo ideal é da ordem de 250mm (10") Hg. Costuma-se di-

294

mensionar a linha de vácuo para uma perda de carga total de 37,5mm (1,5") Hg a 10°C e a um vácuo de 150mm (6") Hg. O gráfico anexo (Fig. 16.5) permite calcular rapidamente as perdas de carga em função da vazão de cloro (em kg/dia).

EXEMPLO: Determinar a perda de carga em uma linha de vácuo de 25m de extensão em tubos de PVC de 3/4" de diâmetro, para uma vazão de 400 kg/dia de cloro.

Do gráfico, para 400 kg/dia e Ø 3/4"
acha-se J = 60 mm Hg/100 m
hp = 25 × 60/100 = 15 mm Hg

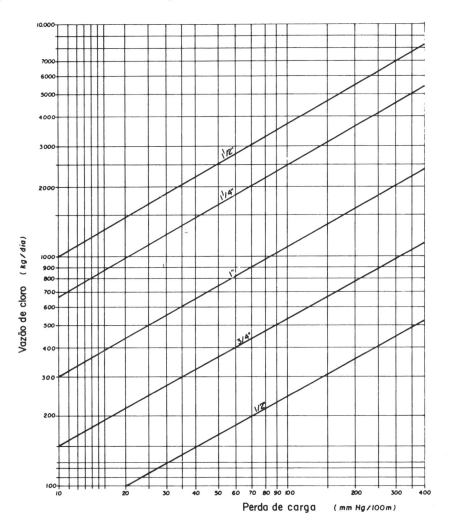

Figura 16.5 - Perdas de carga na linha de cloro do clorador ao injetor, calculadas para tubos de pvc a um vácuo de 150 mm de Hg a 10°C

A prática de localizar o ejetor perto do ponto de aplicação oferece as seguintes vantagens:

- diminuição da contra-pressão na saída do ejetor;
- com o rompimento da linha de vácuo entre o ejetor e o clorador, a válvula redutora do clorador fecha a entrada do cloro;
- qualquer vazamento na linha de solução de cloro, extremamente corrosiva, é limitado a um ponto fora da sala, onde estão instalados os cloradores.

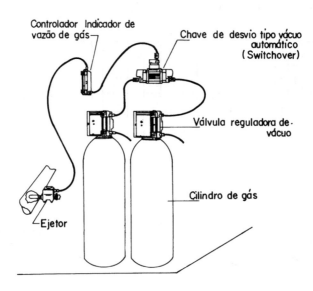

Figura 16.6 - Instalação de cloradores de pequena capacidade (Cortesia Capital Controls)

Sala dos cloradores

Nas pequenas instalações (até cerca de 50 kg/dia), os cloradores podem ficar no mesmo compartimento que os cilindros e são montados diretamente sobre a parede. A Fig. 16.6, representa uma instalação típica para pequenas capacidades.

Nas instalações de maior porte, é conveniente a separação dos cloradores da área de armazenamento. Essa separação é obrigatória, quando são utilizados cilindros de tonelada. A Fig. 16.7 representa uma instalação de grande capacidade com evaporadores. Os evaporadores são aparelhos empregados somente quanto se é necessário retirar o cloro no estado líquido do cilindro, e, por isso, são utilizados exclusivamente em grandes instalações, normalmente com capacidade superior a 700 kg/dia. Nesses aparelhos, o cloro líquido é evaporado em um banho de água quente, com a temperatura controlada automaticamente.

Ainda nas instalações importantes, são recomendados o analisador de cloro residual e o registrador de fluxo de cloro.

Desinfecção: cloração e outros processos

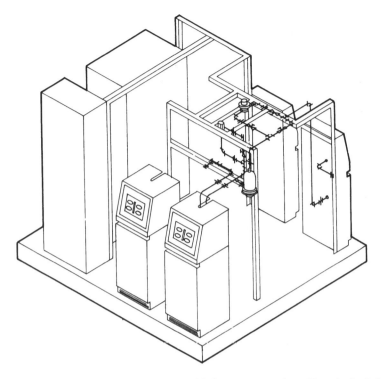

Figura 16.7 - Instalação de cloradores de grande capacidade com evaporadores (Cortesia Capital Controls)

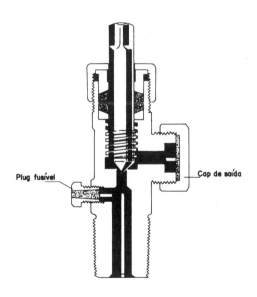

Figura 16.8

Tratamento de água

A sala dos cloradores deve ter uma área não inferior a $6,0\,m^2$. No projeto da sala dos cloradores, devem ser observadas as mesmas recomendações sobre ventilação e segurança da área de depósito de cloro. A sala dos cloradores não deverá comunicar-se diretamente com os demais compartimentos da estação de tratamento.

Recomenda-se que a porta da sala dos cloradores deva abrir para fora, porém deve-se assegurar de que não haverá possibilidade de se produzir vácuo, quando acionado o sistema de ventilação forçada.

Capacidade

A capacidade de uma instalação de cloração é definida pela vazão máxima de água a ser tratada e das dosagens de cloro requeridas para a desinfecção. Estas devem ser, sempre que possível, determinadas previamente em ensaios de laboratório. Quando não se conhece a demanda, pode-se, para efeito de projeto, estimar o consumo de cloro, em função de sua utilização, através da tabela seguinte.

Utilização do cloro	Dosagem (mg/ℓ)	Tempo de contato (min)	Residual recomendado (mg/ℓ)
Desinfecção: com cloro residual livre com cloro residual combinado	$1,0$ - $5,0$ $1,0$ - $10,0$	Normalmente fixados pelas autoridades sanitárias locais	
Redução de amônia	$10 \times NH_3$ (em termos de N)	20	01
Controle de odor e sabor	$10 \times NH_3$ (em N) mais 1-$5\,mg/\ell$	20	1,0
Redução de (H_2S) oxidação a enxofre oxidação a sulfato	$2,2 \times$ (S) (H_2S) $8,9 \times$ (H_2S)	Instant.	0,1
Redução de ferro	$0,64 \times$ (Fe)	Instant.	0,1
Redução de manganês	$1,3 \times$ (Mn)	Variável	0,5
Redução da cor	$1,0$ - $10,0$	15	0,1

As dosagens realmente necessárias serão determinadas e aplicadas depois na estação de tratamento. Para isso, os cloradores deverão ter possibilidade de regular a dosagem em uma larga faixa, preferencialmente de 20:1.

A capacidade da instalação de cloração é calculada pela fórmula seguinte:

$$C = \frac{Q \times D}{1.000}$$

onde

C = capacidade em kg/dia
Q = vazão máxima da estação em m³/dia
D = dosagem máxima esperada de cloro, em mg/l

Como os aparelhos cloradores são geralmente especificados em libras por dia, deve-se dividir o resultado da fórmula anterior por 0,454.

EXEMPLO: Determinar a capacidade de uma instalação de cloração para uma estação de tratamento de água que vai tratar 400 l/s. A água bruta contém somente traços de nitrogênio orgânico e amoniacal.
Capacidade da estação: $0,4 \, \text{m}^3/\text{s} \times 86.400 \, \text{s} = 34.560 \, \text{m}^3/\text{dia}$
Capacidade da instalação: para uma dosagem máxima prevista de 5,0 mg/l

$$C = \frac{34.560 \times 5,0}{1.000} = 173 \, \text{kg/dia}$$

A capacidade do clorador será

$$\frac{173}{0,454} = 381 \, l\text{b/dia}$$

Devem ser especificados dois cloradores, sendo um de reserva, com capacidade de 400 libras, cada um.

Canalizações e válvulas

Todas as canalizações e válvulas a utilizar nas instalações de cloração devem ser de materiais resistentes ao cloro, tendo em vista que o cloro úmido é extremamente corrosivo.

As canalizações de cloro gasoso "seco" ou de cloro líquido (entre a conexão aos cilindros e o clorador) deverão ser de aço Schedule 80. Não devem ser usados tubos de PVC nas linhas de gás sob pressão. Por alguma razão ainda não conhecida, o cloro sob pressão acima da pressão atmosférica, ataca o PVC. Mais forte ainda é a ação do cloro líquido. O mesmo não acontece com o cloro gasoso sob vácuo. Assim, as canalizações de cloro entre o clorador e o injetor podem ser de PVC.

A partir do injetor, o cloro acha-se em solução concentrada na forma de ácido hipocloroso (pH 2), altamente corrosivo. Todas as canalizações e conexões deverão ser de PVC, polietileno, "fiberglass" ou mangueiras de borracha.

Nas linhas de cloro sob pressão, as válvulas deverão ser do tipo de esfera com corpo de bronze, com encosto de teflon e esfera de Monel. As válvulas para cloro sob vácuo e solução devem ser de PVC, ou do tipo de diafragma de borracha.

Acessórios

Válvula de cilindro e peça "yoke"

As roscas externas das válvulas dos cilindros (ver Fig. 16.8) não devem ser utilizadas para conectar o cilindro à canalização de cloro. Para ligação do cilindro com o "manyfold" deve ser usada a peça "yoke" e o adaptador (Fig. 16.9).

Do cilindro à canalização fixa, deve-se usar uma canalização flexível, de cobre, com diâmetro interno de 3/8", resistente a $35 kg/cm^2$. Uma válvula auxiliar colocada no "manyfold" ou logo depois da válvula do cilindro (Fig. 16.10) evita o manuseio constante da válvula do cilindro e facilita a troca dos mesmos.

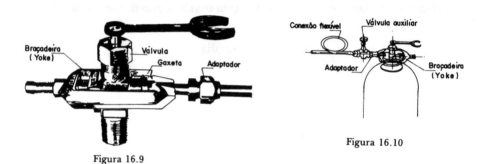

Figura 16.9

Figura 16.10

Válvula reguladora de pressão

É utilizada para manter uma pressão constante na entrada do gás no clorador, independente das variações de pressão e temperatura nos cilindros. Reduz a pressão dos cilindros para 2 a $3 kg/cm^2$, assegurando a maior precisão possível ao sistema de controle e também previne a reliquefação do cloro na canalização entre o último cilindro conectado e o aparelho clorador. Recomenda-se que a válvula redutora de pressão seja colocada com um "by-pass", de modo a poder ser isolada, com duas válvulas, permitindo a manutenção da mesma. Essas válvulas são disponíveis para as capacidades de 34, 180, 900 e 3.600 kg/dia.

Detectores de cloro

Os fabricantes de clorador podem fornecer detectores de cloro que atuam com um sinal luminoso ou sonoro, quando houver escape de cloro na sala de cloração e/ou local de armazenamento de cilindros de cloro. O detector pode ser sincronizado com a válvula redutora de pressão, fechando a entrada do gás cloro e simultaneamente acionar os exaustores.

Podem ser de dois tipos. O tipo mais comum (Fig. 16.11), contém um papel impregnado de ortotolidina. O cloro presente, mesmo em pequenas proporções, descora

Desinfecção: cloração e outros processos

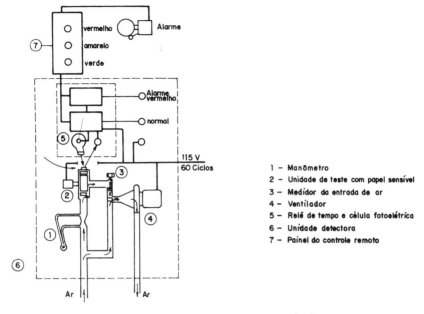

Figura 16.11 - Esquema de um detetor de cloro

o papel, sensibilizando uma célula fotoelétrica que aciona um sistema de alarme. O outro tipo baseia-se na alteração da condutividade elétrica do ar, devido à presença de cloro.

Elementos necessários pára a escolha do equipamento de cloração

Para a escolha de um aparelho clorador, deve-se primeiro obter os seguintes elementos:
1. tipo de instalação (água, esgoto etc.)
2. máxima vazão da água a ser tratada
3. dosagem de cloro necessária em mg/l
4. se tratar de um sistema de recalque por bombas:
   a) número de bombas
   b) operação manual ou automática
   c) capacidade máxima das bombas
   d) volume total recalcado por dia
   e) corrente elétrica parà·operação dos motores das bombas
   f) outra corrente elétrica existente
   g) pressão máxima e mínima da descarga das bombas
   h) pressão na sucção das bombas
   i) diâmetro das canalizações de sucção e descarga

Tratamento de água

5. se o sistema é por gravidade;
   a) fonte de abastecimento
   b) diâmetro da canalização ou canal (largura e profundidade)
   c) tipo de medidor usado (placa de orifício, tubo venturi etc.)
   d) pressão máxima e mínima num dado momento
6. máxima pressão no ponto de aplicação
7. altura do aparelho clorador em relação ao ponto de aplicação
8. distância do clorador ao ponto de aplicação

MISTURA E CÂMARA DE CONTATO DE CLORO

Não se chegou ainda a conclusões definitivas sobre a escolha do ponto ideal de aplicação de cloro. Devem ser obrigatoriamente previstos no projeto, dois pontos destinados respectivamente à pré e pós-cloração.

Geralmente, o ponto de aplicação na pré-cloração deve estar a montante dos demais produtos químicos, o suficientemente afastado de modo a permitir um tempo de contato de dois a três minutos antes da aplicação do coagulante. Deve-se aplicar uma dose suficiente para manter um residual de cloro livre até a saída dos filtros.

A outra aplicação de cloro — à pós-cloração — é realizada no canal de água filtrada ou na entrada da câmara de contato.

Normalmente não é necessário prever outros pontos de aplicação intermediários. Entretanto, quando há a possibilidade de se encontrar uma grande quantidade de algas, principalmente as diatomáceas, como a synedra, que, além de causar problemas aos filtros, também inibe a coagulação, é conveniente prever-se facilidades para eventualmente fazer mais uma aplicação de cloro imediatamente antes da entrada aos filtros.

Qualquer que seja o ponto de aplicação, é necessário que a dispersão do cloro na água seja a mais perfeita e rápida possível. Em semelhança com a coagulação, uma rápida dispersão do cloro é de fundamental importância para a eficiência da desinfecção.

Pesquisas recentes têm demonstrado que uma segregação do cloro com a bactéria, por um tempo mais ou menos prolongado, conduz a resultados menos eficientes. A causa desse fenômeno ainda não está bem conhecida. Supõe-se que os residuais que se formam inicialmente ao reagir o cloro com a água, são aparentemente mais ativos do que os compostos formados posteriormente. Uma rápida e perfeita dispersão do cloro permite o contato desses residuais mais ativos com as bactérias presentes na água, aumentando a eficiência da cloração.

Difusores

A aplicação do cloro à água deve ser feita através de difusores especiais. Nos países onde não existam difusores à venda, competirá ao projetista conceber e detalhar um bom dispositivo para essa finalidade.

302

Dependendo da situação, a solução de cloro pode ser aplicada:

a) em tubulações
b) em canais
c) em tanques

A aplicação de cloro em tubulações com escoamento a secção plena, é a forma mais conveniente. Se a tubulação for de pequeno diâmetro, a solução de cloro poderá ser aplicada diretamente a 2/3 do raio, conforme se vê na Fig. 16.12.

Para tubulações de maior diâmetro, recomenda-se a adoção de um difusor (ou mais de um, se for o caso), constituído por um tubo de plástico com várias perfurações (Fig. 16.13). O diâmetro de cada furo geralmente fica compreendido entre 6 mm (1/4) e 16 mm (5/8"), com vazões de 0,1 a 0,6 litro/segundo por orifício.

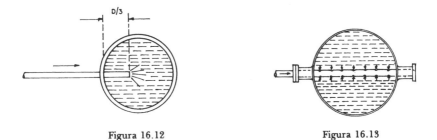

Figura 16.12 Figura 16.13

Os difusores industrializados têm uma capacidade limitada a 35 kg/24 horas nos modelos para canalizações e 125 kg/24 horas nos modelos aplicáveis aos canais.

A aplicação do cloro em solução à água, dentro de um canal aberto, exige certos cuidados essenciais. Primeiramente é necessário fazer a aplicação a uma certa profundidade, que depende da velocidade de escoamento da água no canal. Se essa velocidade for baixa, o nível mínimo da água deverá ficar pelo menos 1,00 m acima dos orifícios do difusor. No caso de velocidades mais elevadas, a profundidade mínima poderá ser reduzida.

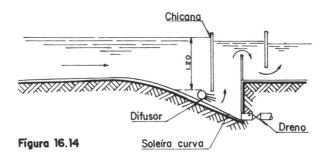

Figura 16.14

Os difusores, nesse caso, são semelhantes aos mostrados na Fig. 16.15. Todos os difusores são construídos de maneira a possibilitar sua fácil remoção (conexões flangeadas podem facilitar a retirada).

A aplicação da solução de cloro diretamente em tanques ou reservatórios onde a água esteja praticamente parada é a maneira mais imperfeita, devido às dificuldades que se apresentam para a difusão.

Nesse caso, a solução concentrada deve ser aplicada através de difusores de fundo, situados pelo menos a 1,20m abaixo do nível mínimo de água no tanque.

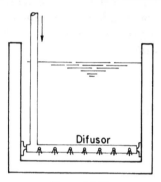

Figura 16.15

Quando a aplicação de cloro for feita junto a estruturas metálicas, a solução deverá ser suficientemente diluída, para evitar a corrosão excessiva.

Agitação e mistura

Para conseguir a turbulência necessária em estações de tratamento, tem sido experimentados vários dispositivos, compreendendo ressaltos hidráulicos, vertedores submersos, câmaras com chicanas etc.

Um método simples e altamente eficiente consiste em aplicar o cloro em uma tubulação com escoamento turbulento (número de Reynolds elevado), aproveitando-se a turbulência no conduto durante vários segundos, para a função de mistura rápida. O comprimento da tubulação deverá ser pelo menos igual a 10 vezes o seu diâmetro.

Quando se utilizam ressaltos hidráulicos, é necessário que se tenha muito cuidado para evitar o desprendimento excessivo de cloro, o que pode ocorrer, dependendo do ponto escolhido para a instalação do difusor e também da altura da lâmina d'água sobre o mesmo.

Câmara de contato

Outra unidade essencial em uma instalação de cloração é a câmara ou tanque de contato. Muitas estações de tratamento de água apresentam sérias deficiências nessa parte.

Desinfecção: cloração e outros processos

É preciso que se tenha sempre presente que a desinfecção não é um processo instantâneo: ela leva certo tempo para atingir o grau desejável de destruição.

Esse tempo necessário não é estabelecido por norma, ou de maneira fixa, porquanto a destruição de germes na água depende de muitos fatores, entre os quais a forma em que se apresenta o agente desinfetante, a sua concentração (dosagem), o pH, a temperatura da água e o tempo de contato, além de outros.

Em pH elevado ("corrigido") a desinfecção é muito mais lenta, exigindo maiores doses de cloro e tempo de contato mais longo. O pH ótimo está próximo de 7,5.

Nas águas de temperatura mais elevada, a destruição de germes ocorre com maior rapidez, podendo-se reduzir o tempo de contato (e/ou o residual mínimo necessário à desinfecção). Um aumento de $10°C$ na temperatura da água (Q_{10}) chega a duplicar a taxa de destruição de bactérias. É por isso que não se considera satisfatório especificar o tempo mínimo de contato sem relacioná-lo ao pH, ao tipo e concentração do desinfetante e à temperatura da água.

Como geralmente, nas instalações locais, procedemos à cloração em pH abaixo de 7,5, e as nossas águas apresentam temperaturas favoráveis, poderíamos considerar 10 minutos como período de detenção mínimo a ser garantido, com residuais livres de 0,2 mg/litro ou maiores. Tendo-se em consideração, porém, que as condições da prática não são ideais, que o tempo modal de detenção é sempre menor do que o teórico e que, além disso, é desejável que se tenha um certo fator de segurança, deve-se chegar a 20 minutos como um período razoável.

A Comissão Especial Sueca (SMC) recomendou, para o caso de águas "frias", que o produto do residual de cloro livre (em mg/litro), pelo tempo de contato (em minutos) deve ser maior que 6 quando o pH for inferior a 8,0 e maior do que 12 se o pH for superior a 8,0.

Se, ao invés de se realizar a desinfecção com cloro livre, forem mantidos residuais de cloro combinado (cloroaminas), o residual mínimo a ser mantido após 60 minutos deverá ser desde 1,0 mg/litro, em pH de 6, até 1,8 mg/litro em pH igual a 8. Nesse caso, recomenda-se um período de contato de pelo menos 2 horas para a garantia desejável. Para completar essa exigência, pode ser considerado o tempo de escoamento da água tratada até os primeiros pontos de consumo.

Quando se fala em tempo efetivo de contato, não se deve confundí-lo com o período teórico de detenção em um reservatório, o que corresponde ao aproveitamento integral do volume existente (volume/vazão). Devido à existência de espaços mortos, correntes internas, estratificações e curtos-circuitos, deve-se considerar sempre o que se chama "fator de deslocamento".

Quando se utiliza um reservatório de água filtrada para assegurar o tempo mínimo de contato, tornam-se necessários alguns cuidados:

1. reduzir curtos-circuitos mediante a construção de repartições ou divisórias internas.
2. examinar as condições de variação de nível da água e estabelecer o nível mínimo adequado;
3. assegurar um bom sistema de mistura prévia.

305

A forma mais vantajosa de um tanque de contato é a retangular, onde possam ser estabelecidos canais de fluxo estreitos e longos.

Uma solução boa é mostrada na fig. 16.16 (configuração tipo serpentina), onde as chicanas internas dirigem o escoamento. As paredes que funcionam como chicanas não precisam ser resistentes à pressão e adoção de "vanes" ou guias podem reduzir as perdas nas curvas. Para esse modelo de instalação, a experiência indica que se deve ter, ao todo, um percurso de 40 vezes a largura de secção de escoamento.

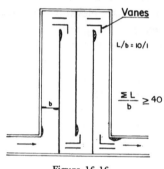

Figura 16.16

OUTROS COMPOSTOS DE CLORO UTILIZADOS NA DESINFECÇÃO

O hipoclorito de cálcio e o de sódio são usados com freqüência em pequenas instalações. Em alguns casos, usa-se também o cloreto de cálcio.

O hipoclorito de cálcio comercial é um pó branco com cheiro de cloro. Contém entre 25 a 37% em peso de cloro disponível. Quando dissolvido em água, decompõe-se em hipoclorito e cloreto de cálcio:

$$2\,CaOC\ell_2 \rightarrow Ca\,(C\ell O)_2 + C\ell_2 Ca$$

O cloreto de cálcio, $C\ell_2 Ca$, é inerte e tende a precipitar-se, na solução.

O hipoclorito de cálcio é facilmente solúvel na água. Contém cerca de 70%, em peso, de cloro disponível. É normalmente fornecido na forma granular, em sacos desde 2,5 kg a tambores de 45 kg.

O hipoclorito de sódio comercial contém 12 a 15% de cloro disponível e é fornecido sempre em solução.

Dosadores de hipoclorito

O dosador de hipoclorito mais utilizado é a bomba dosadora de diafragma. A solução de hipoclorito é preparada na concentração de 1 a 2,5%, em tanques colocados próximos aos dosadores e carregados periodicamente.

Qualquer outro tipo de dosador à gravidade (frasco Mariotte ou dosadores de nível constante) pode ser utilizado. Deve, no entanto, ser resistente à ação corrosiva do hipoclorito.

Cloradores eletrolíticos

Atualmente, começaram a divulgar-se os cloradores eletrolíticos, nos quais uma solução de hipoclorito de sódio é obtida diretamente a partir do cloreto de sódio:

$$NaCl + H_2O + \text{corrente elétrica} \rightarrow NaOCl + H_2$$

As matérias-primas necessárias são: sal de cozinha (ou água do mar), energia elétrica e água.

Num clorador eletrolítico (Fig. 16.17) pode-se distinguir um transformador-retificador, um saturador de sal e uma célula eletrolítica. O transformador-retificador destina-se a transformar a corrente da rede na corrente do aparelho: contínua, de aproximadamente 5 volts e uma intensidade de 5 a 60 ampères, conforme o tamanho da instalação.

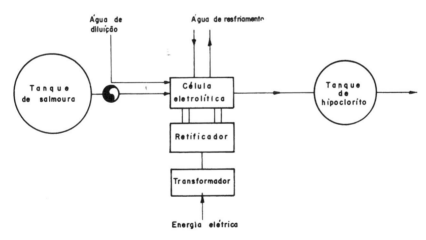

Figura 16.17 - Gerador de hipoclorito

O saturador de sal é um dispositivo, constituído por um tanque destinado a preparar e dosar uma solução de cloreto de sódio a uma concentração desejada.

A célula eletrolítica é formada por dois eletrodos de faces planas e muito próximas, dentro de uma caixa isolada especial.

A energia elétrica consumida para a produção de uma dada quantidade de hipoclorito, a partir do cloreto de sódio, é de cerca de 2,8 kWh para cada kg de hipoclorito produzido.

USO DO DIÓXIDO DE CLORO

O dióxido de cloro ($C\ell O_2$) foi introduzido na técnica de cloração na década de 30, como alternativa para contornar dificuldades com a cloração relacionadas com os consumidores de água.

O $C\ell O_2$ é produzido na própria estação de tratamento, em solução, fazendo-se combinar uma solução de clorito de sódio ($NaC\ell O_2$) com o cloro, na relação de 2:1,

$$C\ell_2 + 2\,NaC\ell O_2 \rightarrow 2\,C\ell O_2 + 2\,NaC\ell$$

O dióxido de cloro é um poderoso oxidante (250% mais do que o cloro).

Esse método tem sido aplicado às águas relativamente puras, como por exemplo, águas subterrâneas. Ele pode contornar o problema de odores indesejáveis produzidos pelo cloro no caso de águas que contenham algas, matéria orgânica ou compostos fenólicos.

As dosagens mais comuns situam-se entre 0,4 e 1,2 mg/litro, e os custos são mais elevados do que os da cloração, devido ao preço do clorito de sódio.

Os residuais obtidos são muito estáveis, podendo ser mantidos em todo o sistema.

DESINFECÇÃO DA ÁGUA COM OZÔNIO

Ozone ou ozônio (O_3) é uma forma alotrópica de alta energia do elemento oxigênio. O seu nome, de origem grega, significa odor.

Observado pela primeira vez, em 1783, pelo cientista holandês Van Marum, foi identificado em 1840 por Schönbein, e começou a ser produzido pelo engenheiro W. von Siemens, na Alemanha, em 1857.

As primeiras aplicações ao tratamento de água foram feitas em Wiesbaden (1896) e Nice (1906).

O ozônio é um gás instável, de cor azul, muito solúvel na água.

Os potenciais de oxidação em relação ao hidrogênio são:

$$
\begin{array}{ll}
O_3 & - \ 2{,}07\,V \\
HOC\ell & - \ 1{,}49\,V \\
C\ell_2 & - \ 1{,}36\,V
\end{array}
$$

Sendo um poderoso oxidante, tem uma ação desinfetante mais intensa e mais rápida do que o cloro. É o germicida mais eficiente que se conhece.

O ozônio, devido à sua instabilidade, é gerado no próprio local de uso.

É um gás tóxico, cuja concentração no ar não deve ultrapassar 0,1 ppm em volume. A atmosfera não poluída apresenta, na superfície da terra, teores de 0,02 a 0,03.

Desinfecção: cloração e outros processos

Tendências atuais

Durante muitos anos a aplicação de ozônio foi considerada principalmente como processo de desinfecção e muitas vezes como alternativa para a cloração.

Atualmente o conceito ampliou-se e já se considera a ozonização como parte integrante de tratamento, com efeitos específicos sobre a qualidade da água. A sua aplicação tornou-se quase obrigatória na purificação.

Por outro lado, os aperfeiçoamentos havidos na tecnologia de produção e de controle contribuíram consideravelmente para a economia do processo e para a sua confiabilidade.

Pode-se afirmar que existe atualmente uma tendência crescente para a maior utilização do processo.

Efeitos da ozonização

A aplicação de O_3 à água tem vários efeitos:

a) oxidação da matéria orgânica, produzindo ozonidas e CO_2;
b) alvejamento e melhoria da cor;
c) redução dos teores de ferro e de manganês;
d) ação sobre ácidos húmicos, formando produtos biodegradáveis;
e) desintegração de fenóis;
f) remoção de certas substâncias orgânicas não biodegradáveis.

Ademais, o ozônio não é afetado pela presença de amônia, da maneira como o cloro é.

O ozônio é um agente poderoso, de ação rapidíssima. É mais eficiente do que o cloro na eliminação de esporos, cistos de amebas e de poliovírus.

Com um residual de $0,2\,mg/litro$ reduz mais de 99% dos coliformes. Destrói as cercárias de esquistossomo em apenas 3 minutos, com dosagens de $0,9\,mg/litro$.

A demanda de O_3 é muito influenciada pela presença de matéria orgânica.

As dosagens usuais são da ordem de $0,3$ a $2,0\,mg/litro$.

Uma grande desvantagem da ozonização, é o fato de que os residuais obtidos não são persistentes, desaparecendo em pouco tempo.

O ozônio pode ser gerado, fazendo-se passar o ar (ou oxigênio) através de descargas elétricas de alta voltagem, com corrente alternada:

$$O_2 \rightarrow O^+ + O^- \tag{1}$$

$$O^+ + O^- + e \rightarrow O_2 \tag{2}$$

$$2O^+ + O^- + M \rightarrow O_3 + M \tag{3}$$

(M indica a molécula de gás utilizado para retirar o excesso de energia, estabilizando a molécula de ozônio; pode ser O_2, N_2 etc.).

309

Produz-se, dessa maneira, *uma mistura* de ar e ozônio. A reação (2) é predominante, voltando a formar O_2 e a reação (3), produtora de ozônio, verifica-se em menor proporção. Por isso, nos aparelhos comerciais de geração a concentração de O_3 na mistura é de 1 a 2% em peso (freqüentemente 1,7%). A concentração pode ser verificada por espectrofotômetro.

A energia necessária teoricamente é de apenas 0,83 watts hora/grama, mas na prática deve atingir 14 a 18 watts hora/grama (exclusivamente no gerador de O_3).

Esquematicamente, um gerador de ozona pode ser representado como indicado na Fig. 16.18.

Na passagem através desse campo de descargas elétricas, forma-se a mistura de ozônio e ar.

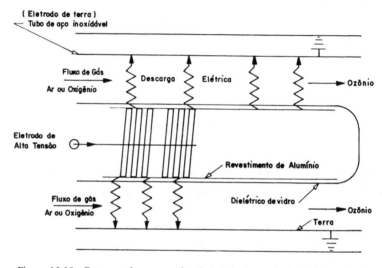

Figura 16.18 - Esquema de um gerador de ozônio (Cortesia Capital Controls)

Ozonizadores

Os geradores de ozônio foram inicialmente concebidos por Siemens e Otto. Existem três tipos básicos de equipamentos:

- ozonizador de placas tipo Otto
- ozonizador de tubos
- ozonizador de placas tipo Lowtchar

Os dois primeiros são resfriados a água e o terceiro a ar.

Comercialmente existem os tipos Van der Made, Welsbach, Degremont, Paterson etc.

Uma instalação completa de ozonização compreende as seguintes partes (Fig. 16.19):

Desinfecção: cloração e outros processos

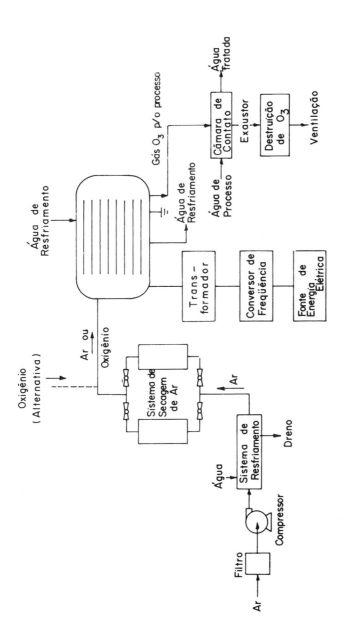

Figura 16.19 - Esquema de uma instalação de ozonização

- filtro de ar
- compressor ou soprador
- resfriador de ar
- secador de ar
- gerador de ozônio
- dispositivo de mistura (aplicação)
- câmara de contato

O ozônio é muito agressivo e os novos geradores são fabricados com materiais resistentes à corrosão. Com a utilização de aço inoxidável a vida útil dos equipamentos é de 25 anos ou mais.

Eles requerem poucos cuidados de manutenção, exigindo, porém, limpezas anuais.

Com a evolução tecnológica foi consideravelmente aumentada a eficiência dos geradores.

Aumenta-se a eficiência do processo, fazendo-se:

a) redução do teor de suspensões no ar (pó);

b) A secagem do ar por refrigeração ou por passagem em dissecadores como o cloreto de cálcio e a sílica gel. O teor de umidade do ar deve ser inferior a $1,0\,kg/m^3$ e, preferivelmente, deve estar abaixo de $0,1\,kg/m^3$;

c) o resfriamento do ar ($4°C$);

d) o emprego de tensões mais elevadas (10.000 a 20.000 volts);

e) aumentando-se o número de ciclos (até o máximo de 1.000 ciclos/s).

Pode-se imaginar que a produção de O_3 é dificultada em regiões quentes e úmidas.

Os consumos de energia geralmente são:

— na geração de ozônio	13 a 18 watts hora/grama de O_3
— nas demais partes	5 a 12 watts hora/grama de O_3
— total	18 a 30 watts hora/grama de O_3

As eficiências maiores são obtidas nas instalações grandes.

Mistura com a água. Câmara de contato

Existem os seguintes métodos usuais de aplicação de ozônio:

a) espargir a água numa atmosfera rica em O_3;

b) misturar o ar ozonizado à água, através de injetores;

c) aplicar o ar ozonizado na parte inferior de uma torre de percolação ("scrubber");

d) aplicar o ar ozonizado através de difusores porosos instalados no fundo de câmaras de contato;

Desinfecção: cloração e outros processos

e) empregar um misturador do tipo de rotor mecânico (disco de alta rotação).

Em condições deficientes de mistura, perde-se uma quantidade considerável de ozônio.

O tempo de contato não deve ser muito longo. Geralmente se adota 5 a 10 minutos.

Condições complementares

A ozonização não apresenta os inconvenientes que ocorrem com a cloração em relação à presença de amônia, à variação de pH e à temperatura (no caso do ozônio a influência é pequena).

A água com ozônio torna-se muito agressiva (corrosiva).

É difícil ajustar o processo a grandes variações de vazão e de qualidade da água. O processo é melhor aplicável às águas com pequena variação de demanda.

Na importante estação de tratamento de Amsterdam, o ozônio é utilizado inicialmente para a oxidação de fenóis, destruição de vírus e melhoria geral dos aspectos físicos da água. Ao final do tratamento as águas são submetidas à cloração.

A tendência norte-americana segue uma linha semelhante: aplicar o ozônio a águas relativamente poluídas, que possam se beneficiar com o processo e desinfetar com o cloro, para assegurar residuais persistentes.

Comparando-se os custos da ozonização com os da cloração na desinfecção de água, encontra-se que os primeiros são o dobro dos segundos. Isso se aplica pelo custo relativamente elevado dos equipamentos para produção de ozônio e também pelo consumo de energia elétrica (18 a 30 watts hora/grama de O_3).

REFERÊNCIAS BIBLIOGRÁFICAS

[1] WHITE, G. C. — "Handbook of Chlorination". New York: Van Nostrand, Reinhold Company, 1972.

[2] AZEVEDO NETTO, J. M. de — "Tratamento de Águas de Abastecimento". Editora da Universidade de São Paulo, 1966.

[3] _____ "Basic Gas Chlorination Manual". Publicado em quatro partes no Journal A. Water Works Association, May, July, August and October, 1972.

[4] _____ "Manual de cloro". Comissão para Movimentação de Produtos Especiais. Comitê de Cloro. Instituto Brasileiro de Petróleo, Rio de Janeiro, 1970.

[5] GOMELLA, C. — "Ozone practices in France". J. AWWA, 64:39, Jan. 1972.

[6] HANN, V. A. — "Disinfection of drinking water with ozone". J. AWWA, 57:1167, Set, 1965.

[7] STENQUIST, R. J. e KAUFMAN, W. M. — "Initial mixing in coagulation processes". Apendix A; Initial mixing in wastewater chlorination. University of California, Berkeley, College of Engineering, SERI Report n.º 72-2.

17

Considerações adicionais sobre a cloração da água

Poucas pessoas sabem ou se lembram da lida que foi a introdução da prática da desinfecção das águas de abastecimento pelo cloro.

A princípio, o emprego desse elemento, através dos seus compostos oxidantes aplicados à água, foi feito com outros propósitos e não precipuamente para a desinfecção.

Por volta de 1830, era feita a sua aplicação às águas contendo matéria orgânica, com a finalidade de melhoria organolética.

Muito mais tarde, quando se realizavam as históricas experiências com filtros rápidos, em Louisville, Ky. (1896), o notável engenheiro George W. Fuller utilizou o cloro produzido localmente em células eletrolíticas, como auxiliar de filtração.

Poucos anos depois (1902), o belga Maurice Duyle introduziu o uso do cloro nas instalações de Middlekerke, juntamente com cloreto férrico, no processo de coagulação.

Até então, salvo o emprego em situações acidentais ou provisórias, a cloração não era feita para controle bacteriológico. Aliás, questionava-se, freqüentemente, a possibilidade de aplicação do cloro à água potável.

O pronunciamento feito, em 1894, pelo ilustre professor norte-americano T. M. Drown, embora reconhecendo o poder desinfetante do hipoclorito de sódio, chegava a negar a conveniência da sua aplicação em abastecimento de água:

"Is it desirable in any case to treat a city's water supply with a powerful desinfectant like the hipoclorites?
When the question is put in this bald way I cannot think it will receive the approval of engineers and sanitarians... In cases where a water supply has got into such a hopelessly bad condition that not will render it safe but desinfection by chloride of soda or chloride of lime, it is high time, I think, to abandon the supply and in this opinion I fell sure most water works engineers will coincide".

Considerações adicionais sobre a cloração da água

A primeira aplicação permanente e em larga escala de compostos de cloro para a desinfecção de água de abastecimento foi realizada por George A. Johnson e John L. Leal, em 1908, na grande instalação de Jersey City, N. J.

Essa iniciativa provocou uma grande celeuma, com muitas discussões e divergências generalizadas. Em conseqüência resultou uma ação na justiça contra o Departamento de Água de Jersey City (Ação 1:6921). Como perito, com a incumbência de estudar e opinar sobre o caso, foi nomeado o notável engenheiro E. G. Phelps. Partindo da consideração de que esse método de tratamento não apresentava efeitos nocivos, nem para a potabilidade da água e nem para o sistema distribuidor, a Corte de Justiça pronunciou-se favoravelmente à cloração, como medida de saúde pública (decisão tomada em 1910).

A partir desse reconhecimento, várias cidades passaram a adotar o processo de desinfecção pelo cloro, utilizando sempre compostos de cloro.

N.º de serviços de água com cloração Estados Unidos	
1910	18
1920	1200
1930	2917
1940	4650
1950	6479
1960	9624

O cloro liquefeito somente passou a ser produzido nos Estados Unidos a partir de 1912, tendo sido utilizado em escala comercial, pela primeira vez, na estação de tratamento de água de Niagara Falls, N. Y., em decorrência de uma epidemia de febre tifóide (durante a I Guerra Mundial, o cloro foi empregado em operações bélicas como gás venenoso).

A grande expansão da indústria de soda cáustica pelo processo Solvay trouxe como resultado uma produção de cloro bem maior do que o consumo da época. Convém lembrar que a produção de soda cáustica pelo processo eletrolítico está economicamente condicionada à utilização comercial do cloro produzido.

Foi então criado, por iniciativa de William Orchard, o Instituto do Cloro (Chlorine Institute) com o propósito de desenvolver estudos e pesquisas sistemáticas para promover o uso desse importante subproduto. A direção dos trabalhos foi confiada ao grande especialista L. H. Enslow.

Nos primeiros anos de sua aplicação, a dosagem de cloro era feita empiricamente, segundo regras que não levavam em conta a qualidade da água e sua própria demanda. As medidas de controle exigiram 8 anos para serem desenvolvidas (1909-1917), tendo requerido ampla pesquisa sobre a determinação de residuais com a ortotolidina e o estabelecimento de padrões colorimétricos. Esse trabalho foi realizado por especialistas de reconhecida competência, entre os quais E. G. Phelps, J. W. Ellms e S. J. Hauser, além de outros.

315

Do ponto de vista científico, o processo de desinfecção regular e permanente pelo cloro somente se apoiou em bases seguras após uma investigação profunda realizada pelo Prof. Abel Wolman e L. H. Enslow (1917 a 1919).

Os higienistas brasileiros Dr. Geraldo Horácio de Paula Souza e Dr. Francisco Borges Vieira fizeram com brilhantismo o Primeiro Curso de Saúde Pública realizado na Universidade de John Hopkins, Estados Unidos, de 1919 a 1920. O objetivo dessa iniciativa, feita com apoio da Fundação Rockfeller, foi preparar o Instituto de Higiene de São Paulo para uma grande missão de pesquisa e aperfeiçoamento acadêmico na América Latina. Nos Estados Unidos, os dois ilustres cientistas tiveram oportunidade de estudar a nova técnica de desinfecção de água, pela ação do cloro.

Naquela época, a cidade de São Paulo sofria constantes epidemias de febre tifóide, causadas, na maioria dos casos, pela água contaminada do sistema público.

Ao assumir a direção do Sistema Sanitário do Estado de São Paulo, o Dr. Paula Souza resolveu aplicar, na capital paulista, o processo da cloração das águas, o que não foi fácil: muitas pessoas, inclusive engenheiros do próprio serviço de água, opuseram-se ostensivamente a essa providência, obrigando o Governo do Estado a adotá-la, por imposição, em agosto de 1925.

Situação semelhante, de grande oposição à cloração das águas, ocorreu em outras cidades, entre as quais Belo Horizonte, onde houve grande manifestação contrária à medida preconizada pelo grande sanitarista Lincoln Continentino.

Nos Estados Unidos, a taxa de mortalidade pela febre tifóide, caiu após a introdução da cloração, de 28 por 100.000, em 1908, para menos de 5 por 100.000, em 1927.

Na cidade de São Paulo, a partir de 1926, a taxa de mortalidade por doenças intestinais apresentou uma redução progressiva igualmente significativa.

A técnica que havia sido introduzida entre nós, sob os cuidados do Dr. Álvaro Cunha, químico da antiga R.A.E., consistia na cloração marginal, com a aplicação de cloro em quantidades que não deixassem residual dosável após 60 minutos.

Os resultados vitais conseguidos na Paulicéia, durante mais de 40 anos, definem uma experiência inquestionável e de grande significado.

Há alguns anos, a cidade do Rio de Janeiro, e posteriormente São Paulo, substituíram o método da cloração marginal pelo método do ponto de inflexão ("breakpoint").

Nos Estados Unidos, quando se adota esse método de cloração, recomenda-se manter um residual de cloro livre nunca inferior a 0,05 mg/litro em todos os pontos da rede distribuidora.

Isso não é fácil de se conseguir e, em muitos casos, sobretudo quando as redes são muito extensas e apresentam trechos situados a grandes distâncias dos pontos de aplicação do cloro, resultam concentrações demasiadamente elevadas nos trechos iniciais, a ponto de causar freqüentes reclamações da população sobre cheiros e gostos.

Imaginava-se que o residual mantido na rede seria suficiente para destruir bactérias que tivessem acesso ao sistema distribuidor, o que é posto em dúvida por muitos especialistas. O engenheiro Thomas R. Camp, reconhecida autoridade em qualidade de água, manifestou-se sobre a questão com as seguintes palavras: "It is doubtful whether the concentrations are high enough to be really efective for this purpose (of killing bacteria)".

Por outro lado, sabe-se que o cloro é um dos elementos mais ativos, capaz de corroer praticamente todos os metais. Com essa agressividade, o cloro livre ataca intensivamente as canalizações, válvulas, medidores e instalações prediais.

A adoção em São Paulo, de residuais livres relativamente altos, trouxe como conseqüência o florescimento do comércio de água engarrafada, elevando consideravelmente o consumo, inclusive de águas de qualidade duvidosa. Esse fato, aliado à adoção dos mais variados aparelhos e "filtros", de uso doméstico, que muitas vezes ludibriam e oneram a população, levam-nos a discutir o acerto da prática adotada pelo serviço.

Nos Estados Unidos existem, atualmente, mais de 15.000 sistemas públicos de abastecimento de água, praticamente todos eles procedendo à desinfecção mediante a aplicação de cloro ou de seus compostos (consumo total 110.000 toneladas/ano). Mesmo no caso de mananciais subterrâneos, de extrema pureza, exigia-se a cloração como medida adicional de segurança (a chamada "2.ª barreira sanitária").

Na Europa a situação é um pouco diversa, existindo muitos sistemas que distribuem água não clorada. Na URSS, os sistemas que aproveitam águas superficiais, após tratamento, fazem a desinfecção, porém sem procurar manter residuais ativos em todo o sistema distribuidor. Para os especialistas daquele país, a única maneira de assegurar a boa qualidade da água fornecida aos consumidores é manter a rede sempre sob pressão.

Dois fatos novos ocorreram recentemente: em 1981 a Environmental Protection Agency do Estado de Illinois abriu mão da exigência compulsória de cloração no caso de pequenos abastecimentos que aproveitam água subterrânea.

Em 1982, os pesquisadores Kenny S. Crump e Harry A. Guess, concluíram a sua pesquisa sobre os efeitos carcinogênicos do cloro nas águas potáveis. Esse importante trabalho científico, feito sob os auspícios do U.S. Council on Environmental Quality, demonstrou que, de acordo com averiguações epidemiológicas, o risco de câncer intestinal pode elevar-se de até 93% no caso de águas cloradas.

Em face do que foi exposto nestas breves considerações, julgamos que o assunto é merecedor de estudos mais profundos, tendo em vista as condições e conveniências locais.

REFERÊNCIAS BIBLIOGRÁFICAS

[1] AZEVEDO NETTO, J. M. — "Tratamento de Águas de Abastecimento". Editora da U.S.P., São Paulo (1966).

[2] AWWA. — "Water Quality and Treatment", 3.ª ed., McGraw-Hill Book Co., New York (1971).

[3] CAMP, T. R. — "Water and its Impurities". Reinhold Book Corp., New York (1968).

[4] CRUMP, K. S., e H. A. GUESS — "Drinking Water and Cancer". Ann, Rev. Public Health 1982, 3:339-57.

18

Alcalinidade e dureza das águas. Controle da corrosão

ALCALINIDADE DAS ÁGUAS

Quase todas as substâncias se dissolvem na água; umas mais, outras menos, de maneira que, na natureza, a água nunca é encontrada em estado de absoluta pureza.

Entre as impurezas minerais que se encontram nas águas, existem aquelas que são capazes de reagir com ácidos, podendo neutralizar uma certa quantidade desses reagentes. Essas impurezas conferem às águas as características de *alcalinidade*. Por definição, alcalinidade de uma água é sua capacidade quantitativa de neutralizar um ácido forte, até um determinado pH. Para medir alcalinidade em laboratório, usa-se ácido sulfúrico.

A alcalinidade das águas naturais é devida, principalmente, à presença de carbonatos, bicarbonatos e hidróxidos. Os compostos mais comuns são os seguintes:

— hidróxidos de cálcio ou de magnésio;
— carbonatos de cálcio ou de magnésio;
— bicarbonatos de cálcio ou de magnésio;
— bicarbonatos de sódio ou de potássio.

Mesmo as águas com pH inferior a 7,0 (5,5, por exemplo), podem, e, em geral, apresentam alcalinidade, pois normalmente contêm bicarbonatos.

Dependendo do pH das águas, podem ser encontrados os seguintes compostos:

— pH acima de 9,4:   hidróxidos e carbonatos (alcalinidade cáustica);
— pH entre 8,3 e 9,4:   carbonatos e bicarbonatos;
— pH entre 4,4 e 8,3:   apenas bicarbonato.

O gás carbônico somente ocorre nas águas com pH até 8,3. A alcalinidade, o pH e o teor de gás carbônico das águas estão relacionados conforme mostra a Fig. 18.1.

Na prática, a determinação de alcalinidade e verificação da sua forma se fazem com ácido sulfúrico, como citado, e usando-se dois indicadores, fenolftaleína e metilorange, cujos pontos de viragem correspondem aos pHs 8,3 e 4,9, respectivamente. O ensaio permite conhecer os valores P e T que correspondem às alcalinidades, à fenolftaleína e ao metilorange, respectivamente, este último chamado também de alcalini-

Alcalinidade e dureza das águas. Controle da corrosão

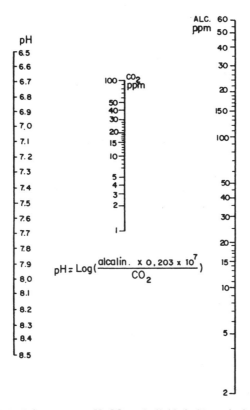

Figura 18.1 - Relações entre pH, CO_2 e alcalinidade (Fórmula de Tillman)

dade total. Em função dos valores P e T, o quadro a seguir permite calcular os três tipos de alcalinidade (de hidróxidos, de carbonatos e de bicarbonatos) em cada caso.

Alcalinidades (expressas em $CaCO_3$)

Resultado	Alcalinidade		
da titulação	de hidróxido	de carbonato	de bicarbonato
P = 0	0	0	T
P < 1/2 T	0	2 P	T − 2 P
P = 1/2 T	0	2 P	0
P > 1/2 T	2 P − T	(2 (T − P))	0
P = T	T	0	0

DUREZA DAS ÁGUAS

Um dos usos mais importantes das águas se faz nas operações de lavagem e limpeza, tanto no lar como em estabelecimentos comerciais e industriais.

O sabão e os detergentes são utilizados em quantidade para facilitar e melhorar o trabalho de limpeza, e grandes somas são gastas diariamente pelas comunidades com essas substâncias.

Entre as impurezas que se encontram nas águas, existem algumas que reagem com o sabão, e com isso causam precipitados, impedem a formação de espuma e prejudicam as operações de limpeza. As águas com tais características são conhecidas como *duras*. Originariamente, a dureza de uma água era considerada como uma medida de sua capacidade para precipitar o sabão. Segundo a definição atual, dureza de uma água é a soma das concentrações de todos os cátions, com exceção do sódio e do potássio. Todas as concentrações devem ser expressas em termos de carbonato de cálcio.

Essa definição difere daquela mais popularmente divulgada, segundo a qual a dureza seria causada pelos sais de cálcio e magnésio presentes na água. O que acontece é que, em sua grande maioria, os cátions presentes na água, predominantemente são cálcio e magnésio, principalmente nas seguintes formas:

— bicarbonatos de cálcio e de magnésio,
— sulfatos de cálcio e de magnésio.

Todavia, ferro, manganês, zinco e outros, contribuem, embora de forma muito modesta, para constituir a dureza de uma água.

Os bicarbonatos de cálcio e de magnésio, que também são responsáveis pela alcalinidade, causam a dureza chamada temporária, que é removida por simples ebulição da água. Os sulfatos e outros compostos menos importantes (cloretos, por exemplo), dão à água a dureza permanente, que, não sendo removida pelo aquecimento, provoca as incrustações nas caldeiras.

Existem, pois, impurezas responsáveis ao mesmo tempo pela alcalinidade e pela dureza. As substâncias que produzem dureza reagem com o sabão formando compostos insolúveis. A espuma só aparece depois de se gastar inutilmente uma certa qualidade de sabão que se neutraliza, para precipitar os cátions causadores de dureza.

A dureza das águas era determinada e medida, antigamente, por ensaio padronizado, em que se empregava sabão. Atualmente, utiliza-se o método denominado EDTA (Ethylenediamine tetraacetic acid).

O Serviço Geológico Norte-Americano classifica as águas, sob o ponto de vista de dureza, da seguinte maneira:

- águas moles . . . .   até 55 mg/l
- águas levemente duras . . . .   56 a 100 mg/l
- águas moderadamente duras . . . . . .   101 a 200 mg/l
- águas muito duras . . . .   acima de 200 mg/l

As águas muito duras deverão, sempre que possível, sofrer tratamento especial de redução de dureza, para evitar os seus inconvenientes.

As águas excessivamente duras causam prejuízos à economia. Além de provocar o desperdício de sabão, elas são nocivas em muitas atividades industriais, especialmente no caso de alimentação de caldeiras, devido às incrustações, à perda de combustível e ao perigo de explosão.

Na lavagem de roupas, o precipitado formado com o sabão adere aos tecidos, tornando difícil a sua remoção; as substâncais podem combinar com a gordura dos pratos e utensílios, dificultando a sua limpeza; os grumos formados poderão aderir às paredes das banheiras, tanques e pias, constituindo depósitos de efeito desagradável. As águas moles lavam melhor.

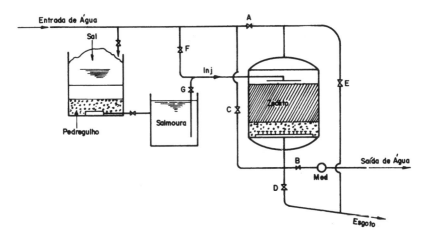

Figura 18.2 - Esquema de instalação com zeólito

REDUÇÃO DE DUREZA

A redução da dureza é conseguida através de tratamento especial, que consiste na remoção dos compostos de cálcio e de magnésio. Denomina-se freqüentemente como desendurecimento, amolecimento ou abrandamento. Existem dois processos: o químico de cal e soda e o iônico dos zeólitos ou permutitas.

Processo químico de cal e soda

Consiste na aplicação de substâncias (cal e carbonato de sódio), que reagem com os compostos de cálcio e de magnésio, precipitando-os. A química do método é indicada pelas reações, a seguir.

As instalações para esse fim compreendem câmaras de agitação, decantação e tanques de recarbonatação onde se adiciona gás carbônico na fase final, antes da filtração rápida que se segue ao processo.

As unidades de agitação e sedimentação, do tipo de contato com sólidos e de escoamento vertical, são muito indicadas para realizar a precipitação química com águas duras. Com esse processo, geralmente se reduz a dureza a 80 mg/litro. A desvan-

Tratamento de água

tagem é exigir a presença permanente de um técnico capaz de manter as dosagens em condições ótimas.

CO_2	+	$Ca(OH)_2$	→	$Ca\,CO_3$	+	H_2O
$Ca(HCO_3)_2$	+	$Ca(OH)_2$	→	$2\,Ca\,CO_3$	+	$2\,H_2O$
$Mg(HCO_3)_2$	+	$Ca(OH)_2$	→	$Ca\,CO_3$	+	$Mg\,CO_3 + H_2O$
$Mg\,CO_3$	+	$Ca(OH)_2$	→	$Mg(OH)_2$	+	$Ca\,CO_3$
$Mg\,SO_4$	+	$Ca(OH)_2$	→	$Mg(OH)_2$	+	$Ca\,SO_4$
$Ca\,SO_4$	+	$Na_2\,CO_3$	→	$Ca\,CO_3$	+	$Na_2\,SO_4$
$Ca\,Cl_2$	+	$Na_2\,CO_3$	→	$Ca\,CO_3$	+	$2\,Na\,Cl$
$Mg\,Cl_2$	+	$Ca(OH)_2$	→	$Mg(OH)_2$	+	$Ca\,Cl_2$

Processo iônico dos zeólitos ou permutitas

Os zeólitos ou permutitas são silicatos complexos de sódio e alumínio, que têm a propriedade de trocar o sódio de sua composição por outros íons, como os de cálcio e magnésio, retendo estes elementos que causam a dureza. São, pois, trocadores iônicos.

Uma instalação de amolecimento desse tipo compreende leitos de zeólitos, semelhantes aos filtros rápidos, através dos quais passa a água dura a ser tratada.

Em resumo, a redução da dureza pelos zeólitos consiste em trocar os íons de cálcio e de magnésio, responsáveis pela dureza de uma água, por íons de sódio fornecidos pelos permutadores. Depois de terem os zeólitos cedido todos os seus íons de sódio à água, deve-se inverter o processo, submetendo-se o leito de permutadores ao contato com uma solução concentrada de sal comum, para a sua regeneração.

Em contato com a salmoura, os zeólitos fazem nova troca iônica, retendo novamente o sódio e libertando cloretos de cálcio e de magnésio na água de lavagem, que é posta fora.

A aplicação desse processo exige que a água a ser tratada seja relativamente limpa.

O efluente, ao sair das unidades de zeólitos, apresenta uma dureza praticamente nula. Como não é conveniente distribuir água com ausência completa de dureza, tendo em vista a economia e o controle da corrosão, geralmente se mistura a água tratada com uma parte de água não tratada, de maneira a se obter um grau de dureza aceitável.

CONTROLE DA CORROSÃO

A corrosão é um processo de ataque e destruição contínua de corpos sólidos, especialmente metais, que envolve alterações de composição química.

A corrosão de canalizações, válvulas e equipamentos metálicos representa um grande prejuízo anual para os serviços de abastecimento de água. As tubulações corroídas, além de terem a sua vida útil reduzida, apresentam menor capacidade de condução de água.

Alcalinidade e dureza das águas Controle da corrosão

Há várias modalidades de corrosão, sendo muito importante a chamada autocorrosão. O fenômeno da autocorrosão se deve ao fato de que todos os metais, em contato com a água, apresentam uma tendência para entrar em solução, sob a forma iônica.

Após o tratamento químico (coagulação — decantação e filtração), as águas ficam agressivas e geralmente mais corrosivas do que as águas naturais. As águas superficiais não tratadas, geralmente apresentam matéria orgânica e substâncias inibidoras sendo, por isso, menos agressivas.

Algumas impurezas presentes nas águas podem favorecer e acelerar a corrosão, tais como gás carbônico, ácidos diluídos, cloretos etc.

As águas tratadas, antes de serem distribuídas, deverão ser alcalinizadas, isto é, deverão receber uma certa quantidade de cal para elevação do pH (correção do pH). Não basta elevar o pH até 7,0 ou pouco mais; é necessário adicionar quantidade de cal suficiente para que seja eliminado o gás carbônico, reduzindo a agressividade das águas.

Se for aplicada uma quantidade de cal adequada, forma-se, na superfície interna dos tubos, uma fina camada de carbonato que protege a tubulação contra ataques.

A cal em solução ou em suspensão é aplicada às águas, de preferência após a cloração.

Um método simplista, para estimar a quantidade de álcali que se deve aplicar, consiste em determinar quantidade de cal capaz de eliminar o gás carbônico da água (pH aproximadamente 8,3); quantidade essa que se determina experimentalmente.

Existem processos mais perfeitos para determinar a dosagem correta de cal para controle da corrosão. São os ensaios de laboratório.

A Fig. 18.3 dá uma primeira idéia das condições de corrosividade para as águas, através do diagrama da alcalinidade em função do pH.

Outra forma de proceder é controlar o Índice de Langelier, para que se mantenha levemente positivo. Esse índice se define como a diferença entre o pH da água e o pH de saturação

$$\text{I. L.} = pH - pH_s$$

Esse último valor, pH_s, corresponde ao pH que uma amostra de água atinge quando tratada com carbonato de cálcio; este começa a precipitar-se, porque a água fica saturada.

Porém, esse procedimento, bastante usado nas estações de tratamento, vem sendo gradualmente substituído por outros métodos, uma vez que a experiência prova que, em alguns casos, os resultados práticos são desfavoráveis.

CONTROLE DE EQUILÍBRIO QUÍMICO DA ÁGUA A DISTRIBUIR

As águas tratadas ou não, apresentam em solução diversas substâncias cujo equilíbrio químico é necessário para a estabilização do sistema.

323

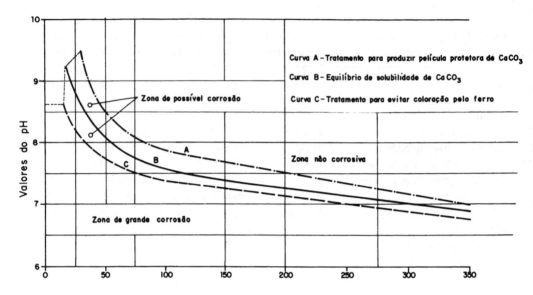

Figura 18.3 - Diagrama das condições de corrosividade para as águas em função de pH e alcalinidade

As noções simplificadas do passado e os métodos empíricos de controle estão sendo substituídos por técnicas aperfeiçoadas, apoiadas em conhecimentos mais recentes da Química Sanitária.

Para assegurar a estabilização da água, procura-se atingir o equilíbrio químico do sistema cálcio, magnésio e compostos de carbonos.

Uma boa análise do problema encontra-se no livro dos professores R. L. Lowenthal e G. V. Marais, "*Carbonate Chemistry of Aquatic Systems, Theory & Applications*", Ann Arbor Science, Ann Arbor (1976).

Atualmente, utilizam-se, também, meios de controle mais diretos como o "*Coupon-Test*" ou alguma modificação do mesmo. Esse método consiste em comprovar o efeito direto do pH e da alcalinidade sobre amostras de matérias introduzidas no fluxo da água tratada. Após 90 dias, verifica-se se houve corrosão ou incrustação.

REFERÊNCIAS BIBLIOGRÁFICAS

[1] LANGELIER, W. F. — "The Analytical Control of Anti-Corrosion Water Treatment". J. AW.W.A., vol. 28 (1500), 1936.
[2] AZEVEDO NETTO, J. M. — "Tratamento de água de abastecimento". São Paulo, Ed. da Universidade de São Paulo, 1966.

19

Estações de tratamento de água moduladas e padronização de projetos

INTRODUÇÃO

Na América Latina, a média de população urbana servida de água potável através de sistemas públicos de abastecimento, encontra-se atualmente abaixo de 60%. Entretanto, um número relativamente pequeno de serviços é o responsável pelo total da população abastecida, porquanto esta acha-se concentrada nas grandes cidades.

A população não servida habita um grande número de pequenas cidades e povoados, cerca de 70% do total dos núcleos urbanos, carentes de serviços públicos de água potável. Atender a todas as cidades, inclusive as menores e mais pobres, em um curto prazo, supondo a disponibilidade dos recursos financeiros necessários, constitui-se difícil problema, pela falta de projetos em quantidade e qualidade.

Acrescente-se a isso que, muitos dos sistemas existentes estão com sua capacidade esgotada e/ou produzindo água de qualidade indesejável, o que vem aumentar mais a quantidade de projetos necessários.

Os governos dos países da América Latina assinaram, em 1961, a carta de Punta del Leste, com a intenção de proporcionar serviços de abastecimento de água e despejos de esgotos pelo menos a 70% da população urbana e a 50% da rural. Desde então, tem-se tratado de por em prática tal intento, com maior ou menor velocidade, dependendo mais de decisões políticas e da existência de projetos adequados e em número suficiente, condição essencial para a obtenção de recursos financeiros, através de empréstimos ou dotações de órgãos nacionais (Caixa Econômica, Ministério da Saúde etc., no Brasil) e/ou internacionais como o BID, World Bank etc.

Os responsáveis pela execução dos programas de saneamento básico podem se ver com a possibilidade de contar com enormes somas de dinheiro, porém sem possuir os projetos em número e/ou qualidade indispensáveis para a pronta execução e viabilidade do programa.

Tratamento de água

FUNDAMENTOS PARA A PADRONIZAÇÃO

Pode-se reduzir consideravelmente o tempo e o custo na elaboração dos projetos, assim como facilitar o processo de análise e aprovação dos mesmos, pela adoção de projetos-tipo de determinadas unidades do sistema. Esses projetos podem ser analisados e aprovados à parte.

A adoção de soluções-tipo permite, além da redução de custo dos projetos, onde serão provavelmente repetidas diversas vezes, uma rápida análise e aprovação desses projetos, uma vez que tal análise fica restrita a partes mais simples.

As unidades de um sistema de abastecimento de água passíveis de padronização são os reservatórios de distribuição e as estações de tratamento. A forma, tipo e tamanho da captação de água são extremamente variáveis, dependendo do manancial, topografia etc. O mesmo sucede com o sistema de distribuição, dependente da concentração demográfica, topografia e traçado da cidade. O projeto das estações elevatórias é função de sua finalidade, tipo e potência dos conjuntos de recalque etc. A captação, o sistema de distribuição e elevatórias deverão, portanto, ser estudadas e dimensionadas para o caso particular.

Por outro lado, um reservatório de distribuição é difinido somente pelo seu volume, o qual é função da área a ser por ele abastecida e da população existente ou prevista nesta área.

Uma estação de tratamento é definida basicamente pela vazão ou capacidade prevista no projeto e pela qualidade da água que vai tratar. Esta, normalmente, provém de um rio ou riacho e se caracteriza essencialmente pelo maior ou menor teor de cor e/ou turbidez. Em consequência, o tipo de tratamento será, na maioria das vezes, a clarificação por coagulação e sedimentação, seguida de desinfecção, processo empregado na maioria das estações existentes.

Nesse caso, pode-se pensar em desenvolver uma série de projetos-tipo, que funcionem satisfatoriamente dentro de certos limites característicos da qualidade da água bruta e de capacidades moduladas, de modo que a associação de um ou mais módulos permita o atendimento de uma larga faixa de população, ou seja, o maior número possível de lugares.

A adoção de projetos-tipo para estações de tratamento, além de permitir maior velocidade e economia no decurso das fases de elaboração e análise dos projetos de abastecimento de água, implica também em:

a) padronização do equipamento, com manifestas vantagens na manutenção e operação dos sistemas, permitindo a intercambialidade de equipamentos ou peças entre sistemas;

b) facilitar a programação e fiscalização das obras, podendo mesmo a compra dos equipamentos, canalizações e peças de ferro fundido, ser antecipada à contratação das obras civis;

c) facilitar o treinamento do pessoal que vai operar as estações de tratamento, podendo ser feito, ou pelo menos completado, em uma estação idêntica àquela que depois irá operar.

CONSIDERAÇÕES TÉCNICAS E ECONÔMICAS

Os projetos-tipo são destinados a pequenas e médias cidades e, assim, provavelmente serão utilizados muitas vezes, podendo resultar em considerável economia nos custos totais de serviços técnicos, caso fosse desenvolvido um projeto de uma estação de tratamento, por exemplo, para cada cidade. Essa economia, por outro lado, permite a contratação de consultores de mais alto nível e a participação de técnicos de reconhecida capacidade no projeto da estação de tratamento-tipo, possibilitando, desta forma, o seu aprimoramento técnico.

Deve-se ressaltar, em adição ao que já foi exposto, o fato conhecido de que, com algumas louváveis exceções, o que se faz normalmente é tirar um projeto de uma estação de tratamento qualquer da estante, com capacidade próxima a de projeto, e aproveitá-lo ou adaptá-lo a uma determinada cidade. Com freqüência, é esquecido até de se apagar o nome da cidade para a qual foi elaborado o projeto original. Isso significa que, por falta de tempo e relativamente baixa remuneração, as firmas e escritórios responsáveis pelos projetos de abastecimento de água de pequenas cidades raramente irão desenvolver um projeto de uma estação de tratamento adequada a uma cidade em particular.

A desvantagem aparente mais apontada talvez seja que um projeto-tipo poderá estar desatualizado em pouco tempo, em vista da rápida evolução da tecnologia que se tem verificado nos últimos anos no campo de tratamento de água.

Não se pretende, absolutamente, que o projeto-tipo seja definitivo, imutável, nem que possa ser utilizado em todos os casos. Ao contrário, deve-se cuidar que o emprego desses projetos se faça de forma racional, analisando cada caso em particular e tendo em conta que poderá haver situações nas quais resulta mais econômico e/ou mais eficiente o uso de outro sistema.

Defende-se aqui a manutenção da equipe de engenheiros e técnicos que realizou ou acompanhou os projetos-tipo, como meio de garantir a sua correta utilização e o seu constante aperfeiçoamento. Na fase preliminar, irá assessorar os responsáveis pelos projetos globais de abastecimento, pela definição e escolha do processo de tratamento mais conveniente. O acompanhamento na fase de execução da obra permitirá alterações ao projeto, em presença de eventuais problemas construtivos. Finalmente, o acompanhamento na fase de operação inicial da estação de tratamento, a mais importante para se obter subsídios valiosos ao aprimoramento do projeto, verificando a eficiência da estação e, por meio dos resultados obtidos, revisando os parâmetros básicos de dimensionamento. Nessa fase, a equipe irá proceder à ajustagem dos equipamentos e controle da operação a fim de conseguir um efluente da mais alta qualidade nas diversas condições da água bruta e, paralelamente a estas atividades, instruindo e completando o treinamento dos operadores.

Não deve ser esquecida a importância da pesquisa na consecução de um projeto de elevado padrão técnico.

Indubitavelmente, a pesquisa permite aprimoramento técnico e soluções econômicas. Pesquisas sobre altas taxas nas diversas fases do tratamento podem conduzir a uma considerável redução nos investimentos necessários à implantação de um programa de abastecimento de água em uma determinada região.

Só assim, observando esses preceitos, ter-se-á plena garantia de sucesso com a padronização e a certeza de se ter realmente desenvolvido um bom projeto-tipo de uma estação de tratamento de água. Ao final, todo esse trabalho irá beneficiar não somente os seus promotores, como também outras áreas com o mesmo problema.

TRABALHOS PRELIMINARES

Os projetos-tipo requerem extensos estudos para avaliar e escolher as melhores alternativas propostas, incluindo estudos demográficos, levantamentos de campo e atenta análise dos melhores projetos existentes, e sólidos conhecimentos tecnológicos e suficiente experiência prática dos profissionais responsáveis.

Um trabalho cuidadoso e criterioso de levantamentos e estudos preliminares se, por um lado, demanda certo tempo, por outro evita dispendiosas e incômodas mudanças nos projetos ou na construção, principalmente se tais alterações estivessem relacionadas aos processos de tratamento.

O primeiro passo para a execução de um projeto-tipo é fixar a sua capacidade em função da demanda atual e futura da água. A existência de um rigoroso estudo de previsão da evolução populacional para a área em questão, levando em consideração todos os fatores intervenientes, tais como taxas de natalidade e mortalidade, fenômenos migratórios, expectativas de desenvolvimento social etc., seria de grande valor para o projetista. Na falta desse, uma estimativa da demanda futura em mais ou menos 100 por cento da atual, pode ser aceitável.

É necessário um conhecimento razoável da qualidade da água cobrindo toda a área para a qual se pretende utilizar o projeto-tipo.

A avaliação da qualidade da água superficial e o uso atual do solo e sua possível utilização futura em função do desenvolvimento agrícola ou industrial da área é de importância capital na decisão sobre o tipo de tratamento mais adequado. Em algumas localidades, onde a qualidade da água permitia e encorajava o emprego de filtros lentos, por exemplo, a deterioração da qualidade da água impôs a modificação e adaptação dos filtros lentos ao tratamento convencional de coagulação, sedimentação e filtração rápida.

A obtenção de informações adequadas sobre os mananciais é, portanto, um requisito prévio fundamental para o projeto.

Os resultados de uma série de análises pelo período de, pelo menos, um ano, seria de todo desejável; contudo informações sobre a qualidade das águas de um manancial não são facilmente disponíveis. O engenheiro, através de levantamentos e inspeções de campo, se possível com um analisador portátil (fotocolorímetro) para determinação rápida de certos parâmetros, pode avaliar a qualidade da água e decidir qual o grau de tratamento necessário.

O conhecimento da geologia local pode servir como uma orientação preliminar da natureza físico-química da água. Apesar de não ser possível conhecer a composição

Estações de tratamento de água moduladas e padronização de projetos

exata, pode-se reconhecer certos traços fundamentais da água, pela natureza do solo pelo qual ela passa.

Por exemplo, as regiões argilosas proporcionam águas fortemente carregadas de numerosos tipos de íons, os quais reagem com a matéria orgânica de origem natural, coagulando-a e, assim, reduzindo o seu teor. Essas águas têm, então, como características gerais, turbidez média a elevada, pouca matéria orgânica, cor real relativamente baixa e pH ao redor de 7.

As rochas cristalinas fornecem águas de baixa concentração de sólidos totais, pouco mineralizadas, pH geralmente ácido e cor mais ou menos elevada, conseqüência da maior quantidade de matéria orgânica existente.

É interessante que se estude comparativamente o desempenho de estações de tratamento existentes na área, verificando as falhas de projeto, deficiências de processo e problemas operacionais, a fim de evitar os mesmos erros e aproveitar os aspectos positivos no projeto que se pretende desenvolver.

Finalmente, após a conclusão do projeto preliminar, o mais importante e absolutamente indispensável, já que se pretende a sua aplicação em escala, é a execução de um protótipo, preferencialmente em tamanho real, para serem reconhecidas as eventuais falhas e serem promovidas as correções e aperfeiçoamentos necessários à otimização do projeto.

REQUISITOS ESSENCIAIS PARA O PROJETO

Além de apresentar as qualidades gerais de qualquer bom projeto, a estação de tratamento-tipo deve satisfazer certas condições básicas, a fim de permitir o seu emprego sob situações as mais diversas. Assim deve ser de fácil adaptação a quaisquer condições de projeto e operação e apresentar suficiente flexibilidade para ajustar a sua capacidade à demanda de projeto atual e futura. Esta última condição é satisfeita com a adoção de projetos modulados, isto é, os módulos, entendidos aqui como uma unidade completa de tratamento, devem se somar sem contar com dispositivos ou partes intermediárias e serem, de certa forma, independentes para que a adição de novas unidades se faça sem prejudicar a operação normal do sistema.

Considerando as condições tecnológicas e sócio-econômicas das localidades a que é destinada, deve-se tentar projetar uma estação de tratamento tão simples quanto possível, fácil de construir e operar, porém que seja tão eficiente quanto as maiores estações, operadas por técnicos de alto nível e repletas de equipamentos sofisticados, dos países mais industrializados.

Conforme sugere Arboleda em[1], deve-se pensar em um tipo diferente de estação de tratamento, no qual o emprego de equipamento seja um mínimo e que seu manejo não exceda o nível tecnológico do lugar aonde se vai construí-la. Isso é possível, porque existe na atualidade a tecnologia conveniente para esse propósito, objeto deste livro, e que, quando aplicada corretamente, pode conduzir a uma extraordinária redução de custos, fácil operação com um mínimo de manutenção e sem redução na eficiência.

Segundo Wagner[2] "dentro do conhecimento atual, pode-se projetar uma estação

329

Tratamento de água

de tratamento com algo como uns 40% da área das estações tradicionais por unidade de volume de água tratada. Para isso, o projeto deve incorporar os melhores conhecimentos de mistura e floculação. Deve considerar a floculação com unidades de contato de fluxo ascendente. Quando é necessária a decantação, o mais conveniente será empregar sedimentadores de placas, tanto pelo fator econômico, porquanto podem ser feitos de materiais locais a baixo custo, quanto pelo seu maior rendimento. Os filtros de dupla camada têm demonstrado ser superiores aos de areia na qualidade da água filtrada e na habilidade e capacidade para suportar cargas maiores. O projetista deveria empregar o conceito de taxa declinante por ser mais simples, seguro e barato".

CONCEITOS SOBRE MODULAÇÃO

O conceito de padronização e modulação como uma medida de racionalização e velocidade na construção não é novo. No Japão, foram estabelecidas regras sobre as dimensões das edificações, para reconstrução de Tóquio, depois do grande incêndio em 1657. Como medida fundamental, adotou-se o "Ken", igual a 6 pés japoneses ($\cong 1,82\,m$). Os espaços entre os eixos das paredes ou módulos foram definidos por um número completo de Ken e deles derivam todas as dimensões da edificação, simplificando e diminuindo consideravelmente o custo e o tempo necessário à construção.

Antes disso, na Alemanha e na Dinamarca, as construções já eram "moduladas". o "módulo", definido pela distância entre pilares ou colunas de madeira, era de aproximadamente 1,25, medida que se conserva até hoje em chapas e outros elementos construtivos pré-fabricados.

Na arquitetura moderna, a modulação é utilizada para ajustar a disposição, proporções e dimensionamento de um plano. Frank Lloyd Wright empregou a modulação com base em um quadrado com 4 pés de lado ($\cong 1,20\,m$) e Le Corbusier desenvolveu um sistema de modulação de proporções aditivas com base na altura máxima de ocupação do espaço do corpo humano, em duas séries de valores e que chamou de "Modulor".

Qualquer unidade pode ser utilizada na modulação. O metro, com seus múltiplos e submúltiplos, tem demonstrado ser de grande utilidade para essa finalidade.

As construções industriais e pré-fabricadas costumam-se dividir em planta por séries de faixas perpendiculares (reticulado), definindo distâncias entre os elementos estáticos em partes proporcionais que determinam o módulo. Para definir um módulo de tratamento de água, necessita-se completar esse conceito geométrico com a definição funcional. Uma estação modulada será então uma unidade completa de tratamento, com proporções geométricas definidas, variando suas dimensões básicas de acordo com a capacidade nominal e que possam se somar sem contar com dispositivos ou partes intermediárias de modo independente, para que a adição de novas unidades se faça sem prejudicar a operação normal do sistema.

A estação de tratamento de água modulada, denominada "Sanepar-Cepis", por ter tido seu projeto desenvolvido pela Companhia de Saneamento do Paraná (Sanepar) com a colaboração do Centro Panamericano de Ingenieria Sanitária Y Ciencias del Ambiente (Cepis/OPS), teve a sua concepção baseada em um reticulado modulado de metro em metro, como mostra a Fig. 19.1. A unidade assim formada, constituída de um floculador ao centro, decantadores ao lado do floculador e filtros aos quatro cantos, chamou-se módulo 1. Esse módulo, com a capacidade nominal de $1000\,m^3/dia$, pode ser somado até três vezes.

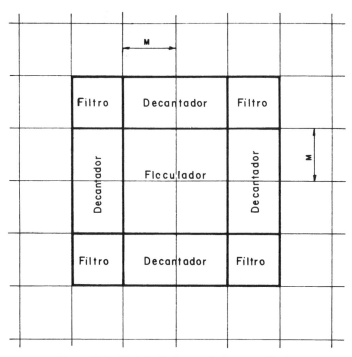

Figura 19.1 - Modulação da estação Sanepar - Cepis

A estação "Sanepar-Cepis" foi dimensionada além daquela, para as seguintes capacidades modulares, mantidas as proporções geométricas através do "módulo" geométrico M:

Capacidade modular	M
$1000\,m^3/dia$	$1,00\,m$
$1250\,m^3/dia$	$1,15\,m$
$1500\,m^3/dia$	$1,25\,m$
$1750\,m^3/dia$	$1,35\,m$

A adoção de um módulo para a distância entre eixos e a ordenação sistemática da distância entre os elementos estáticos da construção, é plenamente justificável, porquanto facilita a composição e o ajustamento das dimensões e proporções do desenho.

A modulação compreende também elementos repetitivos de uma edificação, tais como o tamanho de uma máquina ou equipamento. Em adição, portanto, ao planejamento do espaço, os módulos também servem para a coordenação de vários materiais e equipamentos que serão aplicados no projeto de uma estação de tratamento, tais como, por exemplo, dosadores de produtos químicos ou placas de cimento-amianto dos decantadores de alta taxa. A finalidade é assegurar-se de que todos esses elementos estarão em harmonia, evitando-se problemas com ajustes na montagem, proporcionando economia e rapidez e com a segurança de que tais elementos poderão ser incorporados a outras obras ou a qualquer projetos semelhantes.

REFERÊNCIAS BIBLIOGRÁFICAS

[1] ARBOLEDA VALENCIA, J. — "Teoria, diseño y control de los processos de clarificación del agua". Lima, CEPIS, 1973.

[2] WAGNER, E. G. — "Impacto Economico de los Nuevos Procesos de Tratamiento de Agua". Memorias del Simposio Realizado en Asuncion, Paraguay, Lima, CEPIS, 1973.